# DIE
# SELBSTTÄTIGE SIGNALANLAGE
# DER BERLINER
# HOCH- UND UNTERGRUNDBAHN

## NEBST EINIGEN VORLÄUFERN

VON

Dr.-Ing. **GUSTAV KEMMANN**

GEHEIMER BAURAT

MIT 15 TAFELN UND 188 ABBILDUNGEN IM TEXT

Springer-Verlag Berlin Heidelberg GmbH

1921

*Ergänzter Sonderdruck*

aus den

*Jahrgängen 1916 bis 1920 der „Zeitschrift für Kleinbahnen".*

————

*ISBN 978-3-662-23968-1*     *ISBN 978-3-662-26080-7 (eBook)*
*DOI 10.1007/978-3-662-26080-7*

*Ursprünglich erschienen bei Julius Springer in Berlin 1921.*

# Inhaltsverzeichnis.

## Verzeichnis der Tafeln.

# Vorwort.

Die in meinen „Vorstudien zur Einführung des selbsttätigen Signalsystems auf der Berliner Hoch- und Untergrundbahn"[1]) in Aussicht gestellten weiteren Veröffentlichungen über dieses Signalsystem haben durch den Krieg eine starke Verzögerung erlitten. Der vorliegende Band, eine zum Teil erheblich überarbeitete Zusammenfassung einer größeren Anzahl über die Kriegs- und nachfolgende Friedenszeit verteilter Aufsätze, die in der — Ende 1920 leider eingegangenen — Zeitschrift für Kleinbahnen erschienen sind, enthält eine eingehende Darstellung der selbsttätigen Signalanlagen der Berliner Hoch- und Untergrundbahn in ihrer grundlegenden Form. Die Bahngesellschaft ist andauernd bemüht gewesen, das System, obwohl an sich schon verhältnismäßig einfach, unter Beibehaltung aller Grundgedanken doch noch weiter auszubilden und namentlich zu vereinfachen. Nachdem mit Kriegseintritt die Verbindung mit der englischen Firma, die die maßgebenden Entwürfe für die selbsttätige Signalanlage der Hoch- und Untergrundbahn ausgearbeitet, die wesentlichen Teile geliefert, die Ausführung geleitet und den Betrieb ein Jahr lang überwacht hatte, abgeschnitten war, war die Hochbahngesellschaft genötigt, ausgebliebene Teile — so die Stellwerke der Haltestellen Spittelmarkt, Leipziger Platz und Gleisdreieck — nach dem Vorbild der bereits eingerichteten Anlagen selbst zu entwerfen und in ihren eigenen Werkstätten zu bauen. Sie war ferner bestrebt, die Zahl derjenigen Apparate, die bewegliche Teile besitzen, noch zu vermindern und einzelne Bauformen noch weiter durchzubilden. Eingehende Studien und jahrelange Versuche mit vereinfachten Formen haben zu wesentlichen Erfolgen geführt. Heute kann gesagt werden, daß das selbsttätige Signalsystem für den Betrieb auf der freien Strecke so weit vereinfacht worden ist, daß weitere Vereinfachungen nur noch schwer möglich erscheinen. Über diese Verbesserungen wie auch über die mit dem System gemachten Betriebserfahrungen sowie über Leistungsfragen wird späterhin in einer dritten Veröffentlichung berichtet werden.

Auch in den nachstehenden Darlegungen ist besonderer Wert auf möglichst übersichtliche und gemeinverständliche Darstellung gelegt worden, um möglichst weiten technischen Kreisen eine Anteilnahme an dem Gegenstande zu ermöglichen. Die Ausführungen dürften auch dem Nichtfachmann vollkommen verständlich sein. Um zu eigenem Nachdenken anzuregen, sind außer dem auf der Berliner Hochbahn verwendeten System vorweg noch einige auf Londoner und Neuyorker Schnellbahnen zur Anwendung gekommene Ausführungen in den Kreis der Betrachtungen einbezogen und so ausführlich beschrieben, wie dies der Zusammenhang der Darstellungen rätlich erscheinen ließ. Besondere Sorgfalt ist auf die Klarlegung der Sicherungsweise in Stellbezirken und die damit verbundenen Neuerungen verwendet worden.

---

[1]) Elektrotechnische Zeitschrift 1914, Hefte 6 bis 9 und 11 bis 13 vom 5., 12., 19. und 26. Februar sowie vom 12., 19. und 26. März. Die Aufsätze sind in einem überarbeiteten Sonderdruck besonders herausgegeben (Verlag von Julius Springer, Berlin).

Daß die hiermit einer zusammenfassenden Überarbeitung unterzogenen Aufsätze schon in Fachkreisen lebhaftes Interesse gefunden haben und in Wirklichkeit eine Lücke in der sicherungstechnischen Literatur ausfüllen, entnehme ich aus Zuschriften, die mir von angesehenen Fachmännern zugingen, und aus der großen Zahl von Abhandlungen, die über das selbsttätige Signalwesen neuerdings in der Fachpresse erschienen sind.

Bei der Neuheit des behandelten Stoffes war die Einführung besonderer Grundbegriffe unvermeidlich. Ferner mußten für eine Anzahl von Apparaten, die in Deutschland mit dem selbsttätigen Signalsystem neu auftraten, neue Benennungen gefunden werden. Von den neuen Bezeichnungen habe ich einen Teil schon in den Vorstudien angewendet; ich erinnere an die Unterscheidung zwischen Gleis- und Streckenabschnitt, den Begriff der Schutzstrecke, Benennungen wie Fahrsperre, Nachrücksignale, zu denen jetzt Bezeichnungen für An- und Abrück(gleis)abschnitte, Umleithebel (im Stellwerk), An-, Abrück-, Sperrelais, Fahrschautafel u. a. hinzugetreten sind. Da sich eine Anzahl dieser Ausdrücke auch bereits in der Fachpresse eingebürgert hat, so darf ich annehmen, daß sie im allgemeinen zutreffend gewählt sind. Von einer Verdeutschung des Wortes „Relais" ist aus verschiedenen Gründen Abstand genommen.

Berlin, im Mai 1921.

**Der Verfasser.**

# Einleitung.

In meinen „Vorstudien zur Einführung des selbsttätigen Signalsystems auf der Berliner Hoch- und Untergrundbahn" habe ich die im selbsttätigen Signalwesen zweigleisiger Bahnen vorkommenden vier Fälle der Zugdeckung durch zwei- und dreistellige Blocksignale — two- und three-position signals der Amerikaner — mit Teil-Schutzstrecken und Voll-Schutzstrecken näher erläutert. Die dreistelligen Signale können bekanntlich entweder als Einzelsignale Verwendung finden — eine Form, die in Nordamerika immer mehr an Boden gewinnt —, als auch in Weiterentwicklung des Vorsignalgedankens zur Form der Doppelsignale (Zweiflügelsignale, Zweilichtersignale) gestaltet werden, wie sie ebenfalls in den Vereinigten Staaten, neuerdings auch in London — hier untermischt mit Zweistellern mit und ohne Vorsignale — Anwendung gefunden haben.

Ich brauche auf diese Unterscheidungen und die Schaltweise der Signale im allgemeinen an dieser Stelle nicht näher einzugehen, da darüber in den „Vorstudien" das Erforderliche ausgeführt ist. Die darin entwickelten Grundbegriffe über die Streckenteilung im selbsttätigen Sicherungswesen sind im folgenden beibehalten, denn alle vorkommenden Fälle der selbsttätigen Zugdeckung auf zweigleisigen Strecken lassen sich in der in den „Vorstudien" entwickelten Einteilung folgerichtig einordnen. In der Darstellungsweise, der Form der Schaltpläne und in den Buchstabenbezeichnungen schließe ich mich im folgenden ebenfalls dem früheren an, damit der Leser dem Gange der Darstellung, die auch hier möglichst gemeinverständlich gehalten ist, um so leichter zu folgen vermag. Es wird sich gleichzeitig ergeben, daß meine Bemühungen, für die vielfach neue Darstellungsweise einheitliche Formen zu finden, die zur Vereinfachung beitragen sollen, nicht ohne Erfolg gewesen sind.

Während die „Vorstudien" mehr allgemeinen Betrachtungen gewidmet wurden, sind im nachstehenden praktische Ausführungen behandelt. Eine geradezu ins Ungemessene gehende Fülle von Ausführungsbeispielen bieten die Vereinigten Staaten von Nordamerika, wo ausweislich des amerikanischen Signalwörterbuches die selbsttätige Zugdeckung mit Gleisstromkreisen auf zwei- und mehrgleisigen Stadtschnellbahnen, Überlandbahnen, Vollbahnen in weitestem Maße Verwendung gefunden hat. Dieses Sammelwerk läßt neben den zahlreichen Veröffentlichungen, die in der Fachpresse über den Gegenstand erschienen sind, die weitgehende Mannigfaltigkeit und starke Anpassungsfähigkeit des mit Gleisstromkreisen arbeitenden selbsttätigen Signalwesens klar erkennen, und wer sich weitere Belehrung über den Gegenstand verschaffen will, kann nicht umhin, sich mit den genannten Quellen, insbesondere auch dem Signalwörterbuch, näher zu befassen; leider ist das Verständnis des letzteren dadurch teilweise beeinträchtigt, daß die Verarbeitung des fast überreichen Stoffes nicht mit der Gründlichkeit erfolgt ist, die überall volle Klarheit schafft.

Wie wir aus dem Signalwörterbuch erfahren, geht in den Vereinigten Staaten die Verwendung von Gleisströmen bis zum Jahre 1879 zurück, in dem sie zum ersten Male nutzbar gemacht wurden, um falsche Fahrt frei-Anzeige von Sigmalen zu verhindern, falls im Betriebe Zugtrennungen aus Störungsgründen eintreten sollten. Der Gleisstrom sollte auch die Entdeckung von Schienenbrüchen ermöglichen. Damit hatte auch der Gedanke Fuß gefaßt, die Gleisströme für die selbsttätige Zugdeckung zu benutzen, und zwar zunächst unter Verwendung des Druckluftantriebes für die Signale, mit der in den Vereinigten Staaten im Jahre 1885 begonnen wurde. Nunmehr war es bereits möglich, zur Ausbildung des selbsttätigen Signalwesens für Stadtschnellbahnen überzugehen, während der Druckluftantrieb auf Überlandbahnen nur in Fällen besonders dichten Verkehrs angebracht ist, da für diese Bahnen die Anlagekosten der Signalanlagen wegen der bedeutenden Längenausdehnung der Druckluftleitungen sonst zu hoch ausfallen würden. Die allgemeine Anwendung der durch Gleisströme betriebenen selbsttätigen Signalanlagen auch auf den langen Bahnlinien des Landes setzte daher erst ein, als die Akkumulatoren und die elektrischen Antriebe zu dem für die selbsttätige Sicherungsweise erforderlichen Vollkommenheitsgrad ausgebildet waren. Von 1900 ab datiert diese zweite Periode des Fortschritts im selbsttätigen Signalwesen, in den dann auch die eingleisigen Bahnen einbezogen wurden. Diese stellten wieder neue Aufgaben. Die Überwachungsströme wurden hier ausgedehnter und verwickelter als auf zweigleisigen Bahnen, da jeder von zwei einander entgegenfahrenden Zügen dem anderen das Signal Halt entgegenstellen muß, und zwar auf solche Entfernung, daß beide Züge bei diesem gegenseitigen Halt-Gebot genügend Zeit zum Abbremsen haben. Ungeachtet der vermehrten Abhängigkeiten in der Schaltung und der besonderen Verhältnisse des Betriebes findet das selbsttätige Signalsystem auf den eingleisigen Bahnen immer weitere Verbreitung. Die Gleisstromsicherungen für diese Bahnen sind jetzt so vervollkommnet, daß kaum noch etwas nachzuholen bleibt.

In den Vereinigten Staaten ist die Ausbreitung der selbsttätigen Signale in der Zeit vor dem Kriege derartig beschleunigt worden, daß, wie uns das Signalwörterbuch mitteilt, im Jahre 1911 dort nicht weniger als 20 000 km zweigleisige und 10 000 km eingleisige Bahnen mit selbsttätigen Signalen ausgerüstet waren.

Für Bahnen mit dichter Zugfolge, insbesondere für die Stadtschnellbahnen, hat sich aus dem Wesen des Gleisstromes eine von der früheren Vorschrift abweichende Regel über die Grundstellung der Signale herausgebildet, die besagt, daß im rein selbsttätigen Strecken-betriebe sämtliche Signale in der Grundstellung Fahrt frei statt Halt zeigen. Da ein selbsttätiges Signal lediglich den Zustand des Streckenabschnitts anzeigen, nicht aber, wie bei den handbedienten Systemen, die mündliche Weisung des Signalwärters — Fahrverbot oder Fahrerlaubnis — ersetzen soll, so muß das Signal folgerichtig auch Fahrt frei zeigen, wenn der Streckenabschnitt frei ist. Sodann bietet die Grundstellung Fahrt frei den Vorteil, daß sie besser erkennen läßt, ob die Signale richtig arbeiten. Im halbselbsttätigen Betriebe, also in Stellbezirken, in denen die Signale zwar auch durch den Zug selbst auf Halt gestellt, aber vom Wärter in die gezogene Stellung gebracht werden, ist Halt die Grundstellung.

Das selbsttätige Signalwesen der Stadtschnellbahnen hat bis in die neueste Zeit für die Weichen, Signale und Fahrsperren den Druckluftantrieb beibehalten, da er auch auf langen Außenstrecken und unter schwierigsten Umständen, selbst bei Kältegraden bis zu 30° C — wie in Boston — einwandfrei arbeitet. Die erste elektrische Stadtschnellbahnanlage, auf der die selbsttätige Zugsicherung mit Gleisstromkreisen unter Benutzung von Druckluftantrieben zur Einführung gelangte, war die Bostoner Hochbahn, deren Eröffnung im Juni 1901 erfolgt ist. Mit Druckluftantrieben arbeiten ferner die 1904 eröffnete Neuyorker Untergrundbahn, weiterhin die nach dreijährigen eingehenden Versuchen auf der Ealing-Harrow-Vorortstrecke bei London im Jahre 1906 mit selbsttätigen Signalen ausgerüstete Londoner Distriktbahn, die bald darauf die Bakerloo-, Piccadilly- und Hampstead-Röhrenbahnen in London folgten. Um dieselbe Zeit schloß sich die Hoch- und Untergrundbahn in Philadelphia an; 1912 wurde die Signalanlage der Zentrallondonbahn in eine mit Druckluftantrieben arbeitende selbsttätige umgewandelt. Erst neuerdings kommt der in seiner Arbeitsweise verwickeltere rein elektrische Antrieb zum Stellen der Weichen und Signale mehr in Aufnahme; man findet ihn auf der Londoner Metropolitanbahn, der Ostlondonbahn und der Berliner Hochbahn.

Im nachfolgenden soll die erste mit Gleisströmen betriebene selbsttätige Signalanlage Deutschlands, nämlich die der Berliner elektrischen Hochbahn, ausführlicher dargestellt werden. Zur Einführung in das Stoffgebiet sind jedoch vorweg noch die selbsttätigen Signalanlagen zweier der bekanntesten Vorläufer behandelt, und zwar der Distriktbahn, der Metropolitanbahn in London mit den im Unternehmen der Londoner Untergrundbahnen-Gesellschaft vereinigten Liniennetzen der vorhin genannten Röhrenbahnen einerseits, der Neuyorker Untergrundbahn anderseits. Auf diese Weise werden die drei vorkommenden Fälle sämtlich durch Beispiele belegt, in denen entweder

1. beide Fahrschienenstränge bahnstromfrei sind, also ausschließlich für den Gleisstrom zur Verfügung stehen, oder

2. nur der eine Schienenstrang bahnstromfrei, der andere vom Bahnrückstrom besetzt ist, so daß der Gleisstrom einen stromfreien und einen stromführenden Schienenstrang benutzen muß, oder endlich

3. beide Fahrschienenstränge an der Rückleitung des Bahnstroms teilnehmen, so daß sich Bahn- und Signalstrom in beiden Fahrschienen überdecken müssen.

Die zur Besprechung gelangenden Bahnen werden durchweg mit Gleichstrom betrieben. Im ersten Falle, in dem für den Bahnstrom besondere Zu- und Rückleitungen („dritte" und „vierte" Schiene) einzubauen sind, können die Gleisstromkreise sowohl mit Gleichstrom als auch mit Wechselstrom gespeist werden. Dasselbe gilt für den zweiten Fall, während die Gleisstromkreise im dritten Falle, in dem die Zuleitung des Bahnstroms mit der dritten Schiene, die Rückleitung mit beiden Fahrschienen erfolgt, nur mit Wechselstrom beschickt werden dürfen. Bei Wechselstrombahnen muß für den zum Signalbetrieb verwendeten Wechselstrom eine Periodenzahl gewählt werden, die von der des Bahnstroms wesentlich verschieden ist.

# Selbsttätige Signale der Londoner Schnellbahnen.

In Abb. 1 sind die seither mit selbsttätigen Signalen ausgerüsteten Strecken des Groß-Londoner Schnellbahnnetzes zusammengestellt. Außer der Distriktbahn und der Metropolitanbahn mit dem größten übergegangen; die City- und Südlondonbahn ist im Begriff, zu folgen. Die Bakerloo-, Piccadilly- und Hampstead-Röhrenbahnen wurden von vornherein mit dem selbsttätigen Signalsystem versehen. Auf

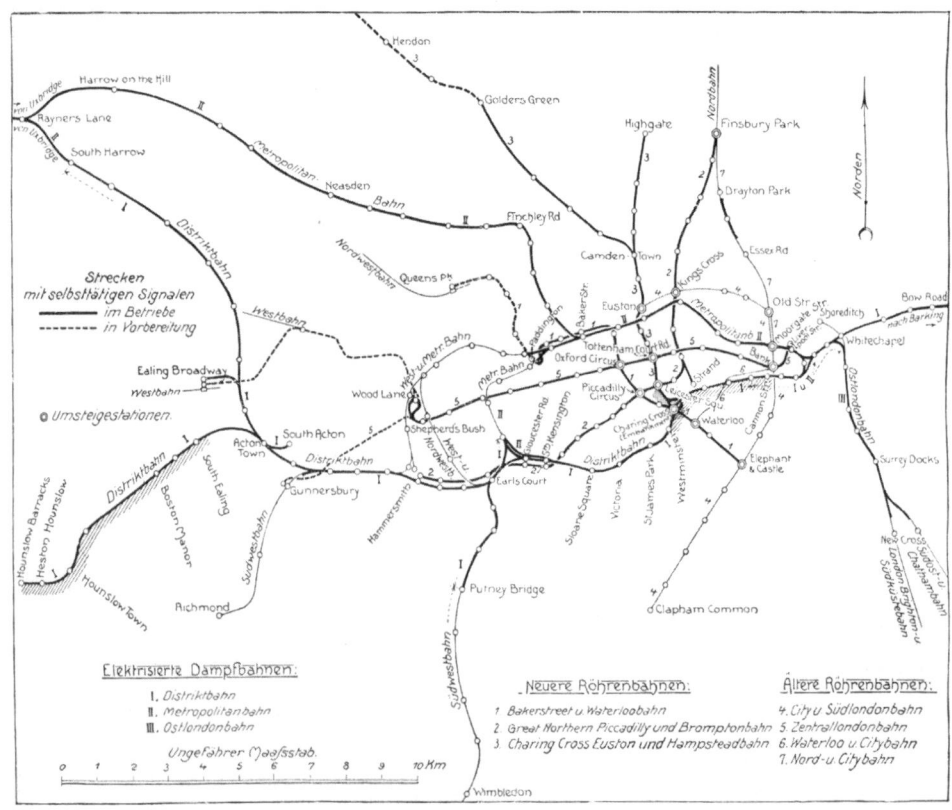

Abb. 1. Ausdehnung der mit dem selbsttätigen Signalsystem ausgerüsteten elektrischen Schnellbahnen Großlondons; Zustand 1914.
Anmerkung: Wegen der schraffierten Strecken vergl. die Textabbildungen 35, 36, 37.

Teile ihrer eigenen und fremden Erweiterungslinien — darunter die Whitechapel-Bow- sowie die Ostlondonbahn — ist kürzlich auch die Zentrallondonbahn vom handbedienten zum selbsttätigen Signalsystem all diesen Bahnen, mit Ausnahme der Zentrallondon- und Ostlondonbahn, werden die Signale in der durch das obere Schaltbild der Tafel I dargestellten Weise mit Gleichstrom betrieben; die letztgenannten beiden Bahnen verwenden für den Gleisstrombetrieb Wechselstrom.

Im folgenden sind die nach dem Schaltbilde der Tafel I betriebenen Signalanlagen der Londoner Schnellbahnen besprochen.

### Triebkraft.

Die Distriktbahn wie die Metropolitanbahn samt den von ihnen befahrenen Strecken fremder Gesellschaften, und ebenso die Bakerloo-, Piccadilly- und Hampstead-Röhrenbahnen werden mit Gleichstrom von 600 Volt betrieben, der auf Unterstationen durch Einankerumformer erzeugt wird. Der Stromzu- und rückführung

Abb. 2. Luftpressen für den Signal- und Weichenbetrieb
(Distriktbahn.)

dienen eine „dritte und vierte Schiene". Die Umformer werden durch niedrig gespannten Drehstrom von 400 Volt angetrieben, der aus dem vom Hauptkraftwerk gelieferten, mit $33\frac{1}{3}$ Perioden i. d. Sek. arbeitenden hochgespannten Drehstrom von 11 000 Volt Spannung herabtransformiert ist. Die Speisung der Gleisstromkreise und der Akkumulatoren für die Kraftstellwerke, der Betrieb sämtlicher Relais wie aller mit dem Signalwesen zusammenhängender Sondereinrichtungen erfolgt von den Unterstationen

aus durch Gleichstrom von rd. 60 Volt, der durch kleine Umformer erzeugt wird, die von dem niedrig gespannten Drehstrom angetrieben werden. Die für die Gleisstromzwecke erforderliche Kraft beträgt etwa 0,2 KW für das Kilometer Einzelgleis. Zum Stellen der Weichen, Signale und Fahrsperren wird bei der Distriktbahn und den Röhrenbahnen Druckluft verwendet. Auf jeder Unterstation befindet sich ein Satz elektrisch angetriebener Pressen zur Erzeugung der für die Antriebe der Weichen, Signale und sonstigen Einrichtungen erforderlichen Druckluft; Abb 2. Die Pressen gleichen in ihrer Bauart den in die Wagen eingebauten Luftpressen der Zugbremse. Die Druckluft gelangt, nachdem sie in einem Niederschlagbehälter von Feuchtigkeit befreit ist, in einen Hauptbehälter und von hier in ein an der Bahn entlanggeführtes 5 cm weites Luftrohr, von dem aus die Antriebe gespeist werden. Die Anordnung ist so getroffen, daß bei etwaigem vorübergehenden Versagen einer Luftpresse die anderen die Versorgung der Antriebe übernehmen. Durch selbsttätige Regler, die die Pressen selbsttätig ein- und ausschalten, wird ein Arbeitsdruck der Luft von $4\frac{1}{2}$ bis 5 Atm. dauernd aufrecht erhalten. Die Druckluftantriebe der Weichen und Signale sind mit elektrischer Steuerung ausgerüstet. Bei der Metropolitanbahn werden die Weichen und Signale durchweg mit Gleichstromantrieben elekrisch gestellt.

### Sicherung der Züge auf freier Strecke.

Die Arbeitsweise der Gleisströme ist von Wehland im Heft 29 der Elektrotechnischen Zeitschrift vom Jahre 1913 an der Hand eines Schaltbildes beschrieben, das auf Tafel I lediglich mit der in den „Vorstudien" und in der vorliegenden Berichtfolge angewendeten Darstellungsweise in Übereinstimmung gebracht ist. Der eine Fahrschienenstrang des Gleises ist in seiner ganzen Länge stromleitfähig; durch kupferne Verbinder ist für sicheren Stromübergang zwischen den aneinanderstoßenden Schienenenden Sorge getragen. Der zweite Fahrschienenstrang ist durch stromtrennende Einlagen $J$, $J_a$, $J_b$ — Tafel I — in die aufeinanderfolgenden Gleisabschnitte $G$, $G_a$, $G_b$, $G_c$ zerlegt; die Schienenstöße zwischen den Trennstellen sind ebenfalls mit Kupferverbindern versehen. Der positive Pol der Gleisstromquelle liegt an dem durchlaufend leitfähigen Fahrschienenstrang, der negative an einer am

Gleis entlang geführten Signalspeiseleitung; der Potentialunterschied zwischen beiden beträgt, wie schon erwähnt, rd. 60 Volt. An den Ausfahrenden der Gleisabschnitte ist die Speiseleitung mit der unterteilten Schiene leitend verbunden. In die Verbindungen sind Widerstände $W$, $W_a$, $W_b$ eingeschaltet, die so abgestimmt sind, daß sie die Stromspannung zwischen den Fahrschienensträngen der Gleisabschnitte je nach der Länge dieser Abschnitte und nach den örtlichen Verhältnissen auf 2 bis 5 Volt herabdrücken, so daß von der Gesamtspannung des Gleisstroms etwa 58 bis 55 Volt in den Widerständen vernichtet werden. Von den Fahrschienen werden die Spannungsverhältnisse nur unwesentlich beeinflußt, da ihr Widerstand bei der Größe ihres Querschnitts so gering ist, daß er praktisch vernachlässigt werden kann. Mit Rücksicht auf die Bahnbettung und die Schwellen jedoch, die trotz ihrer sehr geringen elektrischen Leitfähigkeit den Potentialunterschied zwischen den beiden Schienensträngen durch Stromstreuung etwas beeinflussen, bedürfen die Widerstände einer gelegentlichen Nachprüfung, da sich der Bettungswiderstand je nach den Witterungsverhältnissen innerhalb gewisser Grenzen ändern kann. Als nichtleitendes Bettungsmaterial bewährt sich Steinschlag bei weitem am besten, Schlacke am schlechtesten.

Zwischen dem positiven Fahrschienenstrang und den **A b s c h n i t t e n   d e s   u n t e r t e i l t e n   n e g a t i v e n   F a h r s c h i e n e n s t r a n g e s** befinden sich in Nebeneinanderschaltung:

1. die auf niedrige Spannung gewickelten Gleismagnetspulen der an den Enden der Gleisabschnitte angeordneten polarisierten Relais ..., B; $A_a$, $B_a$; $A_b$, $B_b$; $A_c$, ....

Zwischen dem positiven Fahrschienenstrang und der negativen **S i g n a l l e i t u n g   s e l b s t** sind nebeneinander geschaltet:

2. die mit einseitiger Gewichtsbelastung zwischen den Gleismagnetspulen geneigt aufgehängten und mit kontaktschließenden Gegenarmen versehenen, auf hohen Widerstand gewickelten Pendelspulen, deren Stromkreise von den Gleismagneten bei ..., I; $1_a$, $I_a$; $1_b$, $I_b$; $1_c$, ... durch Ankeranziehung geschlossen werden, wenn die Gleisspulen Strom erhalten;

3. die in die Signalleitungen nebeneinander geschalteten Signale und Fahr-

sperren $S_a$ mit $F_a$, $S_b$ mit $F_b$, $S_c$ mit $F_c$[1]), die gestellt werden durch die Kontaktarme der Pendelspulen, indem diese die in den Signalleitungen hintereinander geschalteten Kontaktpaare ..., II; $2_a$, $II_a$; $2_b$, $II_b$; $2_c$, ... öffnen oder schließen. Die in den Signalleitungen befindlichen Widerstände $v$, $v_a$, $v_b$ dienen dazu, die Spannung in den Signalstromkreisen auf den zur Steuerung der Antriebe erforderlichen Betrag von rd. 12 Volt herabzudrücken.

Ist der Gleisabschnitt $G_a$ (Tafel I) unbesetzt, so fließt der Gleisstrom durch den ungeteilten Fahrschienenstrang und durch die Gleisspulen der beiden Relais $A_a$ und $B_a$ — ein geringer Teil auch durch den Bettungskörper — zum unterteilten Schienenstrang und über den Widerstand $W_a$ zur negativen Hauptleitung und zurück zur Stromquelle; zu vergleichen die dem Schaltbild beigezeichneten gestrichelten Linien. In diesem Zustande sind die Gleismagnetspulen der beiden Relais erregt, ihre Anker also angezogen. Es sind also auch die Kontakte $1_a$ und $I_a$ und somit die Stromkreise der Pendelspulen geschlossen, so daß diese Spulen von dem einen — in der Abbildung linksseitigen — Polschuh der Gleismagnetspulen unter Überwindung des Gegengewichts kräftig angezogen werden. Dadurch wird der Schluß der Kontakte $2_a$ und $II_a$ herbeigeführt und somit der Signalstromkreis von der positiven Fahrschiene zur negativen Signalleitung geschlossen. Die Steuerelektromagnete in den Antrieben erhalten Strom und stellen Signal und Fahrsperre auf „Fahrt frei".

Fährt ein Zug in den Streckenabschnitt $G_b$ ein (Tafel I), so werden die beiden Fahrschienenstränge in diesem Abschnitt durch die Zugachsen kurz geschlossen, die Gleisspulen eines oder beider Relais $A_b$ und $B_b$ also stromlos. Die Anker fallen ab und unterbrechen dadurch bei $1_b$ und $I_b$ die Stromkreise der Pendelspulen, die nunmehr unter dem Einfluß der Gegengewichtarme ebenfalls zurückgehen und den Signalstrom an einer oder zwei Stellen, bei $2_b$ und $II_b$, unterbrechen. Die Steuerelektromagnete in den Antrieben werden dadurch stromlos, und Signal $S_b$ mit Fahrsperre $F_b$ gehen auf Halt. Wäh-

---

[1]) Für die Signale und Fahrsperren sowie die Antriebe sind in allen Schaltbildern die gleichen Zeichen angewendet, gleichviel, um welche Art und Antriebweise es sich im Einzelfalle handelt.

rend der Zug den Trennstoß J b überfährt, verharren beide in der Haltstellung. In dem Augenblick aber, in dem der Zug mit seiner letzten Achse den Gleisabschnitt G b verläßt, ändern sich die Stromverhältnisse wieder dergestalt, daß Signal S b und Fahrsperre F b wieder selbsttätig die Stellung Fahrt frei einnehmen. Voraussetzung für

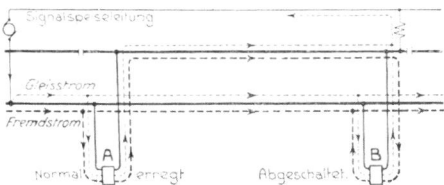

Abb. 3. Stromlauf in einem von Fremdstrom befallenen |un|besetzten Gleisabschnitt,

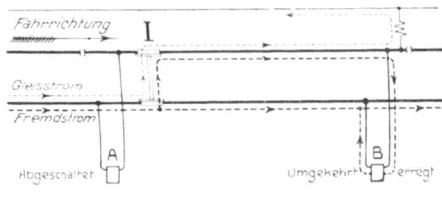

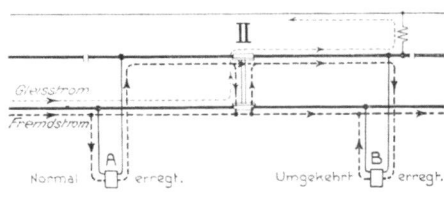

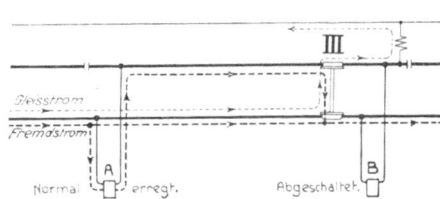

Abb. 4. Stromlauf in einem von Fremdstrom befallenen besetzten Gleisabschnitt.

richtiges Arbeiten der Signalmittel ist, daß die Radsätze des Zuges dem Strom im Übergang von Schiene zu Schiene nur sehr geringen Widerstand bieten. Wo Holzscheibenräder Verwendung finden, muß daher die Holzeinlage durch eine leitende Verbindung vom Reifen zur Nabe überbrückt werden. Zwischen Rad und Schiene ist der Stromübergang stets gesichert. Die Erfahrungen haben gezeigt, daß selbst das Sanden der Schienen und, wie in London festgestellt, sogar Überflutungen der Gleise die

kurzschließende Wirkung der Zugachsen nicht aufheben.

Weitere Voraussetzung für einwandfreies Arbeiten der Signalanlage ist, daß die Relais nur bei ordnungsmäßigem Stromverlauf die Signale freigeben, daß sie dagegen in besetzten Gleisabschnitten keine Fahrt frei - Anzeige herbeiführen können, falls etwa Fremdströme in die Schienenstränge gelangen sollten. Wenn auch das Gleis nicht zur Rückleitung des Bahnstroms benutzt wird, so ist es doch nicht ausgeschlossen, daß gelegentlich, etwa infolge ungenügender Isolierung der Zuführungskabel des Bahnstroms, der Stromschienen oder der Zugausrüstung Stromübergang nach den Fahrschienen stattfindet, und daß dadurch die Gleisspulen fehlerhaft beeinflußt werden. In unbesetzten wie besetzten Gleisabschnitten können die Signale durch Streuungen des Bahnstroms nur im Sinne der Haltstellung beeinflußt werden.

Bei u n b e s e t z t e m Gleisabschnitt wird das eine der beiden Relais durch Fremdstrom, welcher der d u r c h l a u f e n d e n Schiene folgt, in umgekehrtem Sinne erregt (Abb. 3) ; das umgekehrt erregte Relais wird abgeschaltet, so daß das Deckungssignal in die Haltlage geht. Befällt der Fremdstrom den u n t e r t e i l t e n Schienenabschnitt, so werden beide Relais umgekehrt erregt und infolgedessen abgeschaltet.

Die Einwirkung des Fremdstroms auf einen besetzten Gleisabschnitt ist in Abbildung 4 für den Fall erläutert, daß der Fremdstrom in der Richtung des vorrückenden Zuges dem d u r c h l a u f e n d e n Schienenstrange folgt. Aus dem Fremdstrom entwickeln sich unter diesen Verhältnissen Zweigströme, die infolge des Kursschlusses durch die Zugachsen eine oder beide Relaisspulen durchfließen. Bei der Einfahrt des Zuges in den Gleisabschnitt wird das A-Relais abgeschaltet, das B-Relais in umgekehrtem Sinne erregt (Abbild. 4, I). Bei der Weiterfahrt des Zuges tritt eine Erregung des A-Relais in normalem Sinne ein. Die Stärke der Erregung wächst, je weiter sich der Zug von dem Relais entfernt, während die Erregung des B-Relais allmählich abnimmt (Abb. 4, II), bis es ganz abgeschaltet wird, wenn der Zug gegen das Ende des Gleisabschnittes vorgerückt ist (Abb. 4, III). Nach der Mitte des Gleisabschnitts hin nehmen die Zugachsen an der Fremdstromführung immer geringeren Anteil, da sich darin die Fremdströme wie in einem Mittelleiter zum Teil oder auch ganz aufheben. Fließt der Fremdstrom der Fahrrichtung des Zuges entgegen, so kehren sich lediglich die Erregungsrichtungen der Relais um.

Falls der Fremdstrom einen Fahrschienenabschnitt des u n t e r t e i l t e n Gleisstranges befallen sollte, wird der größte Teil desselben durch die Zugachsen zur ungeteilten Schiene übertreten, ein kleiner Teil aber auch in umgekehrter Richtung durch eines oder auch beide Relais fließen.

Nach dem Gesagten können also in einem besetzten Abschnitt folgende Fälle eintreten:

1. Beide Relais sind infolge der kurzschließenden Wirkung der Zugachsen ordnungsmäßig abgeschaltet: der Signalstromkreis ist an z w e i Stellen unterbrochen.

2. Eines der Relais ist ordnungsmäßig abgeschaltet; das andere ist durch Fremdstrom erregt und zwar:

a) im normalen Sinne: der Signalstromkreis ist nur an e i n e r Stelle unterbrochen;

b) im entgegengesetzten Sinne: der Signalstromkreis bleibt an b e i d e n Stellen unterbrochen.

3. Beide Relais sind durch Fremdströme erregt, das eine im normalen Sinne, das andere umgekehrt: der Signalstromkreis ist an e i n e r Stelle unterbrochen.

Im praktischen Betriebe kann es also vorkommen, daß die Gleisspulen eines oder beider Relais eines Gleisabschnitts durch Fremdströme beeinflußt werden; die Anordnung verhindert indessen, daß b e i d e Relais durch die Fremdströme g l e i c h z e i t i g i m n o r m a l e n S i n n e erregt werden. Dazu kommt, daß die Fremdströme die Relais nur erregen können, wenn sie gleiche oder höhere Spannung besitzen als der normale Gleisstrom.

Die Erfahrungen eines nunmehr fünfzehnjährigen Betriebes haben gezeigt, daß das System den gehegten Erwartungen in vollem Umfange entsprochen hat.

Es war erwähnt, daß die Widerstände W den Potentialunterschied zwischen den Fahrschienensträngen auf den Betrag von 2 bis 5 Volt herabdrücken, indem sie den Hauptteil der Spannung von 58 bis 55 Volt selbst aufnehmen. Beim Kurzschluß des Gleisstromes durch die Zugachsen wird also nur noch ein geringer Teil des Gesamtwiderstandes abgeschaltet. Demgemäß kann auch die Gleisstromstärke infolge des Kurzschlusses nur in geringen Grenzen anwachsen. Dadurch wird auch ein nachteiliges Sinken der Spannung zwischen den Schienensträngen unbesetzter Abschnitte vermieden. Die Widerstände verhindern ferner auch, daß bei Besetzung eines Gleisabschnitts die Stromerzeuger selbst, die nur geringen inneren Widerstand haben, kurz geschlossen und dadurch beschädigt werden.

Das Schaltbild läßt erkennen, daß bei zufälligen Unterbrechungen in den Stromkreisen die Signale sofort in die Haltstellung zurückkehren. Auch etwaige Schienenbrüche führen danach die Haltstellung der Signale mindestens für den betreffenden Gleisabschnitt herbei.

Verbindungsleitungen zum Vorsignal sind bei Anwendung polarisierter Gleisrelais entbehrlich. Wenn das Hauptsignal auf Fahrt frei gestellt wird, betätigt es einen Polwechsler, der die Richtung des Gleisstroms in Beziehung zum polarisierten Relais umkehrt, das auf diese Weise erregt wird und den Triebstrom für das Vorsignal schließt.

### Bauweise einzelner Teile der Streckensicherung.

Die T r e n n s t ö ß e haben die in Abb. 5 dargestellte, sehr verbreitete Form. Die elektrische Trennung der Schienen wird durch Fiberplatten bewirkt, die zwischen der Schiene und winkelförmigen mittleren Umbiegungen a geteilter gewöhnlicher Vierlochlaschen durchgehen. Die Verbindungsbolzen in den Laschenumbiegungen sind von Isolierbuchsen umgeben und zur Erzielung dichten Schlusses sorgfältig abgedreht. Die Laschen sind aus Guß- oder Preßstahl hergestellt und durch Behobeln der an der Schiene anliegenden Flächen und Kanten scharf eingepaßt. Die Bolzen bestehen aus Manganstahl. Die Stöße haben sich als sehr widerstandsfähig erwiesen und übertreffen die gewöhnlichen Schienenstöße an Festigkeit. Der Einbau von Zwangschienen bietet für ihre Ausgestaltung keine Schwierigkeiten.

Die Ausführungsweise der R e l a i s und der W i d e r s t ä n d e ist in den Abb. 6 und 7 veranschaulicht. Bei den Relais sind Kontakt- und Gewichtsarm der Pendelspule zu einem einzigen wagerecht herabgebogenen Organ vereinigt. Die Kontakte sind, abweichend von der auf Tafel I schematisch angedeuteten zweipoligen Anordnungsweise, nur für einpunktige Berührung eingerichtet. Zu dem Zwecke ist der eine der beiden Pole mit dem stromschließenden Metallteil fest vereinigt, dessen Bewegungen die Anschlußleitung leicht nachgeben kann. Die Relais- und Widerstandskästen sind wasserdicht verschlossen. Im unteren Teil der Gehäuse befinden sich Schmelzsicherungen, die gegen Stromüberlastung schützen.

Die S i g n a l e haben verschiedene Formen. Im Freien werden Flügelsignale verwendet, die links vom Gleise aufgestellt auch bei den englischen Fachleuten Anhänger, da diese Anordnung keiner Gegengewichte an den Flügeln zur Herbeiführung der Haltstellung bedarf. Bei den Flügelsignalen der Metropolitanbahn hat die h a l b a u f w ä r t s gerichtete Flügelstellung für die Fahrt frei-Anzeige bereits praktische Anwendung gefunden.

Für die Erleuchtung der Distriktbahn-

Abb. 5. Trennstoß.

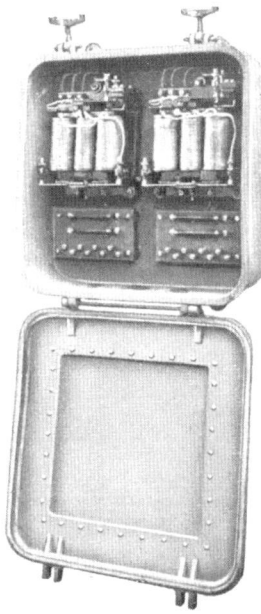

Abb 6. Polarisiertes Relais

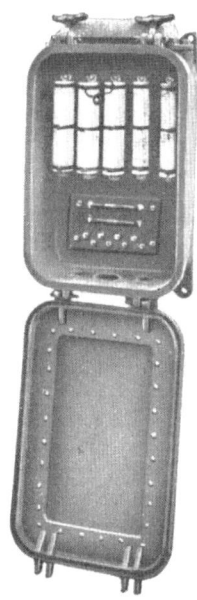

Abb. 7. Widerstandsgehäuse.

werden und deren Arme, entsprechend der in England allgemein durchgeführten Linksfahrt, nach links gerichtet sind und in der Stellung Fahrt frei fast durchweg h a l b a b w ä r t s   z e i g e n ; durch ein rechts von der Drehachse befindliches Übergewicht gelangen sie selbsttätig in die Haltstellung. Neuerdings findet die in anderen Ländern überwiegend gebräuchliche h a l b a u f w ä r t s gerichtete Flügelstellung für die Fahrt frei-Anzeige und der Röhrenbahn-Signale wird Gas verwendet; jedes Signal ist außerdem mit einer Adams-Westlakeschen Dauerbrandöllampe ausgerüstet für den Fall, daß das Gas versagen sollte. Die Öllampen sind so gebaut, daß sie eine Woche lang ununterbrochen und ohne Wartung brennen können. Die Tunnelsignale der Metropolitanbahn werden durch elektrische Glühlampen erleuchtet; ihr Licht ist durch Glaslinsen verstärkt.

In Abb. 8 ist ein mit Druckluft gestelltes Flügelsignal der Distriktbahn dargestellt, dessen Antrieb a unmittelbar unter dem Signalflügel befestigt ist. Die Arbeitsweise des Antriebes ist aus den Abb. 9 a und 9 b ersichtlich. Durch den Signalstrom wird ein doppelsitziges Nadelventil elektromagnetisch gesteuert, das in der Grundstellung, d. h. bei Stromlosigkeit des Steuerelektromagneten, mit dem unteren Verschlußkegel den Luftzutritt zum Zylinder unter dem Druck einer Schraubenfeder abschließt, während der obere Verschlußkegel von seinem Sitz abgehoben ist und den Zylinder mit der Außenluft in Verbindung bringt. Beim Schließen des Signalstroms wird das Ventil infolge Ankeranziehung des Elektromagneten unter Überwindung der Schraubenfeder abwärts bewegt; der untere Verschlußkegel wird von seinem Sitze abgehoben und dadurch der Zutritt der Druckluft freigegeben, die aus der Pfeilrichtung zum Zylinder strömt und den Kolben nach unten schiebt, während die Verbindung mit der Außenluft abgeschnitten wird. Die Kolbenstange zieht den Signalflügel abwärts in die Fahrstellung. Beim Öffnen des Signalstroms wird der Elektromagnet stromlos. Die Schraubenfeder hebt wieder das Nadelventil, sperrt die Druckluft gegen den Zylinder ab und öffnet zugleich den Luftauslaß. Der Flügel kehrt durch sein Gegengewicht in die Haltstellung zurück. Da er hierbei die Luft aus dem Zylinder drücken muß, wird er gleichzeitig gepuffert. Der Zylinder hat 76 mm Durchmesser, der Kolben 102 mm Hub.

Bei Neuanlagen pflegen Antrieb und Signalflügel zu einem Verbundkörper vereinigt zu werden, der auch die Laterne trägt. Die Abbildungen 10 a und 10 b zeigen die Ausführungsform eines derartigen Antriebes, bei der die Fahrerlaubnis durch halbaufwärts gerichtete Flügelstellung gegeben wird. Mit dem Elektromagneten a wird der Luftzutritt zum Zylinder b geregelt. Sobald der Elektromagnet durch den Signalstrom erregt wird, tritt Druckluft über den Kolben; die Kolbenstange dreht mittels des Hebels c den Flügel in die Stellung Fahrt frei (halbaufwärts). Wird der Elektromagnet stromlos, so fließt die Druckluft ab, und der Flügel fällt in die Haltstellung zurück, in der er sich mittels der Schulter d gegen die Sperre e legt (Abb. 10 a). Ein die Flügelbewegung mitmachender Schirm f blendet die Signalgläser gegen durchscheinendes

Licht ab. Beim Aufbau des Antriebes ist darauf geachtet, daß alle beweglichen Teile gut gegen Frost und Schnee geschützt sind.

Die Form der Tunnelsignale ist den Lichtraumverhältnissen des Profils angepaßt. In Abb. 11, die die gewöhnliche Form eines Tunnelsignals der Distriktbahn

Abb. 8. Flügelsignal mit Druckluftantrieb (Distriktbahn.)

darstellt, bezeichnet a die Einführungskammer für Leitungen und Lufthahn. Ventil und Luftzylinder befinden sich im Fußgehäuse des Schaftes b. Die Abbildung zeigt das Signal in der Haltstellung, in der sich die rote obere Blende vor der Laterne befindet. Beim Schließen des Signalstromkreises tritt Druckluft in den Zylinder; der Rahmen wird hochgehoben, so daß die grüne — untere — Blende vor die Lampe tritt. Bei Unterbrechung des Signalstromkreises wird der Luftauslaß ge-

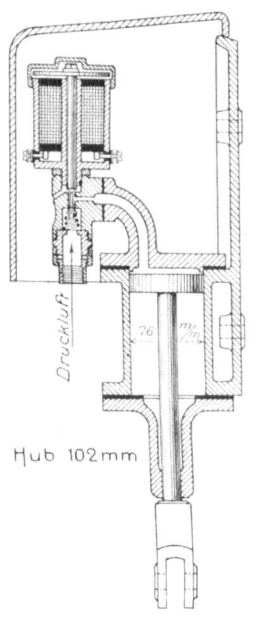

Abb. 9a.               Abb. 9b.

Abb. 9a und 9b. Druckluftantrieb für Flügelsignale

öffnet, und der Rahmen fällt vermöge seines Eigengewichts wieder zur Haltstellung herab. Die Signale haben ihren Standort zwischen den Gleisen. Das Signal der Röhrenbahnen — Abb. 12 — unterscheidet sich von dem der Distriktbahn dadurch, daß der Aufbau des Triebwerks in der Wagerechten statt nach aufwärts erfolgt, da das Signal seitlich an der Tunnelwand befestigt werden muß und nicht mehr als 25 cm in den nur 3,56 m weiten Tunnelraum hineinragen darf. Der Antrieb befindet sich vor dem Gestell; seine Bewegungen werden auf die Blende durch Hebelwirkung übertragen.

Abb. 10b.<br/>Antriebgehäuse<br/>geöffnet.

Abb. 10a.<br/>Gesamtanordnung.

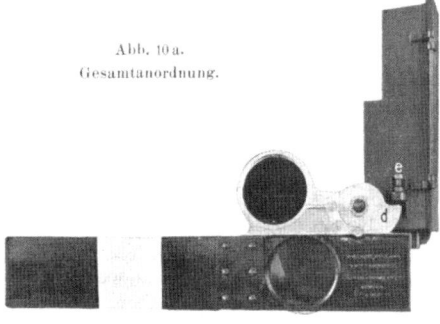
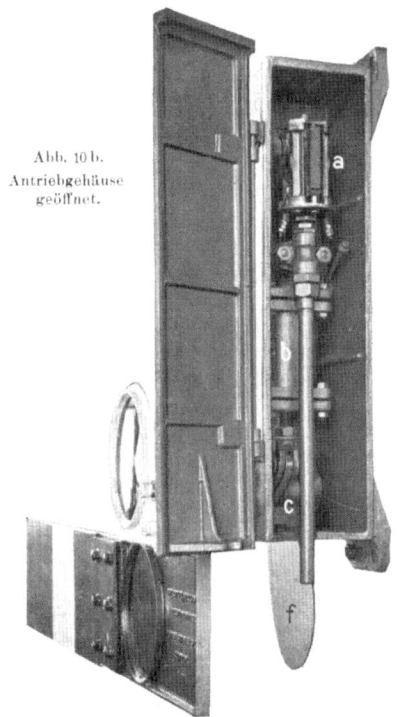

Abb. 10a und 10b. Druckluftantrieb in Vereinigung mit dem Signalflügel.

Die Abb. 13 und 14 zeigen ein Flügelsignal und ein Tunnelsignal der Metropolitanbahn. Die Signale werden, wie schon
früher erwähnt, elektrisch angetrieben. Auch
hier sind beim F l ü g e l s i g n a l der Antrieb und der Flügel zu einem einheitlichen
Gesamtkörper verbunden, an dessen Gehäuse
auch die Laterne und der Schalter für den
Stromkreis des Vorsignals angebracht sind.
Der Flügel ist auf der Drehachse des Antriebs mit einem Gußstück von der auch
im Falle der Abb. 10 angewendeten Form
unmittelbar befestigt, das sich ähnlich, wie
in jener Abbildung bei der Haltstellung
des Flügels mit einer Schulter gegen eine
Rast stützt. In der Stellung Fahrt frei
die mit der Wagerechten einen Winkel
von 60 Grad bildet, wird der Flügel durch
einen Magneten mittels einer auf der
Achse sitzenden Klaue festgehalten, auf

Abb. 11. Tunnelsignal mit Druckluftantrieb.
(Distriktbahn.)

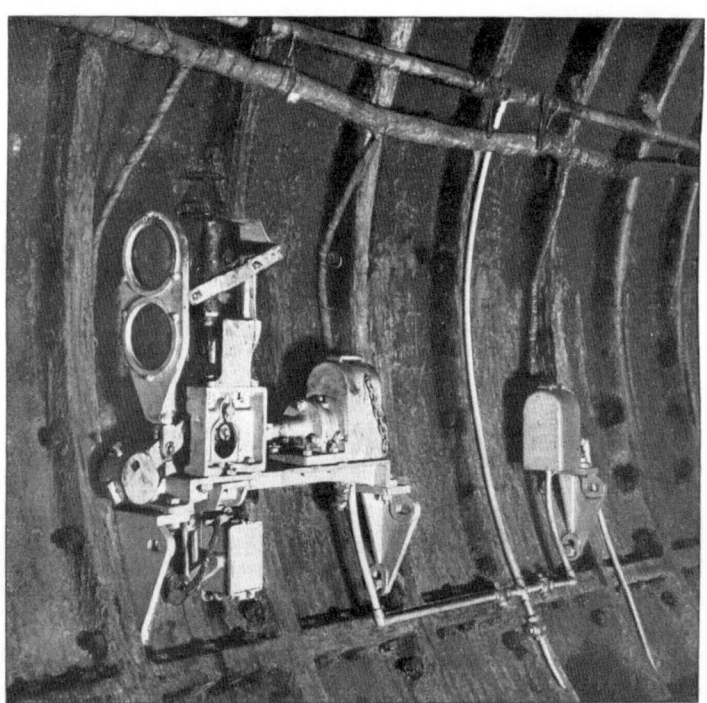

Abb. 12. Röhrenbahnsignal mit Druckluftantrieb; rechts das Fahrsperrenventil.

die sich die Drehung des Antriebs mittels
eines Zahnradvorgeleges überträgt. Wird
der Magnet infolge Anwesenheit eines
Zuges im Gleisabschnitt oder infolge
einer Störung kraftlos, so gibt die Klaue
den Flügel frei, der dann, durch einen Luft-
puffer in seiner Bewegung gedämpft, in
die Haltlage zurückfällt. Zur Verminderung
des Kraftverbrauchs ist die Triebwelle in
Kugellager gelegt. Die T u n n e l s i g -
n a l e der Metropolitanbahn werden durch
elektrische Lampen gegeben, die, durch
ein Relais gesteuert, abwechselnd hinter
einer roten und grünen — bei Vorsignalen

gelben und grünen — Linse aufleuchten (Abb. 14). Die Relais sind mit Kohlekontakten versehen.

signals der Distriktbahn ist in Abb. 16 dargestellt. Druckluftzylinder mit Ventil befinden sich im Gehäuse a. Das im Schaft b

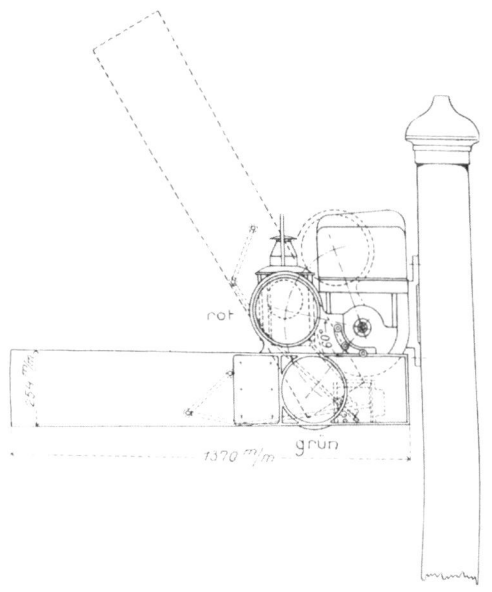

Abb. 13. Flügelsignal mit elektrischem Antrieb.
(Metropolitanbahn.)

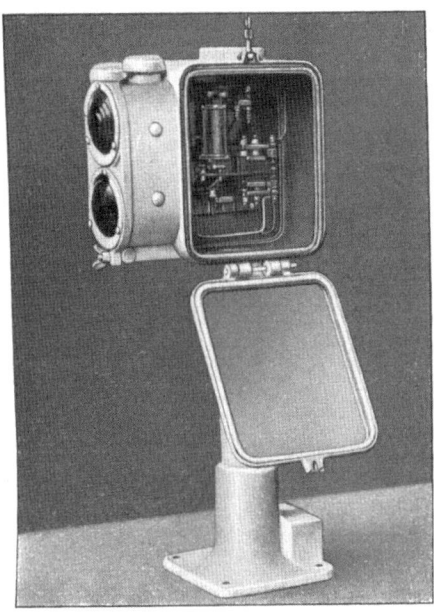

Abb. 14. Tunnelsignal mit elektrischem Antrieb.
(Metropolitanbahn.)

Während die bisher beschriebenen Signalformen nur zweistellige Anzeige — Fahrt frei und Halt — vermitteln, ist in Abb. 15 ein dreistelliges Signal der Zentrallondonbahn abgebildet, das aus einem Gehäusepaar mit doppelten Lampen zusammengesetzt ist. Die obere Lampe des oberen Gehäuses ist mit einer roten, die des unteren mit einer gelben Linse abgeblendet; die unteren Lampen haben grüne Linsen. Die Halt-Anzeige wird durch Aufleuchten der beiden oberen Lampen in jedem Gehäuse (oben rot, unten gelb), die Anzeige „Frei weg" durch die beiden unteren Lampen (doppelt grün), die „Achtung"-Anzeige durch die beiden mittleren Lampen (oben grün, unten gelb) gegeben. Die Schaltung der Lampen erfolgt in ähnlicher Weise wie auf der Berliner Hoch- und Untergrundbahn, auf deren später folgende Beschreibung hier verwiesen wird. Über das Wesen der dreistelligen Signale sind die „Vorstudien" und die späteren Ausführungen über die Signalanlage der Neuyorker Untergrundbahn zu vergleichen.

Verschubbewegungen werden durch Zwergsignale geregelt. Die äußere Form eines im Freien stehenden Verschub-

Abb. 15. Dreistelliges Signal der Zentrallondonbahn.

geführte Stellgestänge ist von einer Schraubenfeder umgeben, die der Signalstellung Fahrt frei (halbabwärts zeigender Arm) entgegenwirkt und auf diese Weise das Gegengewicht des Signalarmes unterstützt, der dadurch in Störungsfällen sofort in die Haltstellung gebracht wird. Gleichzeitig puffert die Feder die Bewegungen ab; c ist der Laternenhalter. Abb. 17 zeigt eine Gruppe von Verschubsignalen.

Die Verschubsignale der Metropolitanbahn — Abb. 18 — sind mit Drehachsen für

den Druckluftzylinder mit Ventil, b die Fahrsperre in Sperrstellung. In dieser öffnet sie einen Bremsauslösehahn am vordersten Triebwagen des darüber hinwegfahrenden Zuges, setzt dadurch die Bremse in Tätigkeit und bringt den Zug zum Stillstand. Beim Schließen des Signal-

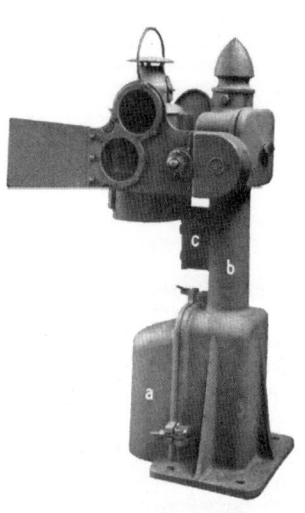

Abb. 16. Verschubsignal mit Druckluftantrieb Distriktbahn)

Abb. 18. Verschubsignal mit elektrischem Antrieb. (Metropolitanbahn.)

Abb. 17. Verschubsignale mit Druckluftantrieb. (Distriktbahn.)

z w e i Flügel versehen, von denen jedoch, je nach Bedarf, nur die eine besetzt ist. Die beiden Drehachsen haben gemeinsamen elektrischen Antrieb.

Die F a h r s p e r r e ist unmittelbar auf dem Bahnplanum untergebracht. In Abb. 19, die die Fahrsperrenbauart der Distriktbahn veranschaulicht, bezeichnet a

stromes öffnet das Ventil zwangläufig mit der Bewegung des Signals den Zutritt der Druckluft zum Zylinder a. Die Stange wird hierdurch von rechts nach links geschoben und die Sperre durch Drehung der Querwelle nach links umgelegt. Wird das Signal wieder auf Halt gestellt, so öffnet sich das Ventil, die Luft entweicht, und die

Vorrichtung stellt sich wieder aufrecht in die Sperrstellung. Die Schraubenfeder c wirkt, ähnlich wie im Falle der Abb. 16, der Freilage der Fahrsperre entgegen, so daß sich die Sperre in Störungsfällen von selbst aufrichtet. Die Fahrsperrenanordnung der Metropolitanbahn zeigt Abb. 20.

zu besonderer Ausbildung des Sicherungswesens für Fälle unsichtiger Witterung Anlaß gegeben. Das Haltsignal wird dann bekanntlich durch Knallkapseln gegeben. Auf den offenen Strecken der Distriktbahn sind Nebelsignalvorrichtungen Claytonscher Bauart in ausgedehnter Anwendung, die mit den Hauptsignalen selbsttätig zu-

Abb. 19. Fahrsperre mit Druckluftantrieb. (Distriktbahn.)

Abb. 20. Fahrsperre mit elektrischem Antrieb (Metropolitanbahn.)

Da die Bremsauslösevorrichtung der Wagen, die durch die in der Haltstellung befindliche Fahrsperre betätigt wird, eines der wichtigsten Sicherungsmittel im Zugbetriebe darstellt, so wird sie vor Antritt jeder Fahrt regelmäßig aufs sorgfältigste nachgesehen, zuweilen auch noch unterwegs geprüft.

Die in England und insbesondere in London häufig auftretenden Nebel haben

sammenarbeiten und während des Winterhalbjahres, etwa von Ende September bis Ende März, dauernd angeschlossen bleiben. Um die Vorrichtungen arbeitsfertig zu machen, ist nur nötig, den elektrischen Strom einzuschalten. Die Knallkapseln werden mittels eines wagerecht drehbaren Greiferarmes am Fuße eines säulenförmigen Vorratsbehälters entnommen und mit halbkreisförmiger Drehung auf den Schienenkopf geführt. Die Drehung erfolgt durch ein Übertragungsgestänge mit Zahnradübersetzung. Ist die Strecke frei, so steht der Greiferarm parallel zum Gleis. Bei der Rückbewegung zum Vorratstapel bewegt sich der Arm auf einer Schrägfläche aufwärts. Dadurch werden die Greifbacken getrennt; die verbrauchte Kapsel kommt mit einer am Vorratsbehälter angebrachten Rast in Berührung und wird dadurch ausgestoßen. Die Backen erfassen dann die unterste Kapsel des Vorrats und schließen sich wieder. Die Behälter vermögen etwa 40 Kapseln aufzunehmen und geben durch fortgesetztes scharfes Pfeifen selbständig Meldung, wenn die Füllung auf weniger als 6 Kapseln zusammengeschmolzen ist; das Pfeifensignal ertönt auch, während das Magazin zwecks Neufüllung von dem Apparat abgenommen ist.

### Sicherung der Züge in Stellbezirken.

Es ist schon erwähnt, daß die Signale in Stellbezirken in der Grundstellung auf Halt stehen, während sie auf der freien Strecke in der Grundstellung Fahrt frei zeigen. Ein weiterer Unterschied besteht darin, daß die Signale in den Stellbezirken „halbselbsttätig" arbeiten, d. h. zwar ebenso, wie auf der freien Strecke, vom Zuge durch Kurzschluß des Gleisstromes auf Halt gestellt werden, aber vom Stellwerkwärter in die Fahrstellung gebracht werden müssen. Zu den mittels der Stellwerke zu bedienenden Betriebseinrichtungen gehören außer den Signalen und gewöhnlichen Weichen noch Schutzweichen und Schutzweichenzungen, Entgleisungsschuhe und Gleissperren sowie die Nebelsignale (Knallsignale). Es versteht sich von selbst, daß alle diese Einrichtungen innerhalb des Stellwerks durch mechanische und elektrische Verschlüsse in die durch die Betriebsverhältnisse bedingten Abhängigkeiten gebracht sind. Beispielsweise kann ein Signal erst gezogen werden, nachdem die entsprechenden Weichen umgestellt, die Weichenhebel vollständig in die Endlage gebracht, bei Spitzweichen auch die Zungen ordnungsmäßig verriegelt sind. Die Weichenhebel wiederum können erst vollständig umgelegt werden, wenn der Überwachungsstrom nach Umstellung der Weiche durch diese geschlossen und dies dem Stellwerkwärter durch ein sichtbares Zeichen kenntlich gemacht worden ist. Ebenso kann beim Einziehen eines Signals der Signalhebel erst vollständig zurückgelegt werden, nachdem das Signal die Haltstellung eingenommen hat. Muß der Weichenüberwachungsstrom über eine größere Zahl von Weichen geleitet werden, so können die durch ihn unter Verschluß gehaltenen Signalhebel erst freigegeben werden, nachdem alle Weichen richtig gestellt sind. Mit dem Umlegen eines Signalhebels werden alle zugehörigen Weichenhebel verriegelt. Einander feindliche Signale sind möglichst zu Gruppen zusammengefaßt, wobei jede Gruppe von einem einzigen Hebel bedient wird; welcher Gruppe ein Signal zugeteilt wird, hängt ab von der Lage der Weichen. In Stellbezirken mit mehreren Stellwerken sind diese wieder untereinander in Abhängigkeit gebracht. Zu den für den Eigenbezirk nötigen Hebeln eines Stellwerks treten alsdann noch Freigabe- und Überwachungshebel für die Nachbarstellwerke. Dadurch wird die Möglichkeit beseitigt, widersprechende Anordnungen zu treffen, die den Betrieb gefährden können.

Eine genauere Beschreibung der Stellwerke folgt späterhin bei Besprechung der Berliner Hoch- und Untergrundbahn, für die Westinghouse-Stellwerke von gleicher Bauart verwendet wurden, wie bei der Distriktbahn und den Röhrenbahnen in London, mit dem alleinigen Unterschiede, daß die Stellung der Weichen und Signale in London mit Druckluft, in Berlin auf elektrischem Wege erfolgt.

Um hier bereits die Grundgedanken der Stellwerke erkennbar zu machen, möge das Stellen der Signale und Weichen, abgesehen zunächst von der Mitwirkung der Gleisstromkreise, an der Hand einiger Übersichtsskizzen verdeutlicht werden. Als Stromquelle dient eine Sammelbatterie.

Die Abb. 21 erläutert an den Fällen I bis V die Vorgänge beim Stellen eines Signals $S_1$, das während seiner Betätigung das Signal $S_2$ ausschließt. Der Signalhebel Hs stellt die Signale in der Weise, daß $S_1$ bei der Linkslage, $S_2$ bei der Rechtslage des Hebels Fahrt frei zeigt. In der Mittellage des Hebels zeigen beide Signale Halt, da die beiden — mit durchlaufendem Strich ausgezogenen — Signalstromkreise infolge der Grundstellung des vom Stellhebel gesteuerten Schalters zwischen dem Pol s und den Polen $s_1$ und $s_2$ unterbrochen sind. Die Hebelstellung wird vom Verschlußmagneten V überwacht, dessen Anker auf die Kontaktstange Ks und damit auf die Hebelbewegung Einfluß hat. Im Überwachungsstromkreis, dessen Lauf durch eine gestrichelte Linie angegeben ist, liegen die in der Haltstellung der Signale geschlossenen Signalflügelkontakte 1 und 2 sowie der von der Handfalle des Stellhebels gesteuerte Kontakt 3.

Durch Andrücken der Handfalle — Fall II — wird der Kontakt 3 geschlossen, dadurch der Überwachungsstrom eingeschaltet, der von der Batterie über den Elektromagneten V und die Signalflügelkontakte 1 und 2 zur Batterie zurückfließt. V zieht den Anker an, der Stellhebel wird frei und kann in die Lage des Falles III gebracht werden, in der durch Stromschluß zwischen s und $s_1$ der Triebstrom für das Signal $S_1$ geschlossen wird. Das Signal geht auf Fahrt frei. Dadurch wird aber

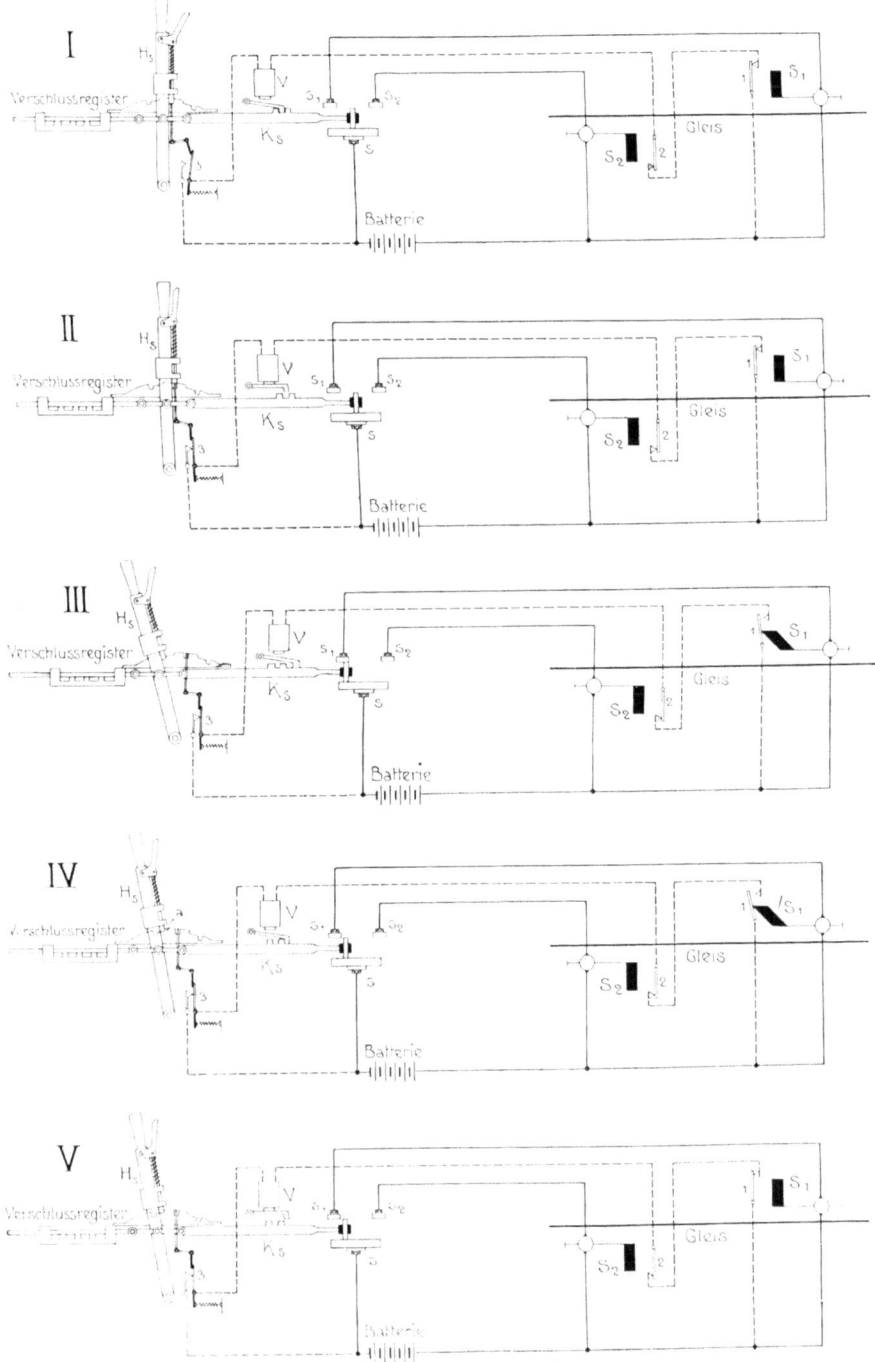

Abb. 21. Vorgänge beim Stellen eines Signals.

der Kontakt 1 im Überwachungsstromkreis unterbrochen; V wird stromlos, so daß sein Anker abfällt und die Rückwärtsbewe- gung der Kontaktstange Ks hemmt, jedoch erst dann, wenn der Hebel bis zum An- schlag a, Fall IV, zurückgelegt wird. Diese

Rückwärtsbewegung reicht aus, um den Stromschluß bei s s₁ wieder aufzuheben und das Signal auf Halt zurückzulegen; Fall V. Dabei wird der Überwachungsstrom wieder geschlossen; V erhält wieder Strom und gibt den Hebel frei, so daß er bis zur Grundstellung zurückgelegt werden kann, in der auch der Stromschluß bei 3 durch die Handfalle wieder aufgehoben wird.

Soll Signal S₂ gestellt werden, so vollziehen sich die Vorgänge in entgegengesetzter Richtung.

Während es nicht nötig erscheint, die Hebelbewegung für die Fahrt frei-Stellung des Signals zu unterbrechen, da ja keine Gefahr zu befürchten ist, wenn das Signal einmal der Hebelbewegung nicht folgen und in der Haltstellung verharren sollte, so darf die Bewegung des Hebels bei der Rückstellung des Signals auf Halt nicht in einem einzigen Gange erfolgen können; es muß vielmehr eine Unterbrechung der Hebelbewegung eintreten, um die Rückmeldung abzuwarten, daß das Signal tatsächlich in die Haltlage zurückgegangen ist. Diese Rückmeldung ist dem Überwachungsstrom mit übertragen. Die in den Stromkreis eingeschaltete Meldevorrichtung ist in der Abbildung weggelassen.

Die Abb. 22 zeigt die Vorgänge beim Umstellen einer Weiche aus der Grund- oder Plusstellung (+) in die umgelegte oder Minusstellung (—).

Mit den durchlaufend ausgezogenen Stellstromleitungen (+ und —) werden die beiden Elektromagnete E + und E — des als Druckluftantrieb dargestellten Weichenantriebs A, mit den daneben geschalteten, gestrichelten Überwachungsstromleitungen (+ und —) die beiden Verschlußmagnete V+ und V— bedient. Die durch den Weichenhebel Hw bewegte Kontaktstange Kw öffnet und schließt die Kontakte w und 2; der Schalter des Kontaktes 2 wird in seiner Bewegung durch den in der Abbildung schlitzartig angedeuteten Mitnehmer m auf den dem Abstande des Plus- und Minuspoles entsprechenden Abstand des Kontaktes 2 begrenzt. Die auch hier mit dem Überwachungsstromkreis in Verbindung gebrachte Rückmeldevorrichtung, die anzeigt, daß die Weichenzungen in der Plus- oder Minuslage vorschriftsmäßig anliegen, ist in der Abbildung fortgelassen.

Fall I zeigt die Weiche in der Grundstellung als Ausgangstellung für das Umstellen von Plus nach Minus, in der der Stell-

strom über Plus (w, w +, E +) geschlossen, der Überwachungsstrom über Plus beim Kontakt 2 unterbrochen ist. Der Anker des Verschlußmagneten V+ ruht von der voraufgegangenen Weichenbewegung her auf dem Verschlußknaggen der Kontaktstange. Zwecks Umstellung der Weiche wird der Hebel Hw gegen den linksseitigen Anschlag in der breiteren mittleren Rast des Stellbogens bewegt; ein weiteres Zurücklegen des Hebels wird durch den abgefallenen Anker des Verschlußmagneten V— verhindert, der sich gegen den Verschlußknaggen der Kontaktstange setzt. Durch die Hebelbewegung wird der Stellstrom nunmehr über w, w—, E — geschlossen; die Weichenzungen bewegen sich nach der Minusseite hin und nehmen dabei den Schalter des Kontaktes 1 mit, so daß während der Bewegungsdauer der Weichenzungen der Überwachungsstrom nicht zustande kommen kann (Fall II). Ist die Weiche in der Minusstellung angelangt — Fall III —, so ist der Überwachungsstrom über 1—, V—, 2— geschlossen. Der Verschlußmagnet V— zieht seinen Anker an und gibt damit den Verschlußknaggen frei. Der Hebel kann nunmehr in die Endlage gebracht werden — Fall IV —; der Überwachungstrom wird wieder geöffnet, indem der Kontaktschalter bei 2 durch die Schlitzführung m nach Plus hinüber bewegt wird. Die Weiche befindet sich jetzt in der Ausgangstellung für das Umstellen von Minus auf Plus.

In der beschriebenen Weise ist es unmöglich gemacht, die volle Hebelbewegung auf einmal auszuführen. Im ersten Abschnitt wird nur der Strom auf die Luftventile der Weichen geschaltet, um der Druckluft den Zutritt zum Antrieb freizugeben. Ist die Weiche vorschriftsmäßig gestellt, so erfolgt der Schluß des Überwachungsstromkreises, der die Rückmeldung bewirkt und gleichzeitig den Hebelverschluß löst. Im zweiten Abschnitt wird dann der Hebel ganz zurückgelegt und Schalter 2 für den Überwachungsstrom zur Rückstellung der Weiche geschlossen. Der Übergang vollzieht sich indessen augenblicklich, da die ganze Bewegung nur zwei Sekunden dauert.

Abb. 23 veranschaulicht die Verbindungen zwischen den Weichen- und Signalhebeln, die nötig sind, um an einer einfachen Linienverzweigung das gleichzeitige Stellen einander feindlicher Signale auszuschließen. Die Signale S₁S₃ schließen die Signale S₂S₄ aus; daher wird der Signalhebel Hs aus seiner

Mittelstellung nach rechts gelegt, um ein Signal der ersten Gruppe zu betätigen, nach links, um ein Signal der zweiten Gruppe zu stellen. Welches von den Signalen der beiden Gruppen hierbei erscheint, hängt von

Außer den vorstehend erörterten Beziehungen zwischen den Signalen und Weichen werden durch die Gleichstromkreise noch weitere Abhängigkeiten geschaffen. In den Hauptgleisen sind die von den Signalen

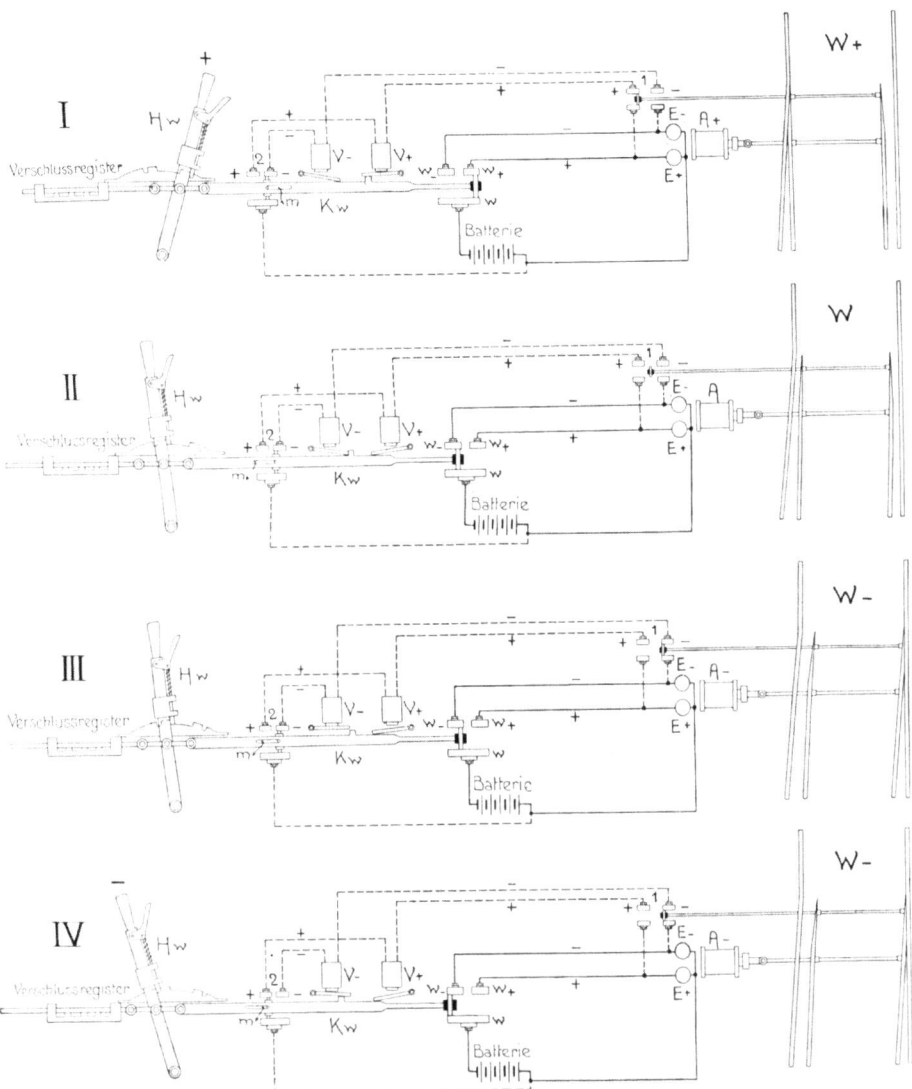

Die Vorzeichen + und — beziehen sich durchweg auf die Stellung der Weiche (+ = Grundstellung, — = umgelegte Stellung).
Abb. 22. Vorgänge beim Umstellen einer einfachen Rechtsweiche.

der Stellung der Weiche ab, mit deren Hebel Hw (zu vgl. Abb. 22) außer dem Schalter w noch ein weiterer Schalter verbunden ist, der als Signalwähler in der Endstellung des Hebels Hw einander feindliche Signale ausschaltet.

gedeckten Streckenabschnitte durchweg, in den Abstell- und Nebengleisen in der Regel mit Gleisströmen ausgerüstet, die ebenfalls auf die Signale einwirken. Auf diese Weise wird erreicht, daß ein halbselbsttätiges Signal nur dann gezogen werden kann, wenn der vom Signal gedeckte Gleisstromabschnitt unbesetzt ist. Wenn nach erfolgter Fahrtstellung des Signals ein Fahrzeug — gleichviel von welchem Ende — in den zum Signal gehörenden Gleisabschnitt einrückt, fällt das Signal selbsttätig auf Halt und muß, auch wenn der Abschnitt wieder frei ist, vom Wärter wieder auf Fahrt frei gestellt werden. Zu dem Zwecke muß der Hebel zunächst in die Grundstellung — der H a l t anzeige des Signals entsprechend — zurückgeführt werden, worauf ein neues Umlegen zur

In ähnlicher Weise dienen die Gleisströme zur Sperrung von Weichenhebeln und verhindern dadurch eine Bewegung der Weichen, wenn sich ein Zug ihnen nähert. Diese Sperre (Anrücksperre) bleibt in Wirksamkeit, bis der Zugschluß die Weiche verlassen und sich genügend weit aus ihrem Bereiche entfernt hat. Gefahrpunkte in Nebengleisen und an Gleisabzweigungen sind durch den Gleisstrom gesichert, um Zusammenstöße mit Zügen oder Fahrzeugen unmöglich zu machen, die über die Gefahrpunkte hinaus-

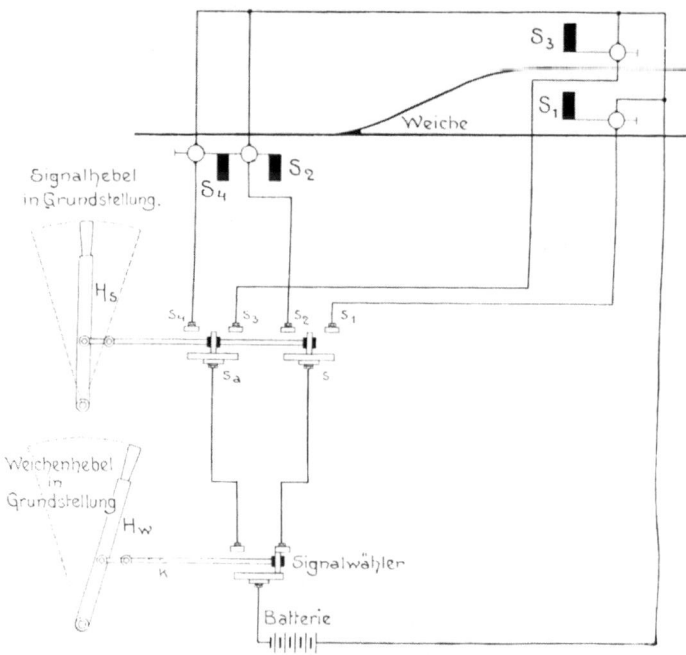

Abb. 23. Abhängigkeit zwischen einem Weichenhebel und einem Signalhebel.

Fahrt frei-Stellung erfolgen kann. Anderseits kann der Wärter, wie wir gesehen haben, einen Signalhebel jederzeit soweit zurücklegen, daß das Signal in die Haltstellung zurückgeht; der Gleisstrom verhindert ihn aber, den Hebel vollständig in die Endstellung zu bringen, ehe der Zug den zur Deckung der Weichen oder des Gefahrpunktes vorgesehenen Gleisabschnitt verlassen hat. Solange aber der Hebel nicht vollständig zurückgelegt ist, deckt er die Fahrstraße und macht es dem Wärter unmöglich, fahrlässigerweise die Hebel feindlicher Weichen und Signale zu ziehen.

stehen. Die Gleisströme gestatten also dem Wärter nur dann, Weichen und Signale zu stellen, wenn dies gefahrlos für den Zugverkehr erfolgen kann. Sie setzen weiterhin den Zug selbst in die Lage, das Stellen von Weichen und Signalen zu verhindern, deren Bedienung Gefahr bringen könnte. Ferner ist der Wärter durch die Gleisströme gezwungen, die Bestimmung eines Zuglaufes innezuhalten, wenn dieser einmal eingeleitet ist. Es leuchtet ein, daß ein Versagen in den Weichen- und Signalstellbewegungen schwerlich eintreten kann, ohne sofort bemerkt zu werden, und daß durch die

Verriegelung der Hebel mittels der Gleisströme die Sicherheit des Betriebes erheblich gesteigert wird.

Die Einwirkung der Züge mittels des
Gleisstroms erstreckt sich aber nicht nur
auf die Signale und Weichen. Er dient auch,
um dem Wärter auf einer Fahrschautafel
im Stellwerk jederzeit sichtbar anzuzeigen,
welche Gleisabschnitte besetzt oder frei sind,
welche Gleisverbindungen gefährdet und
wo Züge zu erwarten sind. Die Tafeln
ähneln den auch sonst in den Stellwerk-

bei unbesetztem Streckenabschnitt dauernd
brennen, dagegen gelöscht sind, wenn der
Stromkreis durch einen im Gleisabschnitt
befindlichen Zug geöffnet ist. Das Erlöschen
der Lampen ist für den Wärter das Zeichen,
daß der Abschnitt besetzt ist. Die Signale
sind auf der Fahrschautafel mit zur Darstellung gebracht und wechseln die Farben
rot, gelb und grün in Übereinstimmung mit
den Außensignalen. Die durch die Gleisströme beeinflußten Relais schalten außer
den Sperrmagneten für die Stellhebel auch

Abb. 24. Stellwerk Camden Town mit Fahrschautafel. (Charing Croß-, Euston- und Hampstead-Bahn.)

räumen befindlichen Gleisübersichtsplänen,
mit dem Unterschiede jedoch, daß die Gleise
mit den dazugehörigen Weichenverbindungen durch offene Streifen dargestellt sind,
die aus dem Innern der Tafel heraus erleuchtet werden. Hinter den Fahrstraßen-
bändern sind Gruppen elektrischer Lampen
auf Längenabschnitte verteilt, die den mit
Gleisstromkreisen ausgerüsteten Gleisabschnitten entsprechen. Die Lampen jeder
Gruppe sind in den dazu gehörigen Re-
laisstromkreis derart eingeschaltet, daß sie

die Lampengruppen der Fahrschautafel ein
und aus. Die Relais sind in einem gewöhnlich im Stellwerkraum aufgestellten Schrank
untergebracht.

Es ist überraschend, zu sehen, wie die
Wärter ihre Tätigkeit nächst dem Fahrplan
lediglich nach der auf der Fahrschautafel in
die Erscheinung tretenden Wiederholung der
äußeren Bewegungsvorgänge ausführen
und daher sogar im Dunkeln arbeiten können, ohne die zu bedienenden Weichen und
Signale zu sehen und die Bewegung der

Züge zu verfolgen, gleichviel, wie stark der Verkehr der Züge im Stellbezirk auch sein mag[1]).

Die Fälle einer von den Bahngleisen selbst getrennten Aufstellung der Stellwerke sind keineswegs vereinzelt. War doch das Melcombe Place-Stellwerk westlich von der Station Bakerstreet der Bakerloobahn während der ersten Zeit des Betriebes in einem von der Bahn völlig abgeschiedenen Raum untergebracht, der nur mit Leiter und Falltür zugänglich gemacht werden konnte. Auch die Aufstellung des Kennington Road-Stellwerks derselben Bahn erfolgte während des vorübergehend eingleisigen Betriebes der Station getrennt von den Bahnanlagen in dem leeren Tunnel des zweiten Gleises; der Dreiminutenverkehr der Züge und die Überführung der ausfahrenden Züge in das zweite Gleis konnten lediglich nach der Fahrschautafel geregelt werden. Das Broadstreet - Stellwerk der Zentrallondonbahn, das Camden Town-Stellwerk der Charing Croß-Röhrenbahn (Abb. 24) sind dauernd in Räumen untergebracht, die sich abseits von der Bahn befinden. Auch das Mansion House-Stellwerk der Distriktbahn steht ziemlich versteckt im Tunnel, so daß der Wärter nur wenige Weichen und Signale übersehen kann.

Aus einer derartigen Abgeschiedenheit der Stellwerke haben sich für die Abwicklung auch des dichtesten Zugverkehrs nicht die geringsten Bedenken ergeben; immerhin bleibt begreiflicherweise das Bestreben der Bahnverwaltungen darauf gerichtet, für die Stellwerke Standorte ausfindig zu machen, die einen möglichst günstigen Überblick über die Bahnanlagen gewähren (vgl. z. B. Abb. 39 auf S. 36).

Es kann nicht Wunder nehmen, daß die Einführung der neuen Art der Fahrschautafeln, die im Jahre 1906 in Acton Town nach Browns Vorschlägen zum ersten Mal versucht worden ist, anfänglich lebhaftem Widerstand der Stellwerkwärter begegnete, die die Bedienung des Stellwerks aus Gründen vermuteter Betriebsgefahren ablehnten. Erst nachdem Brown das Stellwerk durch einen seiner Assistenten eine volle Woche hindurch hatte bedienen lassen, legten sich die Bedenken der Bediensteten, die sich nach und nach mit immer größerer Sicherheit in die neue Bedienungsweise einlebten.

Bemerkenswert ist, daß die Stellwerkwärter mit der Zeit eine derartige Gewandtheit im Ablesen der Züge erlangen, daß sie aus der Fahrschautafel auch die Längen der in Bewegung befindlichen Züge zu erkennen vermögen.

Zum Schluß verdient noch Erwähnung, daß eine Reihe von Signalen mit Vorrichtungen zur Angabe der Verspätungen oder Verfrühungen von Zügen ausgerüstet sind. Diese Einrichtungen sind ebenfalls von den Gleisströmen abhängig gemacht. Die Abweichung von der fahrplanmäßigen Zeit wird dem Zugfahrer unterhalb des Signals durch eine erleuchtete Ziffer kenntlich gemacht.

### Bauweise einzelner Teile in den Stellbezirken.

Auf die Einzelheiten der Stellwerke soll hier noch nicht näher eingegangen werden. Hier nur soviel, daß die Bewegung der Stellhebel, die nur 6½ cm Abstand von Mitte zu Mitte voneinander haben, durch Zahntriebe auf wagerechte Wellen übertragen wird, die von vorn nach hinten im Stellwerk verlaufen. Unmittelbar hinter den Hebeln befinden sich die von den Elektromagneten V (Abb. 21 und 22) betätigten Hebelsperren, über deren eigenartige Ausbildung später das Erforderliche mitgeteilt wird. Die Elektromagnete selbst sitzen, abweichend von der Darstellung in

---

[1]) Die Fahrschautafel erleichtert auch die Führung des Zugbuches, in dem die Ankunft- und Abfahrzeiten der sämtlichen Züge aufgezeichnet werden. Auch Störungen im Zugverkehr zeigt die Fahrschautafel alsbald an, so daß sie auch für die Führung des Störungsbuches von Wichtigkeit ist, über dessen Einrichtung einige weitere Mitteilungen von Interesse sein dürften.

Das Störungsbuch bezeichnet es als die Obliegenheit der Stellwerkwärter, alle an den Signalinstrumenten, Klingelwerken, Rückmeldern, Verschlüssen, Signalen, Weichen, Gestängen usw. vorkommenden Störungen und Unregelmäßigkeiten in ihrem Stellbezirk sorgfältig in das Buch einzutragen, gleichviel, ob damit Zugverspätungen verbunden sind oder nicht. Alle Spalten des Störungsbuches sind auszufüllen, und zwar mit Tinte oder Tintenstift. Rasuren sind verboten. Das Buch muß jederzeit bequem zur Hand sein; es darf nicht beschädigt oder beschmutzt werden.

Der Kopf des Störungsbuches lautet folgendermaßen:

| Tag 19... | Erschöpfende Angaben über die Einzelheiten der Störungen oder Unregelmäßigkeiten | Störung im | | | | |
|---|---|---|---|---|---|---|
| | | Zeit des Eintritts der Störung | | Zeit der Benachrichtigung des Signalschlossers | | |
| | | Stde. | Min. | Vorm. oder Nachm. | Stde. | Min. | Vorm. oder Nachm. |

Die am Kopf der Spalten a, b und c bezeichneten besonderen Vorschriften lauten, wie folgt:

„Wenn bei den Ausbesserungen in das Stellwerk eingegriffen oder Signale, Weichenzungen, Spitzweichenriegel oder Sperrschienen, Radtaster, Rückmelder, Brücken- oder Drehscheibenverriegelung oder Verschlüsse an Wegeübergangstüren abgenommen werden müssen, hat der

den Abb. 21 und 22, unterhalb der Kontaktwellen. . Hinter diesen Elektromagneten folgen die Stromwechsler für die Bestimmung des Weichenlaufs und endlich die in den Abb. 21 und 22 nur schematisch angedeuteten Schaltvorrichtungen, mit denen der Zutritt der Druckluft zu den Weichen und Signalen geregelt wird; diese Schaltvorrichtungen sind unterhalb einer Glasplatte im hinteren Teil des Stellwerks sichtbar. Die feststehenden Pole $s$, $s_1$ und $s_2$ in Abb. 21 sind Kontaktfedern aus Phosphorbronze, die durch Drahtleitungen mit den Ventilmagneten der Signal- und Weichenantriebe in Verbindung stehen; die mittels der Stellhebel bewegten Schalter sind wagerechte Hartgummirollen mit Stromschlußstücken, die bei gewissen Lagen der Rollen die Kontaktfedern berühren. Zu den Antrieben führen isolierte Kupferleitungen, die als einadrige gummiisolierte Bleikabel in Kabelkanälen verlegt sind. Sie sind einzeln leicht zugänglich und besonders bezeichnet. Zu jedem Weichenantrieb gehören fünf Leitungsdrähte.

Die Verschlußregister sind aufrecht an der Vorderseite der Stellwerke hinter Glasscheiben angeordnet; die mechanischen Verriegelungen werden durch Knaggen bewirkt.

An der Rückseite des Stellwerks befindet sich ein Klemmbrett, an dem alle Innenverbindungen befestigt sind.

Die Signal- und Weichenantriebe arbeiten mit einem Luftdruck von 4½ bis 5 Atm. (zu vgl. S. 5). Abb. 25 zeigt eine mit Druckluft angetriebene stumpf befahrene Weiche der Distriktbahn, Abb. 26 und 27 stellen den dazu gehörigen Antrieb dar. Letzterer ist ähnlich gebaut wie der Signalantrieb, jedoch doppeltwirkend, da die Weichen nicht nur für das Umstellen, sondern auch für das Zurückstellen Kraft erfordern. Dementsprechend besitzt der Antrieb zwei Elektromagnete mit doppelsitzigen Nadelventilen. Diese regeln jedoch nicht, wie beim Signalantrieb, den Druckluftzutritt unmittelbar, sondern bewegen einen mit Doppelkolben arbeitenden Steuerschieber $a$ (Abb. 26) hin und her, der seinerseits der Preßluft den Zutritt vor oder hinter den Triebkolben öffnet und von der Gegenseite des Kolbens die Luft ausläßt. Die Bewegung des Steuerschiebers erfolgt durch Druckluft, die aus der dauernd gefüllten Schieberkammer durch das Spiel der Nadelventile abwechselnd hinter den oberen oder unteren Steuerkolben der Abbildung geführt wird, je nachdem der obere oder untere Elektromagnet Strom erhält. Sollten beide Elektromagnete gleichzeitig Strom erhalten oder gleichzeitig stromlos werden, so bleibt der gerade vorhandene Zustand bestehen. Je nachdem der Antrieb an der linken oder rechten Seite der Weiche ausgelegt wird, erhält der Steuerschieber mittels des Stempeleingriffs bei $b$ die entsprechende Ausgangsstellung.

Einer der beiden Magnete steht immer unter Strom. In Abbildung 26 ist es der obere, so daß der Steuerschieber nach unten bewegt ist und Luft hinter den Triebkolben hat treten lassen, der infolgedessen eingezogen ist; aus dem vorderen Teil des Zylinders ist die Druckluft unter dem Steuerschieber hindurch ins Freie entwichen. Der Luftdruck hinter dem Triebkolben hält die Weiche in der entsprechenden Endlage fest. Wird sie umgestellt, so erhält der untere Elektromagnet Strom, während der obere stromlos wird. Der Steuerkolben bewegt sich auf-

| Stellbezirk | | | | Störung behoben | | | | | Handzeichen des Streckenund des Signalaufsehers bei Durchsicht des Buches |
|---|---|---|---|---|---|---|---|---|---|
| Zeit des Eintreffens des Signalschlossers | Namenseintragung des Schlossers vor Beginn der Ausbesserung | Namenseintragung des Stellwerkwärters | Namenseintragung des Schlossers, die zur Wiederaufnahme des regelmäßigen Betriebes nach Beendigung der Ausbesserung ermächtigt | Zeit dieser Ermächtigung | Namenseintragung des Stellwerkwärters | Dauer der Verkehrsstörung | Namenseintragung des Aufsehers | |
| Stde. | Min. | Vorm. oder Nachm. | | | | Stde. | Min. | Vorm. oder Nachm. | | Min. | |
| | | | Siehe besondere Vorschriften | | | | | | | |
| | | a | b | c | | | | | | |

Signalschlosser vor Arbeitsbeginn dem Stations- oder Streckenaufseher sowie dem Stellwerkwärter eine genaue Beschreibung der auszuführenden Arbeiten zu geben. Der Stellwerkwärter hat im Störungsbuch unter „Störung im Stellbezirk" die Nummern der Stellhebel anzugeben, in die zwecks Ausführung der Arbeiten eingegriffen werden muß. Stellwerkwärter und Signalschlosser haben ihre Namen

mit Zeitangabe einzutragen. Nach Behebung der Störung hat der Stellwerkwärter nach Entgegennahme der Versicherung des Signalschlossers, daß alles in Ordnung ist, das Stellwerk zu prüfen. Wenn er alles in Ordnung befunden hat, haben Stellwerkwärter und Signalschlosser unter „Störung behoben" ihre Namen mit Zeitangabe einzutragen."

wärts. Der Schieber gibt den unteren der beiden Luftkanäle, der zum vorderen Raum des Zylinders führt, frei, während der Hinterraum unter dem Steuerschieber hindurch mit der Außenluft verbunden wird; infolgedessen bewegt sich der Triebkolben nach rechts und stellt die Weiche um. Beim Aufschneiden einer Weiche tritt die Druckluft in die Hauptleitung zurück und bringt den Triebkolben nach Durchgang des Fahrzeuges wieder in seine frühere Lage zurück. Da die Druckluft hierbei als elastisches Zwischenmittel wirkt, können Beschädigungen an den Einrichtungen nicht auftreten. Wie Abb. 25 erkennen läßt, ist mit den

nur wenn dies der Fall ist, kann die Rückmeldung erfolgen.

Die Antriebe stumpf befahrener Weichen haben einen Hub von 114 mm und einen Zylinderdurchmesser von 102 mm. Spitz befahrene Weichen bedürfen etwas stärkerer Antriebe, da außer den Zungen auch noch die Verschlüsse und Sperrschienen zu bewegen sind. Ihr Hub ist daher auf 203 mm, der Zylinderdurchmesser auf 127 mm vergrößert.

Abb. 28 zeigt die allgemeine A n o r d n u n g   e i n e r   S p i t z w e i c h e. Die Druckluft gelangt aus der Leitung a über den Hilfsluftbehälter b zum Antrieb c.

Abb. 25. Stumpfweiche mit Druckluftantrieb (Distriktbahn).

Weichenzungen eine elektrische Rückmeldevorrichtung gekuppelt, die im Stellwerk ersichtlich macht, daß die Weichenzungen ihre Endstellung erreicht haben; das Meldezeichen erscheint erst, wenn die Zungen fest an der Backenschiene anliegen. Die Stellstange geht vom Antrieb nach der in der Abbildung abliegenden Weichenzunge, während die Meldevorrichtung mit der andern — in der Abbildung anliegenden — Zunge verbunden ist. Auf diese Weise läßt sich mit Sicherheit erkennen, ob die die beiden Weichenzungen mit einander verbindenden Stangen unversehrt sind und ob beide Zungen der Bewegung des Antriebes entsprochen haben;

Zwischen Behälter und Antrieb ist eine biegsame Schlauchverbindung eingeschaltet, die gestattet, die Schwellen, auf denen der Antrieb befestigt ist, nach Belieben zu heben und zu verschieben, ohne daß sich die Erschütterungen auf die Leitungsanlage fortsetzen.

Der Gang des Triebkolbens wird auf die Weichenzungen durch ein Klauengetriebe übertragen, dessen Backenpaar e durch eine mit der Schubstange d verbundene Triebrolle je nach der Bewegungsrichtung des Steuerkolbens die Weichenzungen durch Winkelübertragung gegen die eine oder andere Backenschiene bewegt. Durch die Schubstange wird ferner mit Winkelübertragungen die Sperrschiene f umgelegt und der damit verbundene Verschlußbolzen g verschoben, der die Weiche in den Endstellungen mit schwalbenschwanzförmigem Eingriff festlegt, so daß ein zufälliges Lösen der Verriegelung ausgeschlossen ist; h ist der Rückmeldekasten. Das Klauengetriebe ist in Abb. 29 genauer dargestellt. Die Schubstange ist zwischen Rollen 1 bis 4 geführt; 5 ist die damit verbundene Triebrolle.

Beim Umstellen hebt zuerst der Antrieb die Sperrschiene, die dann den Riegel zieht und die Zungen freigibt. Durch das Klauengetriebe werden sodann die Zungen

Erst nach Eintreffen der Rückmeldung im Stellwerk kann der Weichenhebel in seine Endlage gebracht werden; der Wärter weiß dann also genau, ob die Weichenzungen den von ihm ausgeführten Hebelbewegungen gefolgt sind oder nicht. Der Möglichkeit des Umstellens einer Weiche unter dem Zuge oder der Freigabe von Stellhebeln im Falle von Gestängebrüchen, ohne daß die Weiche den Antriebbewegungen gefolgt wäre, endlich den gefährlichen Folgen ungenügenden Anliegens der Zungen wird durch die Vereinigung von Sperrschienen und Verschlußbolzen vorgebeugt. Die Sperrschiene hat eine

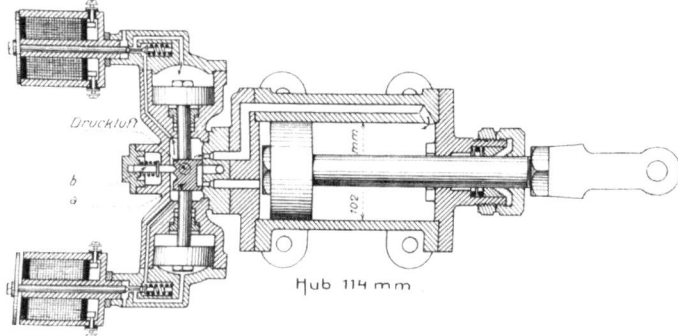

Abb. 26.

Abb. 27.

Abb. 26 und 27. Druckluftantrieb für Weichen.

umgelegt. Daraufhin wird die Sperrschiene wieder in die Grundlage niedergelegt, und gleichzeitig findet der Verschluß der nunmehr umgelegten Zungen statt, der jedoch nur erfolgen kann, wenn sie ihre genaue Endlage erreicht haben. Die letzte Bewegung, nämlich die Verriegelung der Weichenzungen durch den Bolzen in der neuen Lage, vervollständigt den Vorgang, und dies wird dem Signalwärter durch den Schluß besonderer Kontakte im Rückmeldekasten h (Abb. 28) angezeigt. Wenn die Zungen nicht richtig umgelegt oder aber umgelegt und nicht verriegelt sind, kann die Rückmeldung nicht stattfinden.

Länge, die den größten vorkommenden Achsstand der Züge etwas übertrifft; das Umstellen der Weiche ist also für die ganze Zeitdauer verhindert, während der die Sperrschiene vom Zuge befahren wird. Die Verriegelung gewährleistet, daß die Weiche durch die schlingernde Bewegung des Zuges nicht gelockert wird.

Nach alledem ergibt sich, daß der Wärter eine nicht genau anliegende Weiche nicht verriegeln, nur bei verriegelten Weichen die Signalhebel bewegen und die Weiche nicht entriegeln kann, solange sich ein Zug über die Sperrschiene hinwegbewegt.

In Abb. 30 ist eine Spitzweiche der Distriktbahn gezeigt, bei der die Verschlußeinrichtung durch die zwischen den Fahrschienensträngen verlaufende Stromschiene zur Seite geschoben ist. Die Gestängeverbindungen mußten daher unterhalb der Stromschiene gekröpft werden. Abb. 31 zeigt die Stellvorrichtung für eine Spitzweiche in einer Röhrenbahn.

## Zugankündiger.

Außer den Stellwerken selbst hat der Stellwerkwärter noch Vorrichtungen zu bedienen, mit denen die Züge von einem Stellwerk zum andern weitergemeldet werden. Es sind dies die als Zugankündiger bekannten Meldevorrichtungen. Es ist Browns Verdienst, auch die alten Melde-

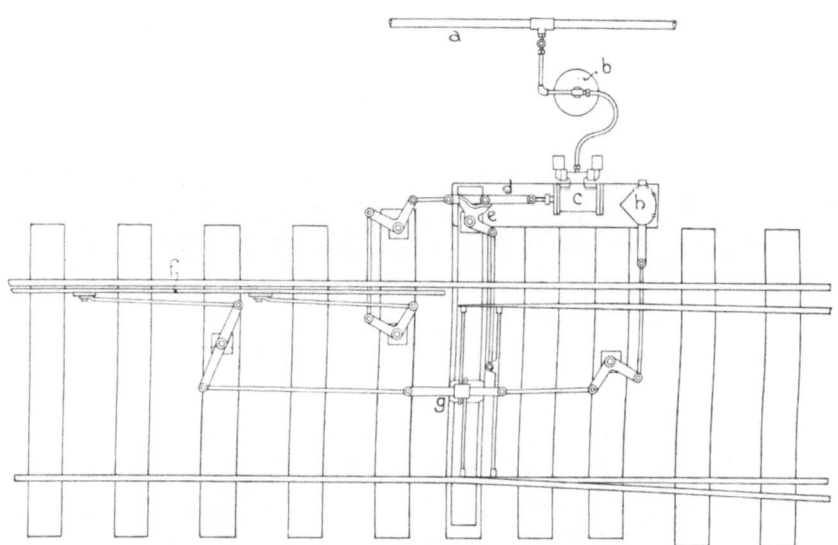

Abb. 28. Allgemeine Anordnung einer Spitzweiche mit Druckluftantrieb

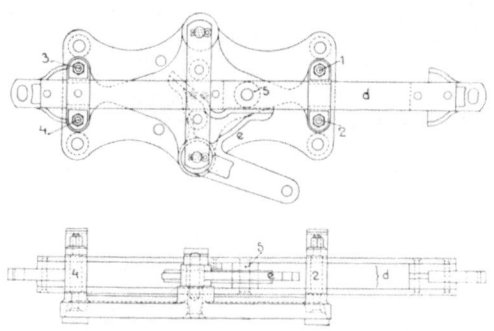

Abb. 29 Stellvorrichtung einer Weiche. (Zu Abb 28.)

Von den weiteren auf S. 16 angeführten Einrichtungen, die in die Stellwerke einbezogen werden, ist in Abb. 32 eine von der Distriktbahn verwendete Gleissperre mit Druckluftantrieb dargestellt.

Die Einrichtung der in die Stellwerke einbezogenen Knallsignale ist früher (S. 15) beschrieben.

vorrichtungen der Londoner Untergrundbahnen einer durchgreifenden Umgestaltung und Vervollkommnung unterzogen zu haben. Der Zugbeschreiber besteht aus einem Sender und Empfänger; aber er ist zum Unterschiede von den gewöhnlichen Fernmeldern dadurch gekennzeichnet, daß die Beschreibungen der von dem Signal-

posten einer Station A abgelassenen
Züge dem Signalposten der Ankunfts-
station B nicht sofort sichtbar vorgeführt,
sondern im Empfangsapparat dieser
Station in der Reihenfolge ihrer Eingänge

Empfangstation B angelangt ist, vorausgesetzt, daß der voraufgegangene Zug
diese Station in der Richtung nach C verlassen hat. Bei jeder Weiterfahrt eines
Zuges von B nach C wird die sichtbare An-

Abb. 30. Spitzweiche mit Druckluftantrieb. (Distriktbahn.)
(a a sind die Stromschienen)

Abb. 31. Druckluftantrieb für eine Spitzweiche in einer Röhrenbahn.

zunächst mechanisch aufgesammelt oder
„magaziniert" werden, ohne sichtbar zu
sein. Die Meldung eines von A ab-
gefahrenen Zuges kommt vielmehr erst
dann in B auf einer Klappentafel sichtbar
zur Anzeige, wenn der Zug an der

zeige der Klappentafel vom Stellwerkwärter der Station B durch Drücken einer
Umstelltaste gewechselt; statt der Bezeichnung des ausgefahrenen Zuges erscheint dann die des nachfolgenden, der
zur Einfahrt kommt.

3

Die Richtungen der aus A abfahrenden Züge werden vom Wärter auf der mit den Reisezielen der Züge umschriebenen Kreisscheibe des Senders mit einem Zeiger eingestellt. Durch darauf folgendes Ziehen eines an der rechten Seite des Senders befindlichen Handgriffs wird eine Anzahl Stromschlüsse bewirkt, durch die in eine bestimmte Auswahl oder Kombination aus einer Gruppe von Leitungsdrähten, die, zu einem mehradrigen Kabel vereinigt, von A nach B führen, Strom geschickt wird. Die Übertragung der Meldungen geschieht in der Weise, daß im Empfangsapparat der Station B aus Gruppen reihenweise angeordneter Stempel — Meldereihen —, die den Umfang einer Trommel besetzen, einzelne Stempel durch das Spiel der von A nach B übertragenen elektrischen Ströme ausgelöst und aus ihrer Umgebung herausgehoben werden. In der figürlichen

werden die Taststempel vom Stellwerkwärter der Station B mit der Umstelltaste auf die nächstfolgende Meldereihe geschaltet, wobei gleichzeitig die infolge der Ausfahrt des Zuges erledigte Meldefigur wieder in ihre Ruhestellung zurückgeführt wird; die Abstelltaste hat die Form eines wagerecht arbeitenden Kolbens. Die Reisewege der Züge sind auf dem Sender und der Klappentafel durch Punktgruppen bezeichnet, die mit den durch die Kopflaternen oder -scheiben der verschiedenen Zuggattungen gebildeten Signalbildern übereinstimmen[1]).

Die vorstehenden Ausführungen zeigen, daß alle Teile des Zugbeschreibers selbsttätig wirken. Die einzigen Handhabungen bestehen in den vom Posten A auszuführenden Abmeldungen und den vom Posten B vorzunehmenden Umstellungen. Alle anderen Vorgänge einschließlich der Aufsamm-

Abb. 32. Gleissperre mit Druckluftantrieb und Rückmelder im Bahnhof Earls Court. (Distriktbahn.

Zusammenstellung der so herausgehobenen Meldestempel kennzeichnet sich der Reiseweg der Züge. Die auf diese Weise im Empfangsapparat der Station B angesammelten Figurenreihen werden dadurch in die sichtbare Anzeige umgesetzt, daß eine Figurenreihe nach der anderen selbsttätig abgelesen oder abgetastet wird. Dieses Abtasten erfolgt auf elektromagnetischem Wege mit einer Reihe von Taststempeln oder Tastfedern, durch deren Berührung mit den zu den Meldefiguren ausgesonderten Meldestempeln elektrische Kontakte geschlossen werden. Die abgetasteten Figuren werden in einem als Kombinator bezeichneten Apparat für die sichtbare Anzeige selbsttätig vorbereitet und endlich auf der Klappentafel für das Auge wahrnehmbar gemacht. Die Abtastvorrichtung mit dem Kombinator und der Klappentafel bilden zusammen den Übersetzer. Bei jedem neuen Zuge

lung der Meldungen im Empfangapparat des Stellwerkhauses B erfolgen selbsttätig. Wenn bei Beginn des Betriebes der erste Zug vorgemeldet wird, bleibt dessen Anzeige so lange auf der Klappentafel in B sichtbar, bis er in B angekommen ist. Sobald ihn der Stellwerkwärter nach C entlassen und die Umstelltaste gedrückt hat, erscheint das Zeichen des zweiten Zuges selbsttätig auf der Klappentafel, und so fort, bis der letzte Zug in B angekommen und abgefertigt ist.

Abgesehen von diesen einfachen Handhabungen haben die Stellwerkwärter zum Zweck der Zugmeldungen nur auf den Lauf der Züge zu achten: der Stellwerkwärter in A, um die Zielstationen der

---

[1]) Die Reiseziele der Züge pflegen auf den englischen Stadtschnellbahnen außer durch besondere Aufschriften auch noch durch besondere Gruppierungen von Kopflaternen oder Kopfscheiben kenntlich gemacht zu werden.

einlaufenden Züge festzustellen und danach rechtzeitig den Sender zu bedienen, der Wärter in B, um nach Ausfahrt der Züge die Umstellungen zu bewirken. Je nach den Umständen werden den Wärtern auch hierbei wieder mechanische Hilfen zuteil, so beispielsweise in der Station Süd-Kensington der Londoner Distriktbahn, wo das Stellwerk ziemlich weit von der Station entfernt ist. Hier könnte es vorkommen, daß der Wärter einen Zug am Stellwerkhause vorbeifahren ließe, ehe er dessen Richtungszeichen festgestellt hätte, nach denen der Zug weiterzumelden ist. Damit er die Feststellung dieser Zeichen nicht verabsäumt, ist in

hergestellt wird, die dann, der Reihe nach mechanisch abgetastet, die sichtbaren Meldungen hervorbringen.

Wird die Annahme gemacht, daß sich aus einer Reihe von n Stempeln x verschiedene Figuren herstellen lassen, so erhöht sich die Zahl der Figuren, wenn der Reihe noch ein weiterer Stempel zugefügt wird, auf $2x + 1$. Mit zwei nebeneinanderstehenden Stempeln 1 und 2 lassen sich 3 Meldefiguren herstellen, indem einmal der Stempel 1, das andere Mal der Stempel 2, das dritte Mal beide Stempel aus der Normalstellung herausgehoben werden. Tritt ein dritter Stempel hinzu, so ergibt sich die Zahl der Figuren, indem $x = 3$ gesetzt

Abb. 33. Zugankündiger im Bahnhof Victoria der Distriktbahn.

einer Ecke des Senders ein kleines rotes Licht angebracht, das aufleuchtet, sobald er das Streckensignal auf Fahrt frei stellt, und das erst erlischt, nachdem er die Meldung weitergegeben hat, selbst wenn das Signal inzwischen wieder in die Haltstellung zurückgegangen sein sollte.

Um die für die Zugbeschreiber erforderliche Zahl von Leitungen einzuschränken, muß darauf gesehen werden, daß zur Herstellung einer möglichst großen Anzahl von Stempelbildern so wenig Stempel wie möglich verwendet werden, d. h. daß aus einer bestimmten Anzahl zu Meldereihen vereinigter Stempel durch die elektrische Fernbetätigung am Empfangsorte die größtmögliche Zahl von Kombinationen

wird; sie beträgt also 7. Bei Hinzufügung eines vierten Stempels ist $x = 7$ zu setzen, so daß sich 15 Figuren ergeben.

In dieser Weise die Betrachtung fortführend, findet man, daß sich

mit 5 Stempeln $2 \cdot 15 + 1 = 31$ Figuren,
mit 6 Stempeln $2 \cdot 31 + 1 = 63$ Figuren,
mit 7 Stempeln $2 \cdot 63 + 1 = 127$ Figuren

herstellen lassen usw.

Das Ergebnis läßt sich auch in der allgemeinen Formel aussprechen, daß n Stempel $2^n - 1$ Figuren ergeben.

Die vorstehend in kurzen Umrissen gekennzeichnete Einrichtung ist auf den Hauptstrecken der Londoner Distriktbahn in ausgedehnter Anwendung und hat sich vortrefflich bewährt. Auf den unterirdischen

Innenringstrecken ist infolge zeitweise bis auf knapp 1½ Minuten verdichteter Zugfolge die Zahl der Hauptsignale wie auch die Anzahl der Zugrichtungen besonders groß. Auf der Strecke zwischen Mansion House und Süd Kensington sind die Zugbeschreiber einer Fahrrichtung zur Behandlung von 32 Zügen eingerichtet. Der Empfänger ist daher mit 32 Meldereihen besetzt. Die Anzahl der Reiseziele der über den genannten Abschnitt geführten Züge beläuft sich auf nicht weniger als 15.

Auf den Stationen zwischen Mansion House und Süd Kensington und auf einigen anderen Stationen der Distriktbahn, neuerdings auch auf der Metropolitanbahn, sind ferner Anzeigetafeln angebracht, die den Reisenden das Ziel der drei nächsten Züge angeben. Sie lassen in der aus Abbildung 33 ersichtlichen Weise neben einem Verzeichnis der Zugrichtungen die Ziffern 1, 2 und 3 aufleuchten, die die Zielstationen des ersten, zweiten und dritten hereinkommenden Zuges anzeigen.

Abb. 34. West-Stellwerk Earls Court. (Distriktbahn.)
(Auf dem Stellwerk befinden sich vier Sender für Zugankündigung und Bahnsteiganzeige; rechts und links davon je 2 Abstelltasten; oberhalb dieser Tasten je 2 Klappentafeln für die ankommenden Züge.)

in einer Richtung. Die Zugbeschreiber sind daher so eingerichtet, daß damit 15 verschiedene Zielstationen gemeldet werden können, für die sich die Zahl der Stromkreise zwischen Sender und Empfänger nach früherem auf 4 stellt. Hierfür wird die Verlegung eines vieradrigen Streckenkabels erforderlich, während als gemeinsame Rückleitung die Erde oder vielmehr die eine der beiden Fahrschienen dient. Der Strom wird der Signalhauptleitung entnommen, die Gleichstrom für alle Signalzwecke liefert. Die für den Zugankündiger erforderliche Spannung geht nicht über 50 Volt hinaus.

Diese Zugankündiger werden von Empfängern betätigt, die in die von Stellwerk zu Stellwerk — von Stellwerk A nach B des vorhin allgemein betrachteten Falles — führenden Meldestromkreise eingeschaltet sind und die vom Stellwerk A abgegebenen Meldungen selbsttätig mit aufnehmen. Während indessen die bisher beschriebenen Empfänger nur eine Reihe von Taststempeln besitzen, arbeiten die für die Bahnsteiganzeige verwendeten mit drei Reihen von Taststempeln, deren jede mit besonderen Kontaktreihen einen eigenen Kombinator betätigt. Von den drei Kombinatoren läßt der erste die Ziffer 1, der zweite die Ziffer 2, der dritte die Ziffer 3 auf der Anzeigetafel erscheinen.

Die Umstellung der Ziffern wird vom Zuge selbst bewirkt. Sobald ein Zug die Station verläßt, wird durch ihn auf elektromagnetischem Wege eine Umstelltaste betätigt. Diese rückt die drei Taststempelreihen um eine Meldereihe weiter. Die Ziffer 1 der Anzeigetafel verschwindet infolgedessen, da die Reihe Nr. 1 der Taststempel aufgehört hat, von dem ersten Satz der Meldestempel beeinflußt zu sein, vielmehr nach den Meldestempeln weiterbewegt ist, die vorher von der Taststempelreihe Nr. 2 bedeckt waren. So erscheint statt der Ziffer 2 die Ziffer 1. Auf dieselbe Weise wird die Ziffer 3 in 2 verwandelt und an anderer Stelle eine neue 3 hervorgerufen.

Falls ein Zugankündiger mit der fahrplanmäßigen Folge der Züge außer Tritt geraten sollte, was nur sehr selten vorkommt, können die Lampen durch das Stationspersonal ausgeschaltet werden, bis der Streckenbeamte den Fehler beseitigt und den Apparat wieder in Takt gebracht hat.

In Verbindung mit dem Zugankündiger ergab es sich auf der Distriktbahn weiterhin als zweckmäßig, die Anschlußstationen mit Bahnsteigweisern auszurüsten, die den Fahrgästen die Richtungen der ankommenden Züge angeben. Hierdurch werden nicht nur den R e i s e n d e n Zweifel und Fragen erspart, sondern auch die B e a m t e n entlastet. Auf jedem Bahnsteig einer Anschlußstation befindet sich eine Tafel, die mit den Zielstationen aller Züge beschrieben ist, die an dem betreffenden Bahnsteig halten. Neben jeden Stationsnamen ist eine Glasscheibe gesetzt, auf der ein zweispitziger Pfeil nach den beiden Bahnsteigkanten weist. Bei Tageslicht sind diese Pfeile kaum sichtbar; durch drei hinter dem Glase befindliche Lampensätze können jedoch der Schaft und die beiden Spitzen jedes Pfeiles gesondert erleuchtet werden. Die hinter dem Schaft befindlichen Lampen leuchten hell auf, wenn die Bezeichnung eines Zuges auf der Klappentafel im Stellwerkhause erscheint. Wenn sich der Wärter entschieden hat, welcher Zug einfahren und an welchem Bahnsteig er halten soll, stellt er ihn mit einem Sender auf die richtige Bahnsteigkante ein. Dadurch tritt ein Kombinator, ohne Zwischenwirkung eines Empfängers, in Tätigkeit, der die Pfeilspitze zum Aufleuchten bringt,

die nach dieser Bahnsteigkante hinweist. Die Reisenden erkennen infolgedessen sofort, welcher Zug zuerst hereinkommt und an welcher Bahnsteigkante er halten wird.

Näheren Eingehens auf die Einzelheiten der vorstehend kurz beschriebenen, überaus sinnreichen Einrichtungen bedarf es an dieser Stelle nicht, da ich davon in den Nummern 76 und 77 des Jahrgangs 1908 der Zeitung des Vereins Deutscher Eisenbahnverwaltungen eine genaue Beschreibung gegeben habe. Aus Abb. 34 ist das äußere Bild der für die Zugmeldung und die Bahnsteigweiser zur Verwendung kommenden Sendeapparate, Klappentafeln und Abstelltasten ersichtlich. Die Empfänger und Kombinatoren sind nicht mit dargestellt; sie pflegen außerhalb des Stellwerkraumes in Schränken untergebracht zu werden.

### Planbeispiele.

In den Abb. 35 bis 37 ist die Anordnung der Signale auf einigen im Linienplan der Abb. 1 durch Randschattierung gekennzeichneten Streckenabschnitten, nämlich auf der südlichen Endstrecke der Charing Croß - Röhrenbahn, ferner im Distriktbahntunnel zwischen Westminster und Cannon Street und endlich auf dem offenen Vorortabschnitt der Distriktbahn zwischen Hounslow Barracks und South Ealing veranschaulicht. In den beiden letztgenannten Fällen ist von der Wiedergabe der Bahnneigungen und Krümmungen in den Abbildungen abgesehen. Selbstverständlich ist zu den Hauptsignalen noch die Fahrsperre hinzuzudenken.

Das südliche Ende der C h a r i n g   C r o ß - R ö h r e n b a h n ist zu einer Umkehrschleife entwickelt, die sich auf der Ostseite des Charing Croß-Endbahnhofes der Südostbahn — Abb. 35 — in längerem Abstieg mit zum Teil recht starken Neigungen und Krümmungen unter den Themsestrom hinabsenkt. Unter dem Vorplatz des Charing Croß-Bahnhofes befinden sich die Personenaufzüge des in 21 m Tiefe liegenden gleichnamigen Röhrenbahnhofes. Die in der Schleife selbst angelegte Embankment-Station befindet sich unterhalb des gleichnamigen Bahnhofes der Distriktbahn, mit dem sie durch Fahrtreppen Verkehr austauscht. Außerdem führt ein Fußgängertunnel zur Bakerloobahn, die an der westlichen Seite der Südostbahn die Themse unterfährt.

Auf der nördlichen Seite des Röhrenbahnhofes Charing Croß können in Störungsfällen Züge über eine Weichenverbindung umkehren. Die für die Kehrfahrten zu benutzenden Signale sind zusammen mit den Verbindungsweichen in ein Stellwerk einbezogen, arbeiten aber im normalen Betriebe selbsttätig. Die Schleifenstrecke ist vorwiegend mit zweistelligen Blocksignalen besetzt, deren Anzeige bei der Unübersichtlichkeit der Röhrentunnel

mit Rücksicht auf die erhebliche Anfahrbeschleunigung der Züge sind auch die Ausfahrschutzstrecken verhältnismäßig groß bemessen worden. Die dadurch herbeigeführte Verlängerung der Stationszeit ist in allen Fällen durch Nachrücksignale wieder wettgemacht. Hinter der Schleifenstation Embankment stehen z w e i Nachrücksignale; die Schutzstrecke des

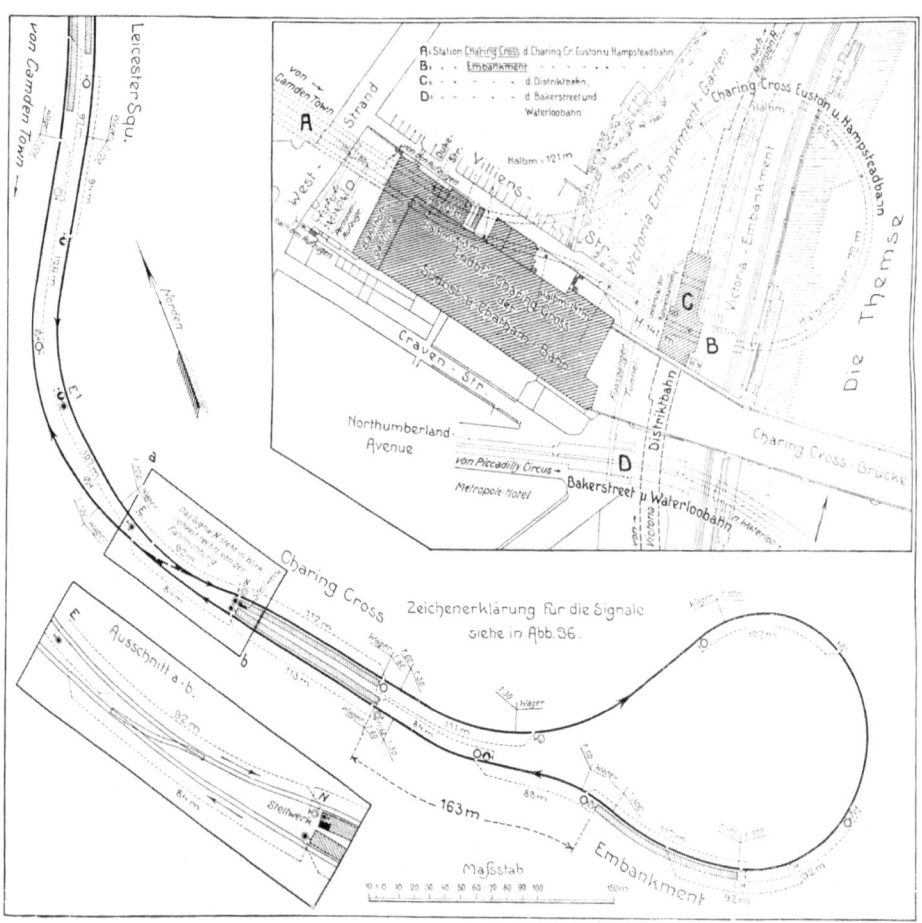

Abb 35  Signale des südlichen Endabschnitts der Hampstead-Röhrenbahn.

fast ausnahmslos durch Vorsignale — repeater signals — wiederholt wird. An einzelnen Bahnpunkten befinden sich dreistellige Doppelsignale, die, wie in meinen „Vorstudien" auseinandergesetzt, den Zugfahrer erkennen lassen, ob sich der einem Zuge vorauffahrende Zug im ersten oder zweiten Vorabschnitt befindet. Die Schutzstrecken haben in der Talfahrt beträchtliche Längenausdehnung;

ersten reicht bis zur Bahnsteigmitte, die des zweiten 11 m über die Station hinaus. Die Station Charing Croß hat auf beiden Seiten e i n halbselbsttätiges Nachrücksignal am Bahnsteiganfang mit über den ganzen Bahnsteig hinweggreifender Schutzstrecke. Beim Umsetzen eines Zuges übernimmt das im durchgehenden Betriebe als Einfahrsignal benutzte Signal E auf der Westseite der Station, dessen

Schutzstrecke bis an den Bahnsteig reicht, die Rolle eines Nachrücksignals, während die des Einfahrsignals alsdann auf das zurückliegende Blocksignal E¹ übergeht. Diese Anordnung ist getroffen, um für Züge von Leicester Square während der Verschubbewegungen eine ausreichende Schutzstreckenlänge zu gewinnen, die sich bei den Verschubbewegungen selbstverständlich nur bis in die Nähe des Gefahrpunktes erstrecken darf.

Die Zugfolge in der Schleife beträgt in Stunden schwachen Verkehrs im Mittel 2 Minuten, ist aber in den Stunden starken Verkehrs auf durchschnittlich 1½ Minuten verdichtet. Die Züge führen nur 2 und 3, selten 4 Wagen.

Zwecke sind die Stammstreckenstationen mit Nachrücksignalen ausgerüstet. Vorsignale sind grundsätzlich nur in unübersichtlichen gekrümmten Bahnstrecken angewendet; durchweg jedoch ist die Anzeige der Ausfahrsignale auf den Stammstreckenbahnsteigen der Distriktbahn durch Vorsignale wiederholt. Im letzteren Falle wurden sie erforderlich, weil die Ausfahrsignale durch den Zug häufig verdeckt werden und bei weit vorgerückten Zügen auch vom Zugpersonal nicht zu sehen sind. Diese Vorsignale sind etwa in Stationsmitte über dem Bahnsteig angebracht und mit einem vor- und rückwärtigen Linsenpaar versehen. Die Oberlinsen zeigen, ebenso wie bei allen anderen Vorsig-

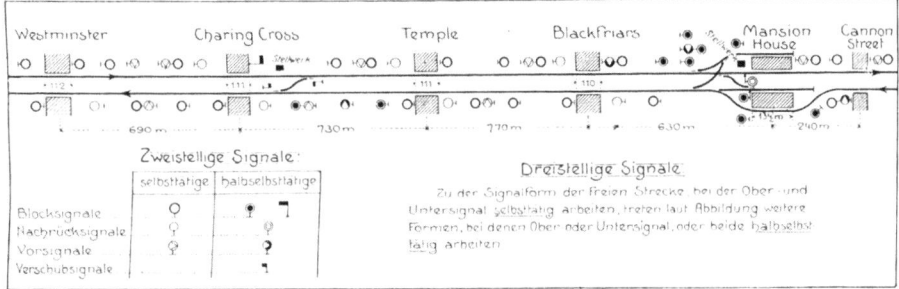

Abb. 36. Signale des Stammstreckenabschnitts der Distriktbahn zwischen Westminster und Cannon Street

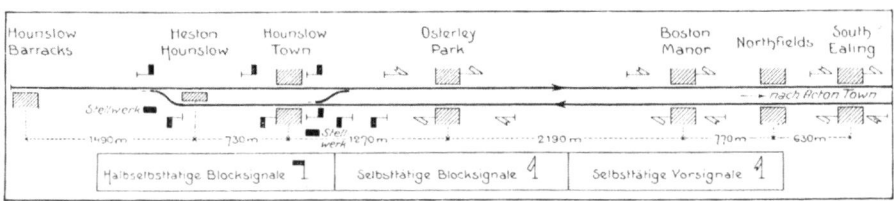

Abb. 37. Signale der Distriktbahn-Strecke nach Hounslow Barracks.

Der Signalplan der S t a m m s t r e c k e d e r D i s t r i k t b a h n, Abb. 36, die in den Stunden stärksten Verkehrs von nicht weniger als 44 Zügen in jeder Richtung befahren wird und dabei Zugstärken von durchschnittlich 6, zum Teil von 8 Wagen zu bewältigen hat, zeigt naturgemäß eine noch reichere Ausbildung. Hier sind zweistellige Einzelsignale mit und ohne Vorsignale und dreistellige Doppelsignale in großer Zahl und Mannigfaltigkeit durcheinander angeordnet. Die Einfahrsignale sind durchweg dreistellig. In Anbetracht der dichten Aufeinanderfolge und der großen Stärke der zu befördernden Züge mußte auf möglichste Abkürzung der Stationszeit hingewirkt werden. Zu diesem

nalen, durch gelbes Licht die Haltstellung, die Unterlinsen durch grünes Licht die Fahrstellung der Hauptsignale an.

Die Station Mansion House besitzt zwei Kehrgleise, in denen ein großer Teil der von Westen kommenden Stammstreckenzüge wenden muß; die ungünstige Lage des nordseitigen Kehrgleises, das nur mit Überschneidung eines Stammgleises geräumt werden kann, erklärt sich aus den unbequemen örtlichen Verhältnissen. Die Signale und Weichen sind in ein Stellwerk einbezogen, das im Betriebe dauernd besetzt ist.

Im Embankment-Bahnhofe der Distriktbahn befindet sich eine Weichenverbindung, die in Störungsfällen zur Umlenkung von

Zügen benutzt wird. Das hier befindliche Stellwerk ist im gewöhnlichen Betriebe unbedient; die Signale sind dann in den rein selbsttätigen Streckenbetrieb einbezogen.

Die in Abb. 37 dargestellte A u ß e n - s t r e c k e d e r D i s t r i k t b a h n wird in den Stunden schwachen Verkehrs mit Pendelzügen bedient, die in Acton Town — Abb. 1 — den Anschluß an die Stammstrecke vermitteln. Diese Züge führen in einer Richtung. Von den Stammstreckenzügen fahren eine größere Zahl in voller Stärke von 6, ja 8 Wagen bis Hounslow Barracks durch. Die Stationen Boston Manor, Hounslow Town und Osterley Park werden in der verkehrsreichen Zeit von einer größeren Anzahl von Zügen planmäßig ohne Aufenthalt durchfahren. Lokalzüge halten bei gezogenen Signalen in Boston Manor oder Osterley Park nur,

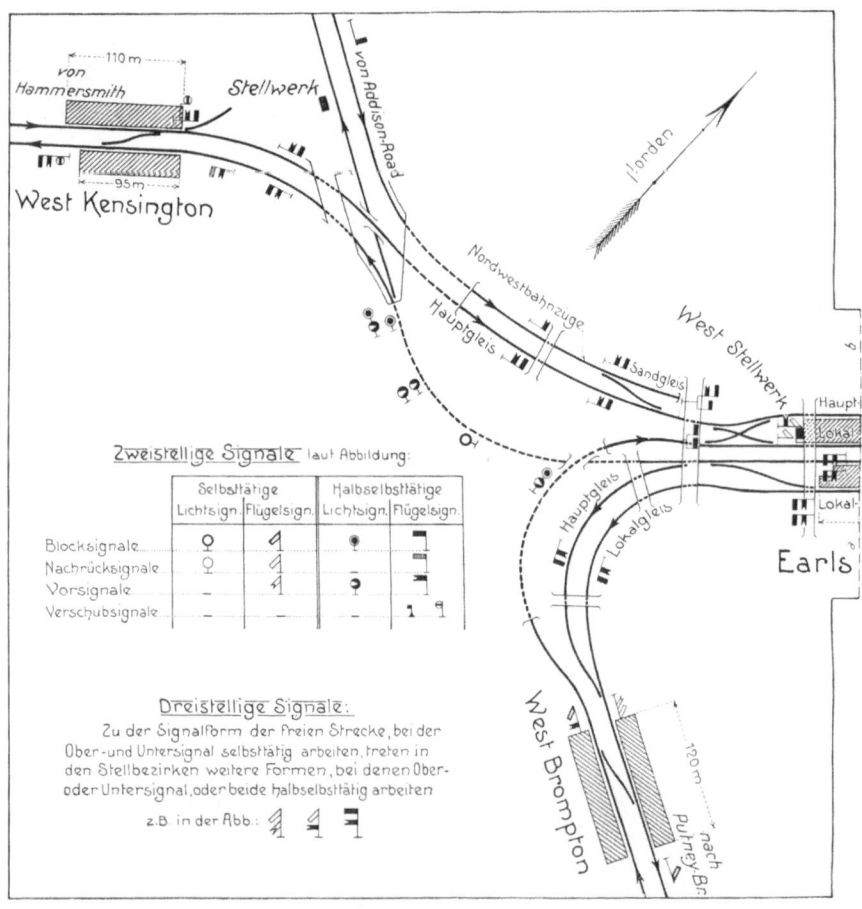

Abb. 38. Bahnhof Earls Court.

bei schwächerem Verkehr zwei, selten drei Wagen und folgen einander alsdann in Abständen von 10 Minuten. In den Zeiten stärkeren Verkehrs, zwischen 7 und 10 Uhr vormittags und von 5½ Uhr nachmittags bis gegen 9 Uhr abends, fahren die Züge in kleineren Zwischenräumen; in den Flutstunden betragen die Abstände 4 bis etwa 8, im Mittel 5½ Minuten, entsprechend einer Höchstzahl von 11 Zügen stündlich wenn in diesen Stationen Fahrgäste abzusetzen oder aufzunehmen sind.

Die Strecke zwischen Heston Hounslow und Hounslow Barracks ist eingleisig; ihr Betrieb ist nach dem Zugstabsystem geregelt[1]). Der Zugstab befindet sich in

[1]) Für den Zugstab ist sechseckige Form und als Material Vulkanfiber mit dunkelroter Färbung vorgeschrieben; er trägt die Inschrift: „Von Hounslow Barracks nach Heston Hounslow". Die Zugfahrer dürfen unter keinen Umständen in die eingleisige Strecke einfahren,

Verwahr des Stellwerkwärters in Heston Hounslow. Bei der Übernahme und Rückgabe des Stabes, die mit besonderen Übergabevorrichtungen erfolgt, haben die Züge die Fahrgeschwindigkeit auf 13 km zu ermäßigen.

Der vorstehenden Betriebsweise entsprechend ist eine weiträumige Blockteilung der Strecke durchgeführt. Bei diesem, für weniger dichte Zugfolge angebrachten freieren Verfahren ergibt sich das Bild, daß auf einer der Stationen die Signale ganz fehlen, die Einfahrsignale im allgemeinen fortfallen, ferner die Stellung der Ausfahrsignale vielfach durch Vorsignale wiederholt ist, die hinter den Stationen stehen.

Zur Erläuterung der Signalanlage eines ausgedehnten Stellbezirks ist in Abb. 38 ein Lageplanschema des Distriktbahnhofes Earls Court beigefügt, dessen Gleisanlage Ende 1913 auf der Westseite

Anlage geordnet und gabeln sich am Ostende des Bahnhofes nach der Stammstrecke der Distriktbahn (Richtung Mansion House) und nach High Street. Die Linien von Putney und Acton Town werden ausschließlich von Zügen der Distriktbahn benutzt. Der Addison Road-Anschluß dient der Einführung von Triebwagenzügen der Nordwestbahn, die in Abständen von rund 30 Minuten ein- und auslaufen und in dem an der Ostseite des Bahnhofs befindlichen Kehrgleis wenden. Außerdem werden noch einige Bedarfs-Kohlenzüge der Mittellandbahn durchgeführt, die den dieser gehörenden Kohlenbahnhof in High Street aufsuchen.

Zur Erläuterung des Lageplans ist weiter noch hinzuzufügen, daß die beiden früheren Hauptgleise zwischen Earls Court und West Brompton nach dem Einbau der inneren Überwerfung aus Zweckmäßigkeitsgründen beibehalten sind, da es da-

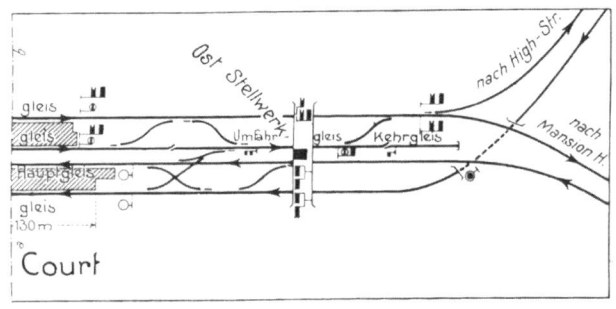

Zu Abb. 38.

durch die Herstellung einer unterirdischen Überwerfung von den zahlreichen früheren schienengleichen Überschneidungen befreit worden ist, die die Leistungsfähigkeit des Bahnhofs in hohem Maße beeinträchtigten. Von Westen sind in den Bahnhof die drei Linien von Putney-Wimbledon mit der Vorstation West Brompton von Acton Town über West Kensington und von Addison Road eingeführt. Die Gleisstränge sind im Bahnhof Earls Court nach dem Richtungsbetrieb zu viergleisiger

durch möglich wird, bei dichtem Betriebe zwecks schnellerer Räumung der Station nötigenfalls zwei Wimbledon-Züge gleichzeitig auf die Abzweigung zu schicken, von denen der eine vor der Station zurückgehalten wird. Die Gleise von Acton Town und Addison Road sind bis dicht an die Station Earls Court getrennt gehalten, während die ausgehenden Züge auf größere Entfernung ein gemeinschaftliches Ausfahrgleis benutzen. Die als „Umfahrgleis" bezeichnete Strecke an der Ostseite des Bahnhofs wird von den nach Osten ausfahrenden Lokalgleis-Zügen benutzt, wenn die Ausfahrseite des Hauptgleises über die nächstliegende Weiche hinaus besetzt sein sollte.

Die Zahl der den Bahnhof planmäßig durchfahrenden Personenzüge beläuft sich in den Stunden des stärksten Verkehrs auf rund 45 in jeder Richtung. Sie werden

ehe sie im Besitz des Zugstabes sind, selbst dann nicht, wenn die Signale Fahrt frei zeigen. Vor der Einfahrt in die eingleisige Strecke hat der vorderste Zugbegleiter den Stab aufzunehmen und in den Fahrerraum zu bringen, wo er während der ganzen Fahrt verbleibt; die Fahrt darf erst angetreten werden, nachdem der Stellwerkwärter in Heston Hounslow die Erlaubnis dazu erteilt hat. Bei der Rückfahrt hat der vorderste Zugbegleiter den Stab vom Fahrer anzufordern und in dem an der Spitze des Zuges befindlichen Abgabeapparat anzubringen nach Ermessen des Stellwerkwärters auf die beiden Richtungsgleise verteilt. Das Gleis, auf dem die Züge einlaufen, wird dem Bahnsteigpublikum vor dem Eintreffen des Zuges vom Stellwerk aus in der schon beschriebenen Art mittels Bahnsteigweisers angezeigt. Der Lageplan läßt erkennen, daß unabhängige Einfahrt der Züge in die Station, auf die hierzulande neuerdings so großer Wert gelegt wird, trotz der ungeheuren Belastung der Stationsgleise, die in ganz England nicht ihresgleichen findet, von der englischen Aufsichtsbehörde nicht gefordert wird. Die Züge sollen zwar möglichst ohne Ablenkung in die Haupt-verbindung oder über das Umfahrgleis ins Hauptgleis übergehen. Die von West-Kensington her einfahrenden Züge sind gegen Flankenzusammenstöße mit Nordwestbahnzügen durch ein aus dem früheren Dampfbetrieb beibehaltenes Sandgleis gesichert.

Abb. 39 zeigt einen Blick in das Oststellwerkhaus des Bahnhofs, das auf einer Brücke über den Gleisen errichtet ist und einen guten Überblick über die ostseitige Gleisanlage gewährt. Ein zweites Stellwerk, dessen Inneres bereits in Abb. 34 gezeigt ist, befindet sich am Westende des nördlichen Bahnsteigs. Zwischen dem

Abb. 39. Ost-Stellwerk Earls Court. (Distriktbahn.)

gleise einfahren, aber gerade in den Zeiten starken Verkehrs werden sie über die an der Einfahrseite befindlichen Weichenanlagen ganz nach Bedarf auf die beiden Richtungsgleise verteilt.

Im übrigen ist nur noch auf die beiden Ablenkungszungen in dem ostseitigen Abschnitt des Lokalgleises aufmerksam zu machen, die in das Stellwerk einbezogen sind, um die in der Richtung nach Mansion House oder High Street ausfahrenden Lokalgleis-Züge gegen Flankenzusammenstöße mit den aus dem Kehrgleis zurückkommenden Nordwestbahnzügen zu sichern, sei es, daß die aus dem Lokalgleis ausfahrenden Züge durch die erste Weichen-Ost- und Weststellwerk bestehen die erforderlichen Abhängigkeiten.

Es bedarf kaum der Erwähnung, daß die aus den Abbildungen ersichtliche Aufteilung der Strecken und Aufstellung der Signale sowie die Durcheinanderverwendung mit und ohne Vorsignale arbeitender zweistelliger Blocksignale und dreistelliger Doppelsignale nur bei Anwendung des durch Gleisströme gesteuerten selbsttätigen Signalsystems erreicht werden kann. Wie die Formen im einzelnen Verwendung finden, ist durch theoretische Untersuchungen unter sorgfältiger Berücksichtigung der Verhältnisse und der Erfahrungsgrundsätze festzustellen.

# Selbsttätige Signale der Neuyorker Untergrundbahn.

## Triebkraft.

Der als der „Unterweg" (Subway) bekannte Teil des Neuyorker Schnellbahnnetzes wird ebenso wie die Londoner Untergrundbahnen mit Gleichstrom betrieben, der der Bahn von Unterstationen mit einer Spannung von 625 Volt zugeführt wird. Er wird von Einankerumformern erzeugt, die mit Drehstrom von 390 Volt angetrieben werden, und dieser wiederum ist aus dem vom Hauptkraftwerk gelieferten Drehstrom von 11 000 Volt Spannung und 25 Perioden i. d. S. herabtransformiert.

Die Fahrzeuge entnehmen den Strom einer „dritten Schiene" und geben ihn an die eine der beiden Fahrschinen zur Rückleitung nach dem Kraftwerk wieder ab. Der andere Strang ist für die Zwecke des Signalbetriebes vom Triebstrom frei gehalten. Die Speisung der G l e i s s t r o m zuleitungen erfolgt durch Wechselstrom von 500 Volt Spannung und 60 Perioden i. d. S., der von besonderen Umformern geliefert wird, die von dem niedrig gespannten Drehstrom angetrieben werden. Die S i g n a l - s t r o m kreise werden mit Gleichstrom von 16 Volt Spannung gespeist, zu dessen Erzeugung in den Stellwerkräumen Doppelbatterien aufgestellt sind, die durch Motorgeneratoren mit Strom von 25 Volt Spannung geladen werden.

Weichen, Signale und Fahrsperren werden mit Druckluft gestellt. Die Erzeugung der Druckluft erfolgt in den Unterstationen. Die Luftpressen werden von Gleichstrommotoren angetrieben, die mit Strom von 400 bis 700 Volt Spannung beschickt werden. Jede Presse liefert in der Minute 6½ cbm Preßluft von 5 Atm. Druck, deren Erzeugung in der Weise selbsttätig geregelt ist, daß Druckschwankungen von nicht mehr als ⅓ kg auf das Quadratzentimeter vorkommen können. Hat der Druck eine bestimmte Höhe erreicht, so wird die Presse und der Zufluß des Kühlwassers selbsttätig abgestellt. Ist der Druck wieder unter eine gewisse Grenze gesunken, so geht die Maschine wieder leicht an; sobald sie ihre volle Geschwindigkeit erreicht hat, wird sie wieder voll belastet und der Kühlwasserumlauf wieder hergestellt. Die Zylinder und Lager werden selbsttätig geschmiert, solange die Maschinen in Bewegung sind.

## Sicherung der Züge auf freier Strecke.

Die an das Signalwesen der Stadtschnellbahnen zu stellenden Anforderungen sind verschieden, je nachdem es sich um Ortzüge, wie im Londoner Fall, oder um Eilzüge handelt. Von den Eilzügen werden in dichter Aufeinanderfolge lange Strecken mit wesentlich erhöhten Geschwindigkeiten durchfahren. Die dichte Zugfolge führt zu einer Verkürzung der Blockstrecken, die dadurch erreicht wird, daß diese auf die Länge der Schutzstrecken eingeschränkt werden, so daß sich für die Gleisabschnitte, Streckenabschnitte und Schutzstrecken die gleichen Teilpunkte im Gleisstrange ergeben. Die erhöhte Fahrgeschwindigkeit führt dazu, auf der f r e i e n S t r e c k e die dreistellige Form der Signale d u r c h w e g anzuwenden, die in den bisherigen Beispielen nur mit der zweistelligen vermischt auftrat.

Ein folgerichtig durchgearbeitetes Beispiel für eine derartige Behandlung des Sicherungswesens bietet der Eilzugbetrieb auf den beiden inneren Gleisen des viergleisigen Abschnitts des Neuyorker Unterweges und auf dem je nach der Verkehrsflut in der einen oder anderen Richtung befahrenen inneren Eilzuggleis auf dem Westzweige des Unterweges.

Abb. 40 zeigt die für die Eilzuggleise angewendete Streckenteilung. Der Zugumlauf wird durch dreistellige Doppelsignale geregelt, die in den Tunneln aus zwei übereinander angeordneten Lichtern, auf offener Strecke aus zwei übereinander angeordneten Flügeln zusammengesetzt sind, von denen der untere mit schwalben-schwanzartigem Endeinschnitt versehen ist. Die Anzeigen dieser Dreisteller sind, um dies aus meinen „Vorstudien" nochmals kurz zu wiederholen, wie folgt zu lesen[1]):

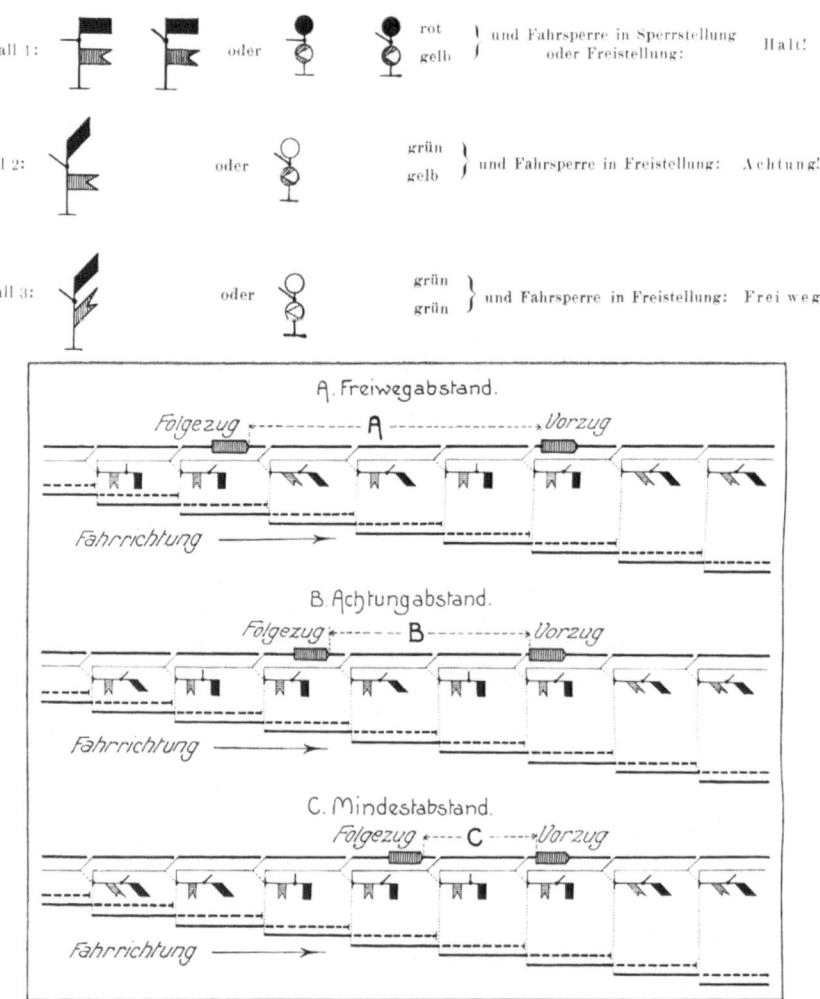

Abb. 40. Anordnung der Streckensignale für den Eilzugverkehr auf dem Neuyorker Unterwege.

Die Sicherungsanlage ist so beschaffen, daß ein Zug, der etwa unmittelbar nach Überfahren eines Signals liegen bleiben sollte, — zu vgl. der Vorzug in Abb. 40 — in folgender Weise Deckung findet:

*Fall A. Freiwegabstand der Züge.*

Der Folgezug ist an dem **vierten Signal** hinter dem liegen gebliebenen Vorzuge angelangt. Dieses Signal befindet sich in der Freiweg-Stellung. Ein Zug, der sich im Abstand dreier Schutz-strecken hinter einem anderen bewegt, hat also völlig freie Fahrt. Der Vorzug ist in diesem Falle gedeckt durch zwei Halt-signale und ein Achtungssignal. Außerdem ist er — wie der späterhin noch zu erläuternde Schaltplan genauer zeigen wird — durch eine am zweiten Haltsignal befindliche Fahrsperre gesichert.

---

[1]) Flügelsignale in der Stellung Fahrt frei sind der Einheitlichkeit wegen im folgenden durchweg halbaufwärts zeigend dargestellt, obwohl sie auf den Neuyorker Schnellbahnen in dieser Stellung tatsächlich schräg nach unten zeigen.

*Fall B. Achtungabstand der Züge.*

Der Folgezug ist am **d r i t t e n**
**S i g n a l** hinter dem Vorzuge angekommen, das **A c h t u n g** anzeigt. Dieses
Signal darf vom Folgezug vorsichtig überfahren werden. Der Zugabstand ist gleich
der Summe zweier Schutzstrecken.

*Fall C. Mindestabstand der Züge.*

Der Folgezug ist an dem zweiten der
Halt gebietenden Signale hinter dem Vorzuge vorschriftsmäßig zum Stillstand
gebracht worden. Hätte der Zug die
Fahrt fortgesetzt, so würde er durch
die Fahrsperre abgebremst und innerhalb der Schutzstrecke zum Stillstand gebracht worden sein; danach ist
auch bei dieser engsten Zugfolge noch
volle Betriebssicherheit gewahrt.

Die in der Abbildung lediglich schematisch angedeutete Steuerung der Signale
wird durch die auf Tafel I angegebene
Schaltweise erreicht.

Der Schaltplan läßt zunächst erkennen,
daß zwar ebenso, wie in London, nur die
eine der beiden Fahrschienen durch Trennstöße J, J a usw. in die einzelnen Gleisabschnitte G, G a, G b aufgeteilt ist. Während jedoch in London von der Verwendung
der Fahrschienen für die Rückleitung des
Triebstromes vollkommen Abstand genommen war, ist in Neuyork, wie schon erwähnt, die eine Fahrschiene für die
Stromführung benutzt. Dies führt dazu,
die **G l e i s s t r o m k r e i s e** mit **W e c h -**
**s e l s t r o m** zu speisen, der in seiner
Arbeitsweise durch das gleichzeitige Vor-
handensein des Triebstromes in der Fahrschiene nicht beeinträchtigt werden kann.
Der den Gleisstromspeiseleitungen zugeführte Wechselstrom wird für die einzelnen Gleisabschnitte von 500 Volt auf ungefähr 10 Volt herabtransformiert, und mit
dieser Spannung an den vorderen (Aus-
fahr-) Enden der Gleisabschnitte an die
Fahrschienen abgegeben. An den hinteren
Enden der Abschnitte sind die Relais zwischen die Schienen geschaltet, deren Kontakte die Signalstromkreise öffnen und
schließen und dadurch mit Hilfe von Druckluft die Signale und Fahrsperren betätigen[1]). Die **S i g n a l s t r ö m e** werden
zwei **G l e i c h s t r o m l e i t u n g e n** ent-

---

[1]) Daß in dem Schaltplan auf Tafel I die Relais nicht
wie es notwendig ist, an den Enden der Gleisabschnitte,
sondern in einigem Abstande davon an die Fahrschienen
angeschlossen sind, hat seinen Grund lediglich in zeichnerischen Rücksichten.

nommen, die Strom von 16 Volt Spannung
führen. Um ein schädliches Anwachsen
der Stromstärke im Gleisstromkreise zu
verhindern, wenn die Fahrschienen durch
die Zugachsen kurzgeschlossen werden,
sind in die beiden Anschlußleitungen in-
duktionsfreie Widerstände eingeschaltet.
Wenn ein Zug in den Gleisabschnitt einfährt und dadurch der Widerstand im
Gleisstromkreise verringert wird, er-
wärmen sich die Widerstände und er-
höhen dadurch den Leitungswiderstand in
demselben Maße wie er durch den Kurzschluß der Zugachsen verringert worden ist.

Im Nebenschluß zum Relais ist ferner
eine Drosselspule zwischen die beiden Fahrschienen geschaltet, die den Zweck hat, das
Relais vor Beschädigungen durch den Bahnrückstrom zu schützen, während sie aus
späterhin noch näher zu erläuternden
Gründen dem Gleisstrom den Durchgang verwehrt. Da die Drosselspule
einen sehr viel geringeren Ohmschen
Widerstand besitzt als die Relaisspule, so
wählt in den Gleisstromkreis gelangender
Gleichstrom den Weg durch die erstere.
Fälle dieser Art treten ein, wenn ein
Zug die Anschlußstelle eines Relais gegen
die Richtung des Rückstroms überfährt,
wenn durch unvorschriftsmäßige Handhabung metallener Werkzeuge, infolge ge-
löster Stromabnehmerteile oder auch durch
Abreißfunken beim Stromabnehmerablauf
Kurzschluß entsteht oder wenn in der un-
aufgeteilt durchlaufenden Fahrschiene ein
Schienenbruch entstehen sollte.

Die Arbeitsweise der Signale und
Fahrsperren ist an der Hand des unteren
Schaltplanes auf Tafel I genauer zu ver-
folgen.

Obersignal Oa, Untersignal Ua und
Fahrsperre Fa jedes dreistelligen Signals
sind in dreifacher Nebeneinanderschaltung zwischen die Signalstrom-Speise-
leitungen geschaltet, wie folgt:

1. der Stromkreis des Obersignals Oa
   wird durch **z w e i** Kontakte geschlossen, und zwar durch einen
   Kontakt 2a am Relais Ra des eigenen Gleisabschnittes Ga, und einen
   Kontakt 1a am Relais Rb des da-
   vorliegenden Gleisabschnittes Gb;

2. der Stromkreis der Fahrsperre Fa
   wird nur an dem Relaiskontakt 1a
   des Gleisabschnittes Gb geschlossen;

3. das Untersignal Ua liegt in einem
   **Nebenstromkreise**, der nur **d**ann

geschlossen ist, wenn das eigene Obersignal Oa und das Obersignal Ob des davor befindlichen Dreistellers in gezogener Stellung zwei in der Hilfsleitung befindliche Kontakte 3a und 4a schließen. Solange auch nur eines der beiden Obersignale Oa oder Ob eingezogen ist, befindet sich auch Ua in der Haltanzeige.

Aus dem Angeführten ergibt sich, daß die Relais doppelte Kontakte haben müssen, aus deren Anordnung ersichtlich ist, daß die Fahrsperre Fa eines Dreistellers Sa mit dem Obersignal Ob des davor liegenden Gleisabschnittes zusammenarbeitet. Dies ist deshalb erforderlich, weil eine Fahrsperre nicht beim Einziehen des Signals, an dem sie sich befindet, in die Sperrlage gehen darf, sondern so lange in der Freistellung bleiben muß, bis der Zug in den folgenden Gleisabschnitt einfährt. Erst dann darf sie die Sperrstellung einnehmen.

Überfährt nun ein Zug die Trennstelle Ja, so fallen beim Übergang der ersten Zugachse über diese Trennstelle zunächst die beiden Kontakte 1a und 2b ab. Wegen 2b zieht das Obersignal Ob ein, und bei 1a wird der Signalstromkreis e unterbrochen. Hierdurch geht die Fahrsperre Fa, die bis dahin die Fahrstellung eingenommen hat, in die Sperrlage. Außerdem wird erreicht, daß trotz des Schlusses des Kontaktes 2a, der — zusammen mit dem Kontakt 1 — nach Freiwerden des Gleisabschnittes Ga durch das Relais Ra herbeigeführt wird, das Obersignal Oa eingezogen bleibt, bis auch der Gleisabschnitt Gb geräumt ist. Ob öffnet das Kontaktpaar 3b und 4a. Wegen 3b zieht das Untersignal Ub ein. Bei 4a wird der Nebenschluß für Untersignal Ua unterbrochen, so daß trotz des Kontaktschlusses bei 3a, der nach Freiwerden des Gleisabschnittes Gb infolge Auslegens des Obersignals Oa eintritt, Ua eingezogen bleibt, bis auch der Gleisabschnitt Gc geräumt ist. Der in Gb befindliche Zug ist also gedeckt durch Doppelsignal Sb in Haltstellung (Ob und Ub eingezogen), Doppelsignal Sa in Haltstellung (Oa und Ua eingezogen) und Fahrsperre Fa in Sperrstellung; dahinter befindet sich S in Warnstellung (U eingezogen).

Die auf Tafel I zur Darstellung gebrachte Schaltweise nimmt nur auf die Tagessignale Rücksicht. Die Nachtsignale werden durch Vereinigungen rot, grün oder gelb abgeblendeter elektrischer Lampen gegeben, deren Blenden sich in fester Verbindung mit dem Signalflügel bewegen. Die Signallampen werden mit Wechselstrom gespeist, der den Gleisstromtransformatoren mit einer zweiten Wicklung entnommen wird. In gleicher Weise werden die Tunnelsignale durch farbig abgeblendete Lichter gegeben; bei diesen sind die Blenden in schlittenartigen Rahmenstücken untergebracht, die durch Druckluftantriebe vor den vom Transformator mit der zweiten Wicklung gespeisten Wechselstromlampen auf und ab bewegt werden.

Auf Tafel II ist in dem oberen Bilde die bereits auf Seite 38 nur allgemein erläuterte Stellung der Signale und Fahrsperren an der Hand des auf Tafel I dargestellten Schaltplanes im einzelnen für den Fall nachgewiesen, daß sich zwischen zwei Zügen d r e i Schutzstrecken (Freiwegabstand der Züge). In dem Schaltbilde sind die Stromläufe der besseren Übersicht wegen in der Weise farbig unterschieden, daß die von einem bestimmten Gleisabschnitt gesteuerten Apparate und deren Verbindungsleitungen die Farbe des betreffenden Abschnitts tragen. Im übrigen weicht die Abbildung von dem Schaltbilde auf Tafel I dadurch ab, daß die Signale gegen die Trennstellen im Interesse besserer Deutlichkeit der Darstellung etwas weiter nach rückwärts verschoben sind.

Die Fälle, daß sich zwischen zwei Zügen z w e i Schutzstrecken (Achtungabstand der Züge) oder nur e i n e Schutzstrecke (Mindestabstand) befinden, können aus den Schaltplänen der Tafeln I und II ohne weiteres abgeleitet werden. Beim Achtungabstand wird dem Folgezug das Achtungssignal (Fall B auf Seite 38), beim Mindestabstand das Haltsignal (Fall C auf Seite 38) gezeigt, mit der Fahrsperre in der Sperrlage.

Der Freiwegabstand der Züge bildet die Grundlage für die Aufstellung der Neuyorker Eilzugfahrpläne. Bei diesem Zugabstand setzt sich die Zugfolgezeit für die freie Strecke zusammen aus dem Zeitaufwand, der erforderlich ist, um eine Strecke zu durchfahren, die gleich ist der dreifachen Länge eines Streckenabschnittes, zuzüglich der Zuglänge, ferner aus der Stellzeit von rd. 4 Sekunden für Ober- und rückwärtiges Untersignal nebst Fahrsperre, sowie endlich der Zeit von etwa 3 Sekunden, die ein Fahrer für die richtige Erkennung des Signals braucht.

Hinzuzufügen ist, daß die Länge der Schutzstrecken auf dem Neuyorker Unterwege im Eilzugbetrieb auf gerader wagerechter Bahn rd. 250 m beträgt, d. h. dem Bremswege mit einem Zuschlage von 50 v. H. bei einer mittleren Bremsverzögerung von rd. 0,7 m/Sek. entspricht. Dabei ist eine größte Fahrgeschwindigkeit der Züge von rund 56 km i. d. St. zugrunde gelegt. Die Schutzstreckenlänge ist natürlich je nach den Bahnverhältnissen von Fall zu Fall verschieden zu bemessen.

Die ermittelte Zugfolge wird, wie allgemein im Schnellbahnwesen, so auch im Neuyorker Eilzugbetriebe unter Umständen durch die Abfertigung der Züge in den Stationsabschnitten beeinträchtigt. Die kürzeste Zugfolge in diesen Abschnitten wird von der Dauer der Zugaufenthalte wesentlich beeinflußt. Diese ist aber wieder von der Größe des Verkehrs und den Betriebsverhältnissen abhängig. Zur Verkürzung der Zugfolge in den Stationsabschnitten ist man daher auch in Neuyork zur Anwendung von Nachrücksignalen übergegangen, die von W a l d r o n in besonderer Art durchgebildet worden sind. Ihre Arbeitsweise ist die folgende:

Einem in Übereinstimmung mit den übrigen Blocksignalen als dreistelliges Signal ausgebildeten Einfahrsignal Nr. 1 ist eine Kette von Nachrücksignalen in Gestalt zweistelliger Signale, die etwa die Nummern von 2 bis 6 tragen, in kurzen Abständen voneinander zugeordnet. Sie sind in der üblichen Weise mit Fahrsperren ausgerüstet. Der Lauf der Züge ist so geregelt, daß ein einer besetzten Station sich nähernder Zug das Einfahrsignal Nr. 1 auf Achtung findet (Obersignal: halb abwärts zeigender Flügel oder grünes Licht, Untersignal: wagerechter Flügel oder gelbes Licht). Die Nachrücksignale 2, 3, 4 und 5 zwischen dem anrückenden und dem in der Station haltenden Zuge zeigen Halt (wagerechter Flügel, rotes Licht). Sobald der Zug an dem Einfahrsignal vorbeifährt, geht dieses auf Halt. Ein mit diesem Signal verbundener Zeitmesser läuft selbsttätig an; die Laufzeit ist auf ein bestimmtes Zeitmaß abgestimmt, das der Zug für die Fahrt von Signal 1 nach Signal 2 aufwenden muß. Wenn der Zeitmesser abgelaufen ist, geht Signal 2 mit seiner Fahrsperre auf Fahrt frei. Überschreitet der Zug dieses Signal, so geht es auf Halt und setzt den mit ihm verbundenen Zeitmesser in Gang, der Signal 3 mit seiner Fahrsperre nach einer bestimmten Zeit auf Fahrt frei stellt, so daß der Zug bis zum Signal 4 vorfahren kann. An diesem wiederholt sich der eben beschriebene Vorgang; Signal 4 läßt den Zug bis zum Signal 5 vorrücken, das sich 15 m hinter dem Schluß des am Bahnsteig haltenden Zuges befindet. Inzwischen hat sich die Geschwindigkeit des anrückenden Zuges soweit vermindert, daß das Streckenmaß von 15 m ausreicht, um den Zug bis zum Stillstand abzubremsen. Am Signal 5 wird der Zug nötigenfalls so lange festgehalten, bis der Vorzug den Bahnsteig etwa zum Drittel geräumt hat. Alsdann geht 5 auf Fahrt frei und gestattet dem

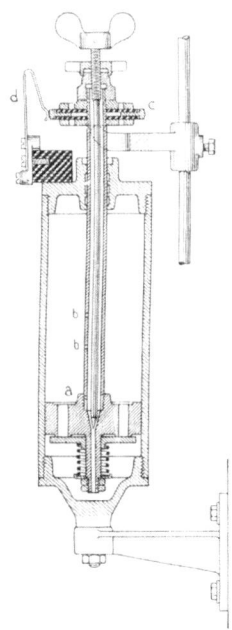

Abb. 41. Erläuterung der Wirkungsweise eines Zeitschalters für die Nachrücksignale auf dem Neuyorker Unterwege.

Zuge, bis zum Signal 6 vorzurücken, das 15 m in die Station hineingeschoben ist. Ehe der einrückende Zug das Signal 6 erreichen kann, hat der Vorzug den Bahnsteig vollständig geräumt.

Die Arbeitsweise des Zeitmessers läßt sich am einfachsten an der in Abb. 41 dargestellten, ebenfalls von Waldron angegebenen Bauart eines solchen Apparates erläutern, bei der der Signalstrom durch das Spiel eines in abgeschlossenem Flüssigkeitsraum arbeitenden Kolbens a gesteuert wird. Bei der Haltstellung des Signals nimmt der Kolben die in der Abbildung angegebene Tieflage ein. Beim Übergang des Signals in die ge-

zogene Stellung hebt ein am Signalgestänge
sitzender Mitnehmer den Kolben durch die
Flüssigkeit empor, indem diese von der
oberen Kolbenseite unter Überwindung
eines abgefederten Ventils nach der unteren
Kolbenseite übertritt. Kehrt das Signal in
die Haltstellung zurück, so folgt der Kolben
nur sehr langsam nach; beim Niedergange
wird seine Bewegung durch die unter dem
Kolben befindliche Flüssigkeit gebremst, die
nur durch eine feine Mittelbohrung des
Kolbenkörpers und die Umlauföffnungen bb
in den oberen Flüssigkeitsraum zurück-
treten kann. Mit einer Stellspindel kann
die Zeitdauer, die der Kolben zum Absinken
braucht, geregelt werden.

Während der Haltstellung des Signals
ist der Zeitmesser-Stromkreis durch einen
an der Kolbenstange isoliert befestigten
Schalter c über zwei an einem Isolierstück
sitzende Federn d geschlossen. Beim Ziehen
des Signals wird der Stromkreis unterbrochen; dieser schließt sich erst nach Ablauf des durch die absinkende Bewegung
des Kolbens bestimmten Zeitraumes, nachdem das Signal selbst bereits wieder die
Haltlage eingenommen hat.

Die Nachrück-Zeitsignale, deren Einbau auf der Neuyorker Untergrundbahn
Ende 1909 beendet worden ist, haben nach
den vorliegenden Berichten sehr zur Verkürzung der Zugfolge beigetragen.

Noch zwei Einrichtungen, die auf die
Sicherheit des Signalsystems Bezug haben,
bedürfen der Erwähnung. Die erste betrifft den sogenannten Notschalter.
Da eine Betriebsstörung, selbst von geringer Bedeutung, bei der ein Zug außerhalb der Station zum Stillstand kommt,
bei den Fahrgästen eine Erregung hervorrufen kann, die sie veranlaßt, das Nach-
bargleis zu betreten, wo sie von einem
herankommenden Zuge erfaßt werden
können, da es ferner vorkommen kann, daß
Fahrgäste in den Stationen durch Unachtsamkeit oder aus anderen Ursachen in das
Gleis fallen und sich vor dem einfahrenden Zuge nicht rechtzeitig in Sicherheit
bringen können, so ist auch dem Halte-
stellenpersonal oder anderen Bediensteten
die Möglichkeit gegeben, in den Signalbetrieb einzugreifen. Durch Ziehen eines
Handgriffs in einer auf dem Bahnsteig
gut sichtbar aufgestellten Zelle können
die Gleisströme der in der Nähe der
Station befindlichen Gleisabschnitte kurzgeschlossen und dadurch die Signale
augenblicklich auf „Halt" gestellt werden, so daß der gesamte Zugverkehr an-

gehalten wird, bis die Gefahr vorüber ist.

Die zweite Einrichtung dient zur
Sicherung der Trennstellen in den Strom-
schienenabschnitten. Es handelt sich um
ein besonderes Hilfsignal, das hinter den einzelnen Abschnitten der dritten
Schiene, d. h. an Punkten aufgestellt ist,
an denen Züge aus dem von einer Unterstation gespeisten Stromschienenab-
schnitt in den von einer anderen Unterstation gespeisten nächsten Abschnitt
übertreten. Im Falle starker Überlastung oder infolge Erdschlusses des
einen Abschnitts würden die Stromleitungen eines Zuges, dessen Kontaktschuhe
die Trennstelle der Stromschienenab-
schnitte überbrücken, plötzlich als Speiseleitungen wirken, so daß die Schmelzsicherungen des Zuges durchbrennen und
Betriebstörungen entstehen könnten. Um
zu verhindern, daß Züge in einen gefähr-
lich überlasteten Abschnitt gelangen, ist
an jeder Trennstelle ein Überlastungs-
relais angebracht, das einem herannahenden Zuge so lange das Haltsignal zeigt,
bis die Störung beseitigt ist.

### Bauweise einzelner Teile der Streckensicherung.[1]

Die Ausbildung der Trennstöße
ist von der auf den Londoner Tunnelbah-

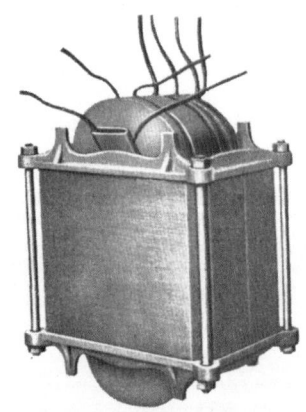

Abb. 42. Transformator.

nen benutzten — zu vgl. S. 9 Abb. 5 —
verschieden. Ihre Erläuterung folgt bei der
Beschreibung des Signalsystems der Berliner Hoch- und Untergrundbahn, deren
Trennstöße denen des Neuyorker Unterweges gleichen.

Der Transformator hat die in
Abb. 42 dargestellte übliche Form eines

[1] Zu vergl. das amerikanische Signalwörterbuch.

Manteltransformators und ist in einem mit Öl gefüllten Behälter untergebracht. Die Primärspule ist gegen Überlastung durch 3 - Amp. - Sicherungen geschützt, die in eine der Zuleitungen eingebaut sind. Sie trägt, wie schon erwähnt, zwei Sekundärwicklungen, von denen die eine den Gleisstrom von 10 Volt Spannung, die andere Strom von 50 Volt für die Signallampen des dreistelligen Signals liefert. Da die Lampen des Ober- und Untersignals unabhängig voneinander sein müssen, daher nebeneinander geschaltet sind, so ist in Abb. 42 durch eine dritte

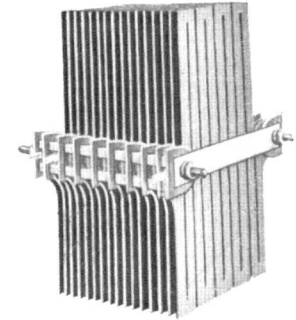

Abb. 43. Widerstände.

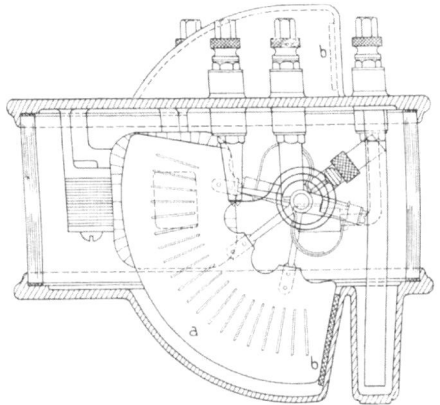

Schnitt in der Richtung des Fächers.

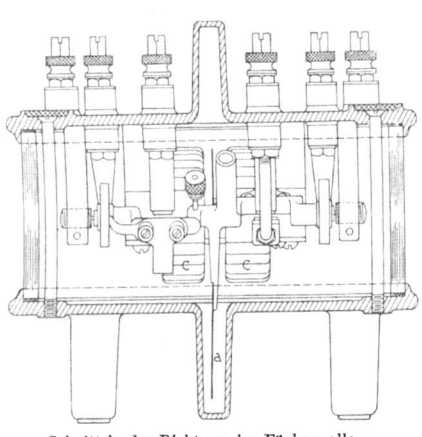

Schnitt in der Richtung der Fächerwelle.

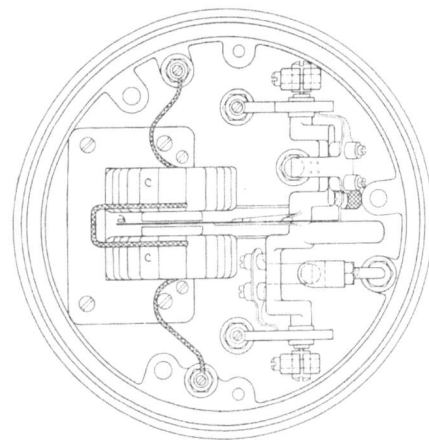

Unteransicht.

Abb. 44. Wirbelstromrelais.

Sekundärspule angedeutet, daß die Abnahme der Lampenströme schon vom Transformator ab getrennt erfolgen kann.

Abb. 43 zeigt die Art der in die Gleisstromleitungen vom Transformator zum Relais eingeschalteten Widerstände.

Sie sind in Gitterform hergestellt, daher induktionsfrei und besitzen einen Widerstand von 1 Ohm.

Zur Steuerung der Sicherungsmittel sind Wirbelstromrelais verwendet, wie sie beispielsweise auch auf

4

der Zentral-London-Bahn zu finden sind. Ihre Wirkungsweise beruht auf dem Gesetz, daß ein Wechselstrom in jedem metallischen Leiter sekundäre Ströme erzeugt. In plattenförmigen metallischen Körpern bilden die Sekundärströme die in sich geschlossenen Bahnen der sogenannten Wirbelströme. Das Wechselfeld des Relais — Abb. 44 — wird erzeugt durch einen aus Blechen zusammengesetzten hufeisenförmigen Kern aus weichem Eisen, dessen Feldspulen c dicht an den Polflächen sitzen. Zwischen diesen dreht sich ein von radialen Schlitzen durchbrochener leichter Fächer a aus Aluminiummetall. Die obere Hälfte jeder Polfläche ist von einem Kupferring umgeben, der in eine die Polfläche durchquerende Nut eingelegt und so bemessen ist, daß er die Hälfte der Kraftlinien faßt. Jede Änderung in der Zahl der den Ring durchsetzenden Kraftlinien erregt in diesem eine elektromotorische Kraft, die einen Strom erzeugt. Die Richtung dieses Stromes ist der des Feldstromes entgegengesetzt; er hat daher das Bestreben, Kraftlinien zu erzeugen, die denen des Feldes entgegenwirken. Mit anderen Worten: der Kraftlinienwechsel von Null bis zum Höchstbetrage und zurück auf Null wird in der von dem Ringe umschlossenen Feldhälfte gehemmt. Das hat zur Folge, daß sich der magnetische Fluß mit jedem Polwechsel von dem unteren nach dem oberen Teil des Feldes zu verschiebt. Nun werden durch das Wechselfeld auch im Fächer selbst, außerhalb des durch die Fläche des Kupferringes gedeckten — geschirmten — Teiles Wirbelströme hervorgerufen, welche die in den Fächer eingeschnittenen Schlitze in der gleichen Richtung umkreisen, wie der im Kupferringe verlaufende Strom. Die Wirbelströme erzeugen eigene Kraftlinienfelder. Auch diese sind dem Hauptfeld entgegengesetzt, werden daher von diesem in derselben Weise abgestoßen, wie gleichnamige Magnetpole. Da sich ferner der magnetische Fluß im Hauptfelde infolge der Wirkung des Kupferringes ständig aufwärts bewegt, wird der Fächer bei jedem Wechselstromimpuls gehoben.

Die Welle des Aluminiumfächers läuft in Rubinlagern. Sein Gewicht ist durch einen zur Aufnahme von Gewichtsmaterial röhrenförmig ausgebildeten Gegenarm ausgeglichen und kann außerdem noch mittels einer Stellschraube eingeregelt werden. Die Bewegungen des Fächers sind durch Gummianschläge — b in Abb. 44 — begrenzt. Die Relaiskontakte werden durch zwei einander gegenüberliegende Kröpfungen der Fächerwelle betätigt, deren Gewichte zur Welle sich ausgleichen. Bei gehobenem Fächer sind beide Kontakte geschlossen; die Ströme nehmen dann ihren Lauf von den in der Nähe der Wellenenden in den Deckel des Relais eingelassenen Polen über die mit diesen verbundenen Spiralfedern nach den an die Kröpfungen isoliert festgeschraubten Schaltern und treten durch die unmittelbar über der Fächerwelle angeordneten Pole wieder nach außen.

Die im Nebenschluß zu den Relais befindlichen Drosselspulen, die verhindern sollen, daß Triebstrom in die Relais gelangt, sind ähnlich gebaut wie die Transformatoren; zu vgl. Abb. 45. Durch Änderung des Zwischenraumes zwischen den beiden Teilen des Eisenkerns — zu vgl. auch Abb. 42 — kann die Impedanz geregelt werden.

Abb. 45. Drosselspule

Die Tunnelsignale sind in den Abbildungen 46 und 47 veranschaulicht. Die Signallampen werden in der schon auf S. 38 erwähnten Art durch farbige Glasscheiben abgeblendet, und zwar durch rote und grüne Scheiben d und e beim Obersignal, durch gelbe und grüne Scheiben $d_1$ und $e_1$ beim Untersignal; in der Gehäusewand vor den Blenden befinden sich lichtverstärkende weiße Linsen. Die farbigen Gläser sind in Schieber c und $c_1$ eingelassen, die von den Druckluftantrieben, deren Luftzylinder mit a, $a_1$, die Stellmagnete mit b, $b_1$ bezeichnet sind, auf und ab bewegt werden. Die Blenden zeigen grünes Licht nur in gehobener Stellung der Schieber, damit diese im Falle eines Versagens der Druckluft durch ihr Eigengewicht herunterfallen und die rote Blende vor das Signal führen. Für jedes Signal sind zwei nebeneinander geschaltete Lampen vorgesehen, damit das Signal nicht erlischt, falls eine der Lampen durchbrennt. Die Lampen bedürfen nur der geringen Stärke von 4 Kerzen

Die Lichtsignale sind noch durch Formsignale unterstützt, die in Gestalt kleiner Flügel g g₁ unterhalb der Linsen die Anzeigen mitmachen. Die wagerechte Lage dieser Flügel entspricht der Haltstellung; unter 60° abwärts zeigen sie Fahrt frei. Nach der Anzeige dieser Flügel wird in dem Falle gefahren, daß beide Signallampen zugleich versagen sollten. Die Bewegung der Flügel erfolgt durch Kurbeln, deren Zapfen im Innern des Signalständers in schrägstehenden Schlitzen f und f₁ der Schieber c und c₁ geführt werden; beim Auf- oder Niedergange eines Schiebers erfährt der Signalflügel eine Drehung um 60°.

Durch die Signalschieber werden auch die Nebenkontakte gesteuert, die nach dem Schaltbilde auf Tafel I die Bewegung der Untersignale regeln. Diese Kontakte — 3 a, 4 und 3 b, 4 auf Tafel I — sind im unteren Teile der Signalständer an den Druckluftantrieben befestigt. Nach der in Abb. 48 wiedergegebenen vergrößerten Darstellung eines für den vorliegenden Zweck verwendeten Normalschalters erfolgen die Kontaktbewegungen durch ein am Signalschieber befestigtes Lineal L. Die Normalie stellt die Vereinigung eines einfachen und eines doppelten Schalters dar, die in der Lage ist, zu gleicher Zeit drei an die Klemmen 1, 2 und 3 angeschlossene Stromkreise entweder über die Klemmen 1 a, 2 a, 3 a — wie in der Abbildung 48 — oder über die Klemmen 1 b, 2 b, 3 b zu schließen. Die Umschaltung geschieht durch das Lineal in der Hoch- oder Tiefstellung des Schiebers, und zwar in der Weise, daß die mit den festliegenden Drehpunkten D und D₁ der Schalter fest verbundenen Führungsrollen f und f₁ in der Nut F eine seitliche Ablenkung erfahren. Die Kontaktfedern sind von den Drehzapfen D und D₁ sowie den Führungsrollen f und f₁ elektrisch getrennt; ihr Spiel wird durch zwei an Schraubenschäften befindliche Anschläge begrenzt.

Von der in der Abb. 48 dargestellten Normalform des Schalters kommen für den vorliegenden Fall nur die Klemmen 2, 2 b und 3, 3 b in Beziehung zum Obersignal zur Anwendung; alle übrigen Klemmen sind auf der durchgehenden Strecke außer Betrieb zu denken. Die in Verbindung mit dem Signalschieber c₁ in Abb. 46 angedeutete gleichartige Schaltvorrichtung für das Untersignal bleibt für den Fall des Signalbetriebes auf der durchgehenden Strecke ebenfalls außer Betracht.

Die Fahrsperren besitzen die in Abb. 49 angegebenen Bauart. Sie werden in ähnlicher Weise, wie auf den Londoner Tunnelbahnen, durch einen Druckluftantrieb bewegt, der auf dem Neuyorker Unterwege in der Gleismitte eingebaut ist.

Aus den Schaubildern Abb. 50 und 51 und den ihnen beigeschriebenen Erläuterungen ist die Gesamtanordnung der in den Abb. 42 bis 49 veranschaulichten Einrichtungen zu ersehen. Das Gleisrelais und die verwandten Apparate sind in den beiden Fächern eines wasserdichten Gehäuses untergebracht, das in Abb. 51 in geöffnetem Zustande dargestellt ist. Im oberen Fach befinden sich die Gitterwiderstände, im unteren das Relais und die Impedanzspule mit ihren Anschlüssen.

Ein Siebenleiterkabel führt zu dem neben dem Apparateständer befindlichen Signal, ein anderes Siebenleiterkabel zu einem Anschlußkasten, von dem Verbindungen zum Untersignal des vorhergehenden Streckenabschnittes, zur Fahrsperre sowie den Speiseleitungen der Signalströme geleitet sind. Dazu kommen noch vier Verbindungen mit den Schienen auf jeder Seite der Trennstöße.

### Sicherung der Züge in Stellbezirken.

Die auf Seite 16 u. f. entwickelten Grundgedanken über die Zugsicherung in den Stellbezirken gelten auch für die Signalanlage des Neuyorker Unterweges. Sie sollen nachstehend lediglich durch eine etwas eingehendere Beschreibung der Weichen und der zu ihrer Umstellung erforderlichen Vorgänge ergänzt werden, da diese manches Bemerkenswerte bieten. Zur Erläuterung der Stellvorgänge dient die Übersichtszeichnung Abb. 52., die die wesentlichen Züge der in Abb. 22 auf S. 19 gezeigten Stellvorrichtung aufweist, indessen durch Angabe der Antriebsweise und der Verriegelung der Weiche mit der Wirklichkeit etwas mehr in Übereinstimmung ge-

bracht ist. Zugrunde gelegt ist in Abb. 52
eine Linksweiche, während Abb. 22 die
Stellvorgänge für eine Rechtsweiche behandelt. Während ferner in Abb. 22 die
Hebelbewegung aus der Grundstellung
in die gezogene verfolgt wurde, ist in
Abb. 52 der Weg von der gezogenen zur
Grundstellung dargestellt. Als Grundstellung der Weiche ist wieder die auf den geraden Strang vorausgesetzt.

Die Bewegung der Weichenzungen erfolgt nicht, wie in London, durch ein
Klauengetriebe (Abb. 28 und 29 auf S. 26),
sondern durch eine schräge Nut s, in
der ein Zapfen eines in der Gradfüh-
rung g sich bewegenden schlittenartigen
Fortsatzes der Stellstange zwangläufig geführt wird. Der die Nut s tragende Ge-
triebekörper wird von einem Druckluftantrieb A verschoben, der außer den beiden Stellmagneten E + und E —, wie in
London (zu vergl. die Abb. 26 bis 31 auf
S. 25 bis 27) noch einen Verschlußmagneten E v trägt, mit dem der Steuerkolben
des Antriebs in den Endstellungen verriegelt wird. Die Verriegelung der Weiche
erfolgt, abweichend von der Londoner
Anordnung, außerhalb des Gleises
unmittelbar durch eine Fortsetzung des
Triebgestänges, die mit der Riegelstange r zusammenarbeitet. Mit diesem
Triebstangenfortsatz ist auch der Schalter 1 verbunden, mit dem die Stromläufe
für die Verschlußmagnete V + und V — geregelt werden. Die Bedeutung der Teile
ist im übrigen die gleiche wie in Abb. 22,
mit der auch die Buchstabenbezeichnungen
übereinstimmen.

In der Ausgangsstellung I der Abb. 52
ist der Stellstrom über w, w—, E— geschlossen, der Überwachungsstrom über
Minus beim Kontakt 2 unterbrochen. Der
Anker des Verschlußmagneten V — ruht
von der vorhergehenden Weichenbewegung her auf dem Verschlußknaggen
der Kontaktstange. Unter der Voraussetzung, daß alle Signale, von denen die
Zugbewegungen über die Weiche abhängen,
Halt zeigen, kann der Weichenhebel H w
zwecks Umstellung der Weiche gegen den
rechtsseitigen Anschlag in der mittleren
Rast der gebogenen Gleitbacke bewegt
werden. Alsdann hält der Hebel die
Signale verriegelt. Ein weiteres Zurücklegen des Hebels wird durch den abgefallenen Anker des Verschlußmagneten V+
zunächst verhindert, der sich gegen den Verschlußknaggen der Kontaktstange K w legt.
Durch die Hebelbewegung wird der Stell-

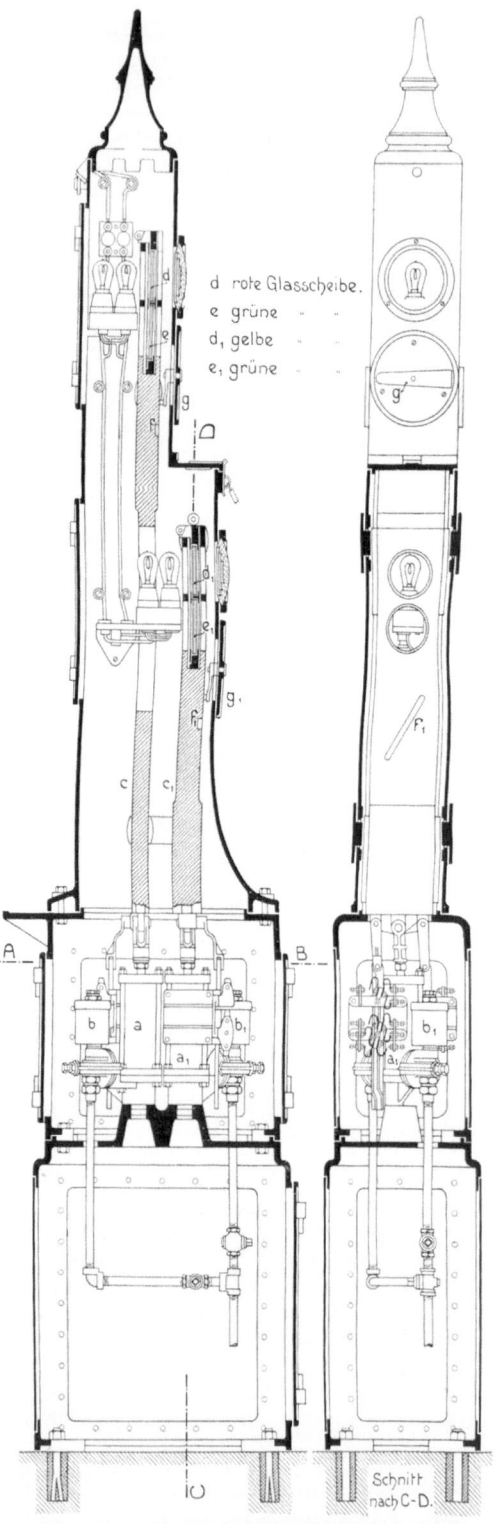

Abb. 46. Dreistelliges Signal für den Eilzugverkehr auf dem
Neuyorker Unterwege.

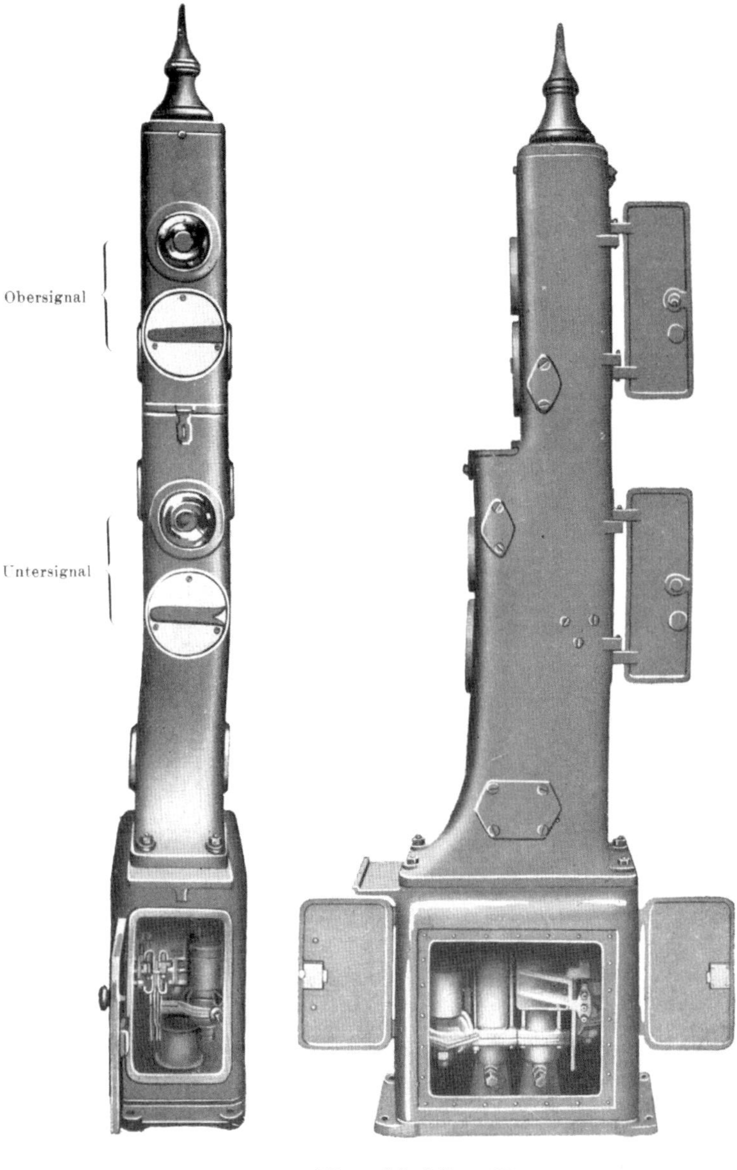

Obersignal

Untersignal

Abb. 47. Schaubild zu Abb. 46.

Zu Abb. 46. Schnitt nach A—B.

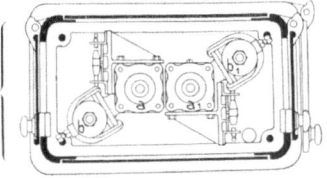

strom über w nunmehr zugleich über $w_v$   dung). Dies hat zur Folge, daß der Stell-
und $w+$ geschlossen (Fall II der Abbil-   magnet E — stromlos wird, dagegen der

Verschlußmagnet E v und der Stellmagnet E + erregt werden. Die Erregung des Verschlußmagneten erfolgt bereits bei Beginn des Hubes, noch ehe E— stromlos wird, da der von E v für die Minusstellung der Weiche bewirkte Verschluß bereits aufgehoben sein muß, ehe der Steuerschieber beeinflußt werden darf. Auf die alsdann eintretende Stromlosigkeit von E— folgt die Erregung von E +. Dadurch wird

jetzt in seine Endlage gebracht werden — Fall III der Abb. 52. Durch diese abschließende Bewegung wird die Kontaktstange K w in die Endstellung geführt. Dabei werden die Hebel der Signale wieder entriegelt, mit denen der Wärter dem Zuge die Fahrt über die Weiche in ihrer neuen Stellung freigibt. Gleichzeitig wird in der Endlage des Weichenhebels der Schalter von w v nach w + verschoben,

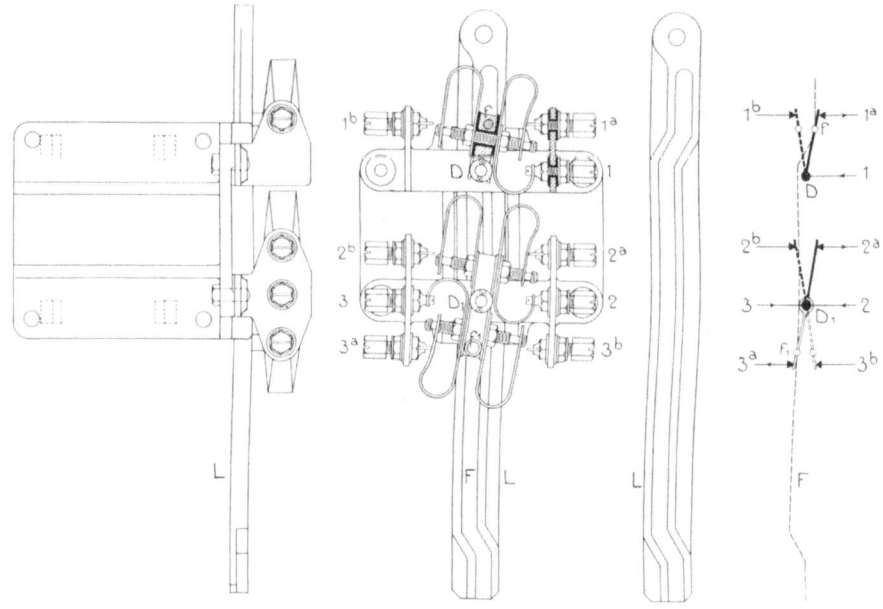

Abb. 48. Signalschalter zu Abb. 46 und 47.

der Steuerschieber bewegt; von der Minusseite des Kolbens entweicht die Druckluft ins Freie, während die Plusseite des Kolbens nunmehr mit Druckluft beschickt wird. Der Kolben bewegt sich infolgedessen nach der anderen Seite des Zylinders und stellt die Weiche um.

Nachdem auf diese Weise durch die Teilbewegung des Weichenhebels — Stellung II in Abb. 52 — die Umstellung der Weiche und ihre Verriegelung in der Plus-Stellung erfolgt ist, ist auch durch die Schubstange des Weichenantriebes der Schalter 1 von dem Minuskontakt nach Plus verschoben. Der dadurch auf den Verschlußmagneten V+ geschaltete Strom (Batterie, w v, 1+, 2+, Batterie) erregt diesen Magneten, der infolgedessen seinen Anker anzieht und damit den Verschlußknaggen freigibt. Der Weichenhebel H w kann

was zur Folge hat, daß der Strom des Verschlußmagneten E v abgestellt und der Steuerschieber dadurch in die Plus-

Abb. 49. Fahrsperre mit Druckluftantrieb.

Stellung verriegelt wird. Durch die Überführung des Weichenhebels in seine Endlage wird auch der Kontaktschalter 2 durch

die Schlitzführung m nach Minus hinüber-
gelegt. Infolgedessen wird der Strom vom
Verschlußmagneten V + abgestellt und
dessen Anker freigegeben. Die Weiche befindet sich jetzt wieder in der Ausgangs-

### Bauweise einzelner Teile in den Stellbezirken.

Auf die Einrichtung der Stellwerke
soll auch an dieser Stelle mit Rücksicht
auf die später erfolgende genaue Beschrei-

Abb. 50. Anordnung der zum Signalsystem des Unterweges gehörenden Teile (vgl. hierzu Abb. 51).
1. Lichtleitungen; 2. Signalkabel; 3. Gleisstrom-Speiseleitungen; 4. Transformatorgehäuse; 5. Zweiteiliges
Gehäuse für Widerstände, Relais und Drosselspule; 6. Druckluftleitung; 7. Gehäuse für das Fahrsperrenventil;
8. Fahrsperrenantrieb; 9. Fahrsperre.

stellung für das Umstellen von Plus nach
Minus.

Im Falle, daß mehrere Weichen —
etwa die einer Weichenverbindung zwischen zwei Gleisen — von einem einzigen
Hebel bedient werden, sind die Plus- und
Minus - Ventilmagnete E + und E — der
einen Weiche hinter die der anderen geschaltet; die Verschlußmagnete E v befinden sich in Nebeneinanderschaltung.

bung der Stellwerke der Berliner Hoch-
und Untergrundbahn, von denen sich die
des Neuyorker Unterweges dem Wesen
nach nicht unterscheiden, nicht näher eingegangen werden. Die dauernd benutzten
Stellwerke befinden sich in den Tunnelstrecken gewöhnlich an den Bahnsteig-
enden zwischen den Gleisen. Ihre äußere
Form ist dem sehr knapp bemessenen
Raum in der Weise angepaßt, wie es bei-

spielsweise die Abb. 53 zeigt. Eine Anzahl kleiner Stellwerke, die nur zeitweilig
bedient werden, befinden sich auf den
Bahnsteigen selbst.

Der W e i c h e n a n t r i e b ist auf Tafel III in allen Einzelheiten dargestellt. Zum
besseren Verständnis ist auf die auf S. 23
und 24 gegebene allgemeine Beschreibung
zu den Abbildungen 26 und 27 zu verweisen,
aus der insbesondere die Luftwege des Antriebes klar zu ersehen sind.

Der auf Tafel III in seinen Einzelheiten, in Abb. 54 in seiner äußeren Erscheinung schaubildlich dargestellte Antrieb unterscheidet sich dem Wesen nach
von dem früher dargestellten nur dadurch,
daß er außer den Steuermagneten E + und
E— noch den schon erwähnten Verschlußmagneten E v besitzt, der den Steuerschieber in den Endstellungen mit einem
Dorne g verriegelt.

Die Schieberkammer ist — zu vergl.
auch die frühere Beschreibung — dauernd
mit Druckluft gefüllt. Durch das Spiel
der von den beiden Elektromagneten E +
und E— gesteuerten Nadelventile wird der
Steuerschieber a hin und her bewegt, der
seinerseits den Luftzutritt vor oder hinter
den Triebkolben im Zylinder A freigibt und
von der Gegenseite des Kolbens die Luft
herausläßt. Die Ventilfederkammern c der
Steuermagnete sind durch Zweigkanäle
aus der Schieberkammer ebenfalls dauernd
mit Druckluft gefüllt. Diese tritt bei Erregung eines der beiden Steuermagnete
infolge Niedergehens des zugehörigen
Spindelventils — also bei geöffnetem unteren Ventilkegel — durch den aus der
Kammer d abzweigenden Kanal e hinter
den zugehörigen Steuerkolben, der den
Steuerschieber a nach der Gegenseite zu bewegt. Wird der Magnet stromlos, so wird
der Unterkegel des Ventils durch die Ven-
tilfeder wieder auf seinen Sitz gedrückt
und gleichzeitig der Oberkegel geöffnet,
so daß die hinter dem Steuerkolben befindliche Druckluft durch die Kanäle e, d und
f ins Freie entweicht.

Der Steuerschieber ist bei Stromlosigkeit des Verschlußmagneten E v durch
den am Hohlkolben b sitzenden Dorn g in
der einen oder anderen Endstellung verriegelt. In diesem Zustande ist die Federkammer k durch den Kegel des Nadelventils von dem mit der Außenluft in Verbindung stehenden Kanal l abgesperrt.
Durch die Kanäle m und n ist der Raum
unter und über dem Hohlkolben b, durch
den Kanal h auch die Federkammer k des

Nadelventils mit Druckluft gefüllt. Der
auf die obere Kolbenseite wirkende Über-
druck in Verbindung mit dem auf den
Kolbenboden wirkenden Federdruck hält
den Steuerschieber mittels des Dornes g
unter Verschluß. Wird der Verschlußmagnet erregt, so öffnet sich das Nadelventil, und die Druckluft von der Ober-
seite des Kolbens kann durch die Öff-

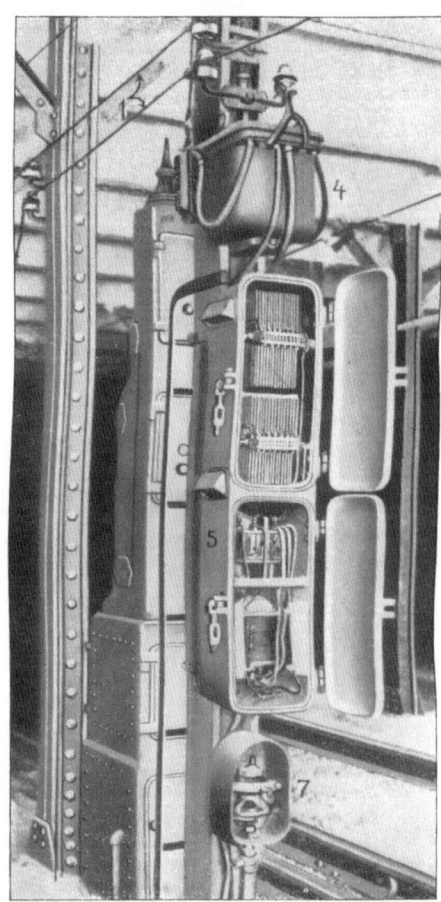

Abb. 51 (vgl. Abb. 50). 1. Lichtleitungen; 4. Transformator-
kasten; 5. Gehäuse für Widerstände (im oberen Fach), Relais
und Drosselspule (im unteren Fach); 7. Gehäuse für das
Fahrsperrenventil in geöffnetem Zustande.

nung 1 ins Freie abströmen, ohne durch
den Kanal n aus der Schieberkammer in
gleichem Maße Ersatz zu finden. Die obere
Kolbenseite wird entlastet; der Kolben
bewegt sich infolgedessen unter Überwindung des Druckes der Feder i aufwärts und entriegelt den Steuerschieber.
Damit das Einschieben und Herausziehen
des Verschlußdorns augenblicklich erfolgt,
werden für den Verschlußmagneten neuer-

dings Nadelventile von etwas größerem Querschnitt verwendet als früher. Dadurch wird die Arbeitsleistung des Ver-

der Umstellbewegung der Weiche unter Strom steht.

Die Bewegungsvorgänge, die sich

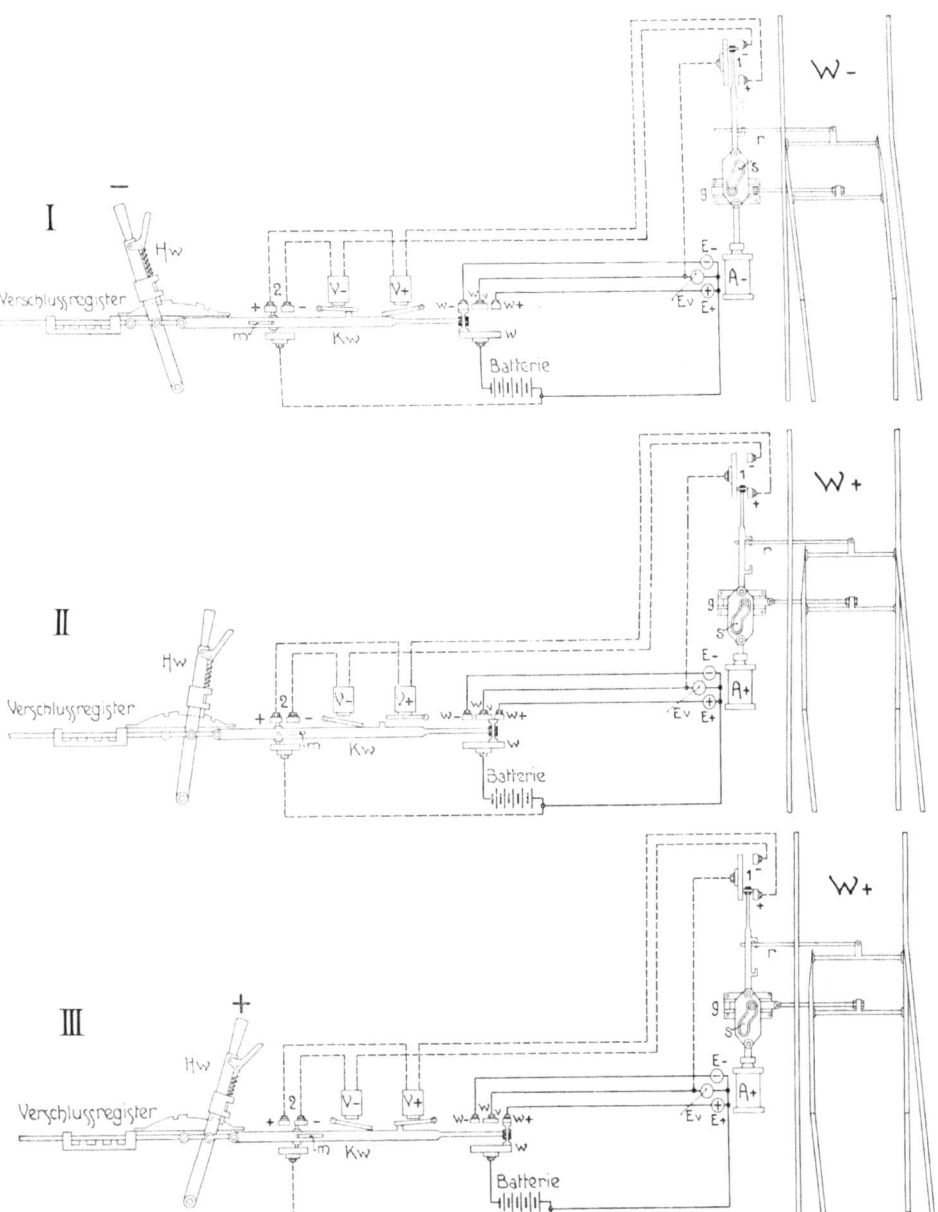

Die Vorzeichen + und — beziehen sich durchweg auf die Stellung der Weiche (+ = Grundstellung, — = umgelegte Stellung).
Abb. 52. Vorgänge beim Umstellen einer einfachen Linksweiche.

schlußmagneten zwar etwas vergrößert; der Mehrverbrauch an Strom ist indessen unbedeutend, da der Magnet nur während

beim Umstellen einer Weiche im Antrieb nacheinander abspielen, bedürfen unter Hinweis auf das bereits Ausgeführte keiner besonderen Beschreibung mehr. Ehe eine Weiche bewegt werden kann, ist es erforderlich, daß einer der Stellmagnete stromlos, der andere und der Verschlußmagnet erregt sind.

Zylinderdeckel angebracht werden mußten. An einigen Stellen mußten sogar die Weichenventile auf besonderer Grundplatte ein halbes Meter und weiter vom Zylinder entfernt angeordnet werden. Aus

Abb. 53. Stellwerk A auf der Südseite des Bahnhofs Brooklynbrücke (vgl. Tafel II unten).

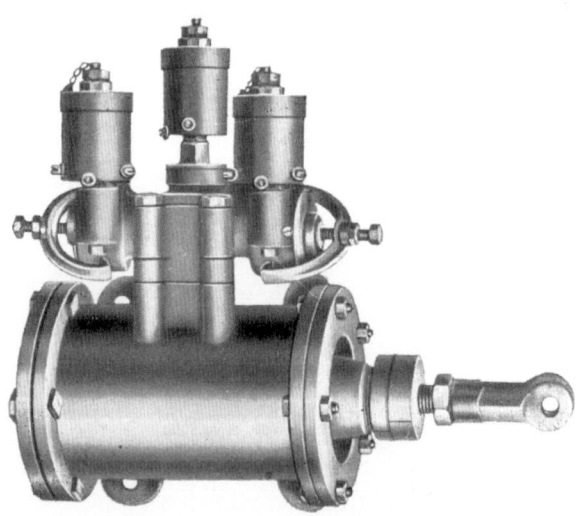

Abb. 54. Druckluftantrieb für Weichen (Schaubild zu Tafel III).

Im Neuyorker Unterwege waren die räumlichen Verhältnisse meist so beengt, daß die Stellmagnete der Weichenzylinder nicht, wie auf Tafel III angegeben, an der Seite dieser Zylinder, sondern auf dem demselben Grunde wurde zum Stellen der Weiche und für die Betätigung des Weichenverschlusses die schon in Abb. 52 gezeigte Gestängeanordnung mit schräger Schlitzführung gewählt.

In Abb. 55 ist die Einrichtung der Weiche genauer verdeutlicht, in die auch die in Abb. 52 enthaltenen Bezeichnungen übertragen sind. Dem Triebgestänge ist noch ein mit einem Schlitz $s_1$ versehenes weiteres Glied angefügt, das dazu dient, die Sperrschiene von der einen Endstellung in die andere zu überführen.

Abb. 52. In der Stellung I der Abb. 56 ist die Riegelstange r durch Eingriff des mit dem O b e r t e i l des Triebgestänges verbundenen Riegels v in die obere Nut n gesichert. Mit der bei Umstellung der Weiche einsetzenden Bewegung des Triebgestänges aus der Bildebene heraus verläßt der Verschlußkörper v die Nut n; die Stange r

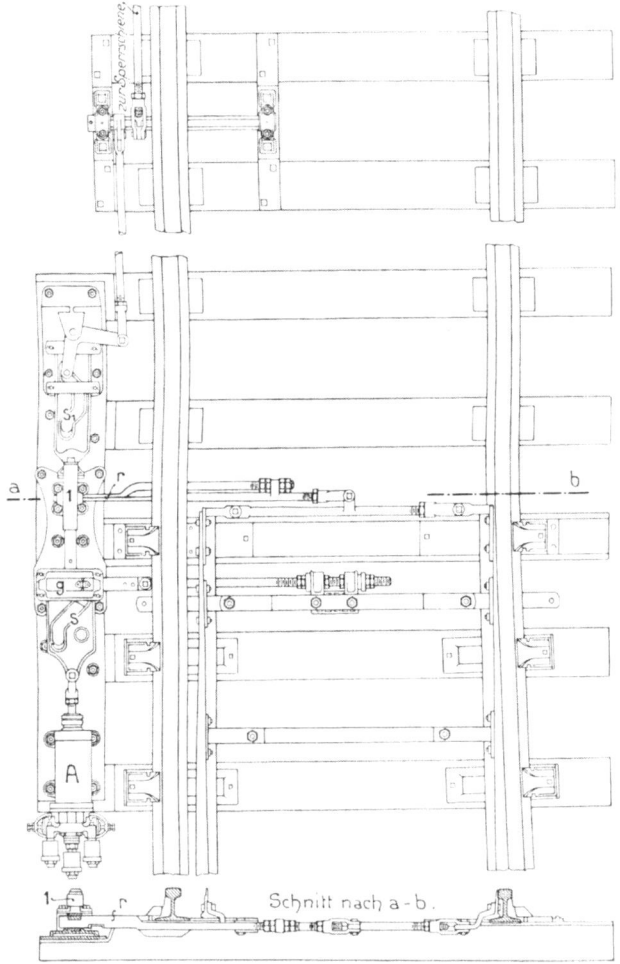

Abb. 55. Anordnung einer Spitzweiche mit Druckluftantrieb.

Die Verriegelung der Weiche in ihren beiden Endstellungen — I und III in Abb. 52 — erfolgt in der durch die Abb. 56 gezeigten Art. Die Riegelstange r besitzt die Nuten n und $n_1$, ein doppelschieniger Teil des Triebgestänges — schwarze Querschnitte in Abb. 56 — die beiden Riegel v und $v_1$. Die Stellung der Weiche in Abb. 56 I und II entspricht im übrigen der Stellung I und III in

bewegt sich mit der Weichenzunge nach rechts, und der Stellvorgang endet damit, daß das Triebgestänge den mit seinem Unterteil verbundenen Verschlußkörper $v_1$ in die untere Nut $n_1$ der Riegelstange r einführt (Fälle II, Abb. 56, und III, Abb. 52).

Die Nuten können gegeneinander verstellt werden. Zu diesem Zweck ist die Riegelstange nach Abb. 56 — zu vgl. auch

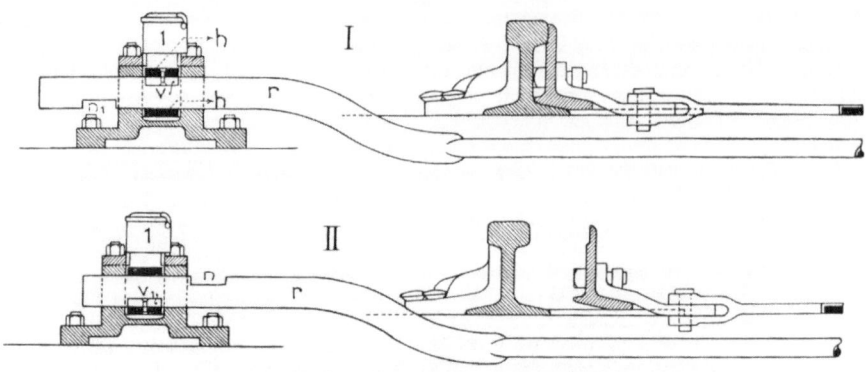

Abb. 56. Verriegelung der Weiche.

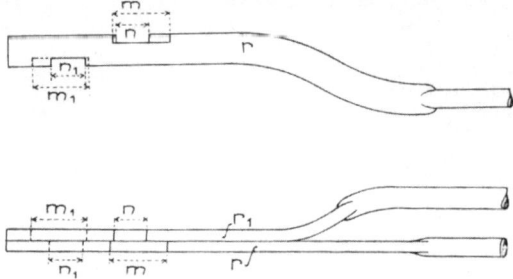

Abb. 57. Riegelstangen mit verstellbaren Nuten.

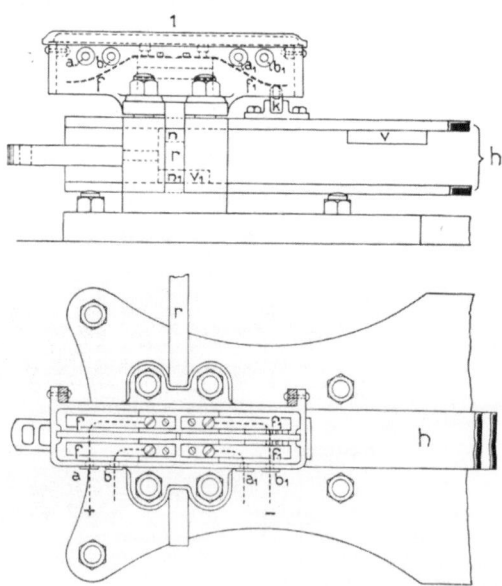

Abb. 58. Schalter für die Verschlußmagnete im Stellwerk.

Abb. 57 — aus zwei mittels Stellschrauben gegeneinander verschiebbaren Teilen r und $r_1$ hergestellt, von denen der Teil $r_1$ die Nut n, der Teil r die Nut $n_1$ trägt. Durch breitere Ausklinkungen m und $m_1$ sind die erforderlichen Spielräume für die Nutenverschiebung geschaffen.

Der Schalter 1 in den Abb. 52 und 55 sitzt gemäß Abb. 58 unmittelbar über der Verriegelung und ist so ausgebildet, daß in der Stellung I in Abb. 56 der an der Plus-Seite der Abb. 58 durch die punktierten Linien a und b bezeichnete Stromkreis durch Schluß zwischen den Federn f f, dagegen in der

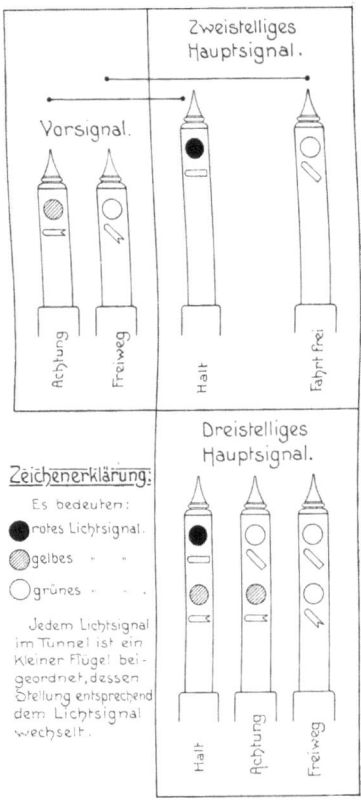

Abb. 59. Zwei- und dreistellige Signale für e i n e Fahrrichtung.

Stellung II der Weiche der an der Minus-Seite der Abb. 58 durch die punktierten Linien $a_1$ und $b_1$ bezeichnete Stromkreis durch Überbrückung der Federn $f_1$ $f_1$ geschlossen wird. Das Schaltbild Abb. 52 zeigt, daß die Leitungen b und $a_1$ in Abb. 58 auf den Rückwegen zum Stellwerk zu einer einzigen Leitung zusammengefaßt sind. Die Federn f sind auf einer nicht leitenden Unterlage befestigt; der Schalter 1 sitzt in einer Hülle aus nicht leitendem Stoff.

## Planbeispiel.

Der viergleisige Abschnitt der Neuyorker Schnellbahn erstreckt sich vom nördlichen Ende der Fultonstraßenstation in der Unterstadt in einer Ausdehnung von 10,6 km bis

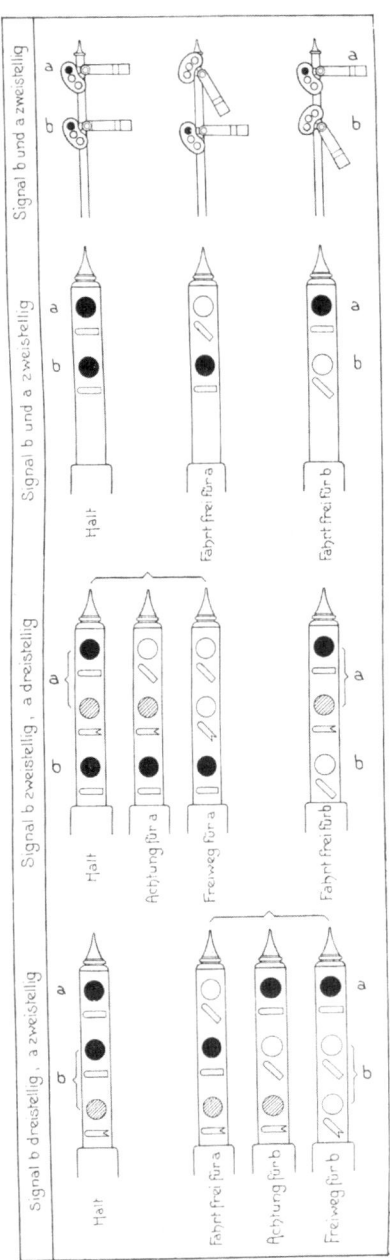

Abb. 60. Zwei- und dreistellige Signale für z w e i Fahrrichtungen.

a: Gleis erster Ordnung (Eilzüge),
b: Gleis zweiter Ordnung (Ortszüge oder Abzweigung).

zur Gabelung der Bahn an der Nordwestecke des Zentralparks in der Oberstadt. Auf den beiden äußeren Gleisen werden die Ortzüge in 21 Stationen von rund 0,49 km mittlerem Abstand, auf den beiden inneren die Eilzüge in nur fünf Stationen vom fünffachen mittleren Abstande der Ortstationen, also von 2,45 km, abgefertigt. In den Eilzugstationen vollzieht sich außer dem eigenen Verkehrs-Zu- und Abgange ein lebhafter Umsteigeverkehr.

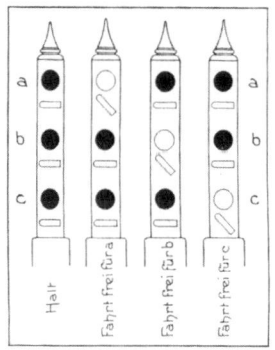

Abb 61. Zweistellige Signale für d r e i Fahrrichtungen.
a: Gleis erster Ordnung (Eilzüge).
b: Gleis zweiter Ordnung (Ortzüge oder Abzweigung).
c: Gleis dritter Ordnung (Abzweigung).

In der unteren Abbildung auf Tafel II ist das südliche Ende des viergleisigen Bahnabschnitts mit allen Gleisverbindungen und Signalen skizziert. Die Gleisanlage ist so beschaffen, daß Eilzüge und Ortzüge sowohl an der Südseite des Bahnhofs Brooklynbrücke wenden, als auch miteinander vermischt als Ortzüge nach Brooklyn weitergeführt werden können. Die Umkehr der Ortzüge erfolgt über die sog. Rathausschleife.

Die Innengleise zwischen Brooklynbrücke und Fultonstraße vermögen eine größere Zahl von Zügen zu beherbergen, die hier die Rückflut des Verkehrs abwarten. Durch eine Anzahl von Weichenverbindungen, insbesondere zwischen den Eil-

zug- und Ortgleisen, ist ferner den Erfordernissen des Austauschverkehrs der Züge, des Verschiebe- und Werkstättendienstes Rechnung getragen. Infolgedessen kommt das früher eingehend erläuterte Signalbild der freien Strecke auf dem in der Abbildung dargestellten Streckenabschnitt nur an einzelnen Stellen zum klaren Ausdruck. Die weitaus überwiegende Zahl der Signale arbeitet hier halbselbsttätig; ihre Bedienung erfolgt von vier in der erforderlichen Ab-

Abb. 62. Verschubsignal.

hängigkeit arbeitenden Stellwerken, von denen das mit A bezeichnete in einem Gehäuse von der in der Abb. 53 gezeigten Form untergebracht ist. In den Stellbezirken wie auch auf den Ortgleisen kommt ebenso wie in London, die dreistellige Form der Signale untermischt vor mit der zweistelligen mit und ohne Vorsignale. Die wesentlichsten der im Betriebe der Untergrundbahn vorkommenden Signalformen sind in den Abbildungen 59 bis 61 zur Darstellung gebracht, die weiterer Erläuterung nicht bedürfen. Die Verschubsignale sind ebenso, wie zumeist auf den Londoner Untergrundbahnen, Zwergsignale, im übrigen aber ähnlich ausgebildet, wie die Hauptsignale, wie dies die Abb. 62 erkennen läßt.

# Selbsttätige Signale der Berliner Hoch- und Untergrundbahn.

Ehe in die Beschreibung des selbsttätigen Signalsystems der Berliner Hoch- und Untergrundbahn eingetreten wird, erscheint es angebracht, die Entwicklung der mit Gleisströmen betriebenen selbsttätigen Signalanlagen nochmals kurz zu streifen, um den Grad der Vervollkommnung zu zeigen, der bei der Hoch- und Untergrundbahn erstrebt worden ist, den freilich andere Schnellbahnen der neuesten Zeit, wie die Zentrallondonbahn, mit ihr teilen.

Aus den Mitteilungen auf S. 1 und 2 ist zu ersehen, daß die Anwendung der Gleisströme zum Betrieb selbsttätiger Signalanlagen während mehr als eines Dritteljahrhunderts Allgemeingut ist. Das Vorgehen der Fitchburghbahn, die die Gleisströme im Jahre 1879 auf einem 16 km langen Bahnabschnitt benutzte, um falsche Fahrt frei-Anzeigen im Falle von Zugtrennungen zu verhindern und die Feststellung von Schienenbrüchen zu ermöglichen, war bahnbrechend für die Nutzbarmachung der Gleisströme für den selbsttätigen Signalbetrieb überhaupt, der seit dieser Zeit unablässig gefördert wurde. Als Merkpunkte in der Entwicklung treten insbesondere hervor die Einführung des elektropneumatischen Antriebs der Flügelsignale im Jahre 1885 und die bedeutenden Vervollkommnungen der Batterien sowie des elektromotorischen Signalantriebs, im wesentlichen seit dem Jahre 1900, dem gegenüber der Druckluftbetrieb im Stadtschnellbahnwesen freilich bis in die neueste Zeit mit bestem Erfolge aufrecht erhalten worden ist. Wenn die Berliner Hoch- und Untergrundbahn zur Verwendung elektrischer Antriebe übergegangen ist, so sind die Gründe dafür außerhalb des Bereiches technischer Erwägungen zu suchen.

Die erste Entwicklung der Gleisstrombetriebe fällt in die Zeit der Dampfbahnen, bei denen die Einbeziehung der Fahrschienen in die Gleisstromkreise mit besonderen Schwierigkeiten nicht verbunden sein konnte. Das änderte sich, als mit der Einführung der elektrischen Kraft zum Bahnbetriebe die Fahrschienen auch benutzt wurden, um den Bahnrückstrom aufzunehmen. Auf der ersten Stufe der Entwicklung konnte es wohl noch nahe liegen, die Fahrschienen vom Bahnstrom freizuhalten, um elektrische Störungen der Gleisstromkreise zu vermeiden, die bei Dampfbahnen ganz von selbst ausgeschlossen waren. Dieser ersten Entwicklungsstufe der Gleisstrombetriebe gehört noch der größte Teil der Londoner Untergrundbahnen an, deren Signalanlagen im ersten Abschnitt eingehend beschrieben worden sind. Es ist nicht die Schuld der Signalingenieure, daß sie noch um die Mitte des ersten Jahrzehnts dieses Jahrhunderts zu diesem Anfangszustande zurückgekehrt sind, nachdem bereits bei der Bostoner Hochbahn, deren Eröffnung am 10. Juni 1901 stattfand, ein bedeutsamer Schritt vorwärts getan war. Hier finden wir bereits, ebenso wie auf der Neuyorker Untergrundbahn, den einen Fahrschienenstrang als ununterbrochenen Leiter für den Bahnrückstrom benutzt, während der andere Strang durch Trennstöße in der bekannten Weise für den Signalbetrieb aufgeteilt ist. Die Folge dieser Anordnung ist, daß in dem durchlaufenden Schienenstrange Trieb- und Gleisstrom sich überdecken müssen. Daß die Benutzung eines und desselben Leiters für die Fortleitung verschiedener Stromarten unbedenklich zugelassen werden kann, lehrt das eingehend behandelte Beispiel der Neuyorker Untergrundbahn, die Gleichstrom für den Bahnbetrieb und Wechselstrom für den Signalbetrieb verwendet. Bei der Bostoner Hochbahn indessen war bereits gezeigt, daß bei einer Gleichstrombahn die Gleisstromkreise auch mit Gleichstrom beschickt werden können. In Wirklichkeit gehört die Neuyorker Untergrundbahn bereits einer vorgeschritteneren Entwicklungsstufe an; denn wir finden hier bereits den

Grundgedanken des Drosselstoßes verwirklicht, der in seiner bedeutsameren weiteren Ausbildung ermöglicht, auch den mit Trennstößen versehenen Fahrschienenstrang für die Rückleitung des Bahnstromes mit heranzuziehen, der mit anderen Worten die Möglichkeit schafft, die beiden Fahrschienenstränge durch Trennstöße in Gleisabschnitte zu zerlegen und sie trotzdem beide zur Rück

bedienten Signalen ausgerüstet waren; zu vgl. Abb. 63. Auf der Nordstrecke wurde die selbsttätige Signalanlage Mitte 1913, auf den Südweststrecken gegen Ende 1913 in Betrieb genommen. In den beiden folgenden Jahren wurde auf der Zwischenstrecke vom Leipziger Platz zum Spittelmarkt die handbediente Signalanlage durch die selbsttätige ersetzt und im Jahre 1916 die Kreuzungsstation Gleisdreieck mit der anschließenden

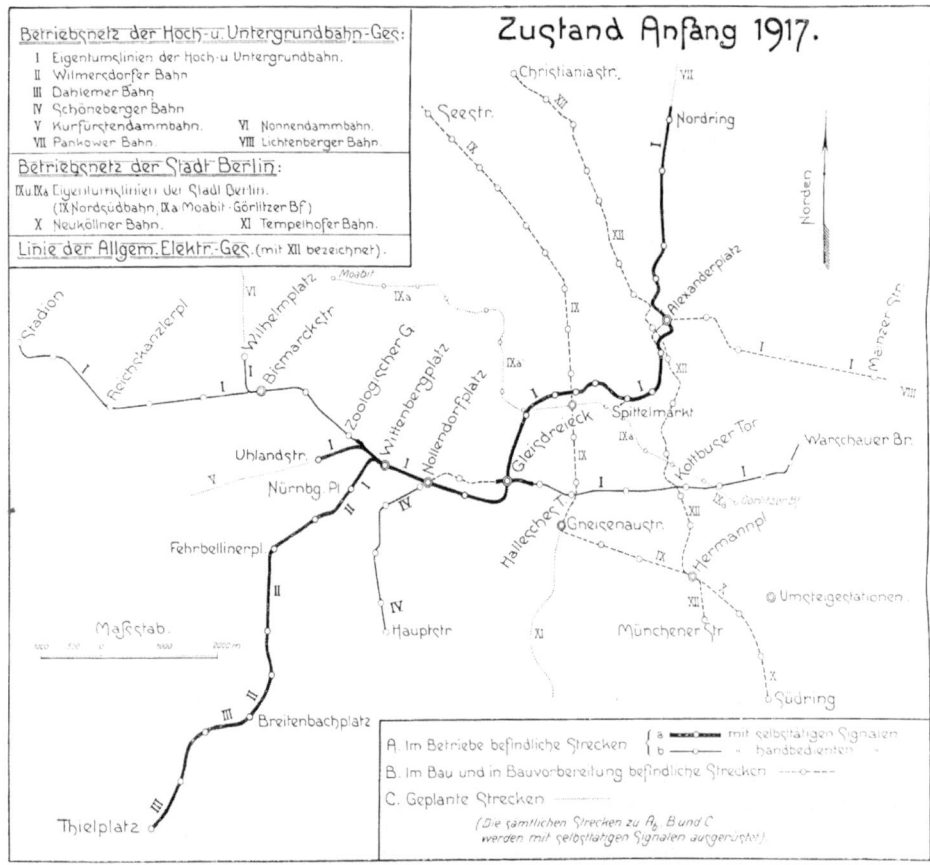

Abb. 63. Ausdehnung der mit dem selbsttätigen Signalsystem ausgerüsteten Berliner Schnellbahnen.

leitung des Bahnstromes zu benutzen. Auf dieser Entwicklungsstufe befindet sich die Berliner Hoch- und Untergrundbahn.

Die selbsttätige Zugsicherung dieser Bahn wurde im Jahre 1912 für die damals im Bau befindliche Nordstrecke vom Spittelmarkt über den Alexanderplatz zum Nordring, ferner für die Südwestlinien vom Wittenbergplatz über Wilmersdorf nach Dahlem und vom Wittenbergplatz zur Uhlandstraße, endlich auch für die bereits im Betrieb stehenden Strecken beschlossen, die mit hand

Strecke bis Möckernbrücke mit der neuen Signalanlage ausgerüstet. Zur Zeit ist also die in dem Lageplan Abb. 63 durch starken Strich gekennzeichnete Durchmesserlinie vom Südwesten durch die Innenstadt zum Nordring in ihrer ganzen Ausdehnung durch selbsttätige Signale gesichert. Ihr Einbau auf der Ostwestlinie von der Warschauer Brücke zur Uhlandstraße, deren Ergänzungsabschnitt vom Gleisdreieck zum Wittenbergplatz zur Zeit im Bau ist, ist an zwei Stellen bereits eingeleitet; die Charlottenburger Strecken folgen jetzt nach. Auch alle übrigen im Betrieb, im Bau oder in Bauvorbereitung befindlichen oder geplanten Berliner Schnellbahnen werden, wie heute schon als feststehend anzusehen ist, das selbsttätige Signalsystem erhalten.

Die Sicherungsanlagen der Hoch- und Untergrundbahn sind im folgenden ausführlich behandelt; für die Beschreibung sind u. a. auch die Ausführungen eines Vortrages mitbenutzt, den Oberingenieur B o t h e am 9. Mai 1916 im Verein für Eisenbahnkunde über die selbsttätige Signalanlage der Berliner Hoch- und Untergrundbahn gehalten hat.

### Triebkraft.

Die Berliner Hoch- und Untergrundbahn wird ebenso wie die Schnellbahnen,

i. d. S. herabtransformiert ist. Für die Zwecke des Signalbetriebes ist ein Hauptkabel an der Bahn entlang geführt, das mit Wechselstrom von 500 Volt Spannung und 60 Perioden i. d. S. gespeist wird; bei dieser Spannung ergab sich ein mittlerer Kabelquerschnitt von 95 qmm. Die Erzeugung dieses Signalstroms erfolgt in den Unterstationen durch Umformer (Motor-Generatoren) — Abb. 64 —, die aus den Sammelschienen des Bahnbetriebes mit Gleichstrom von etwa 780 Volt angetrieben werden. Aus Gründen der Aushilfe sind die Umformer doppelt vorhanden und für eine Leistungsfähigkeit gebaut, die ausreicht, um den Betrieb zeitweilig auch mit einer der beiden Gruppen allein führen zu können. Die Gleichstrom - Antriebmotoren besitzen Wendepole. Am linken Rande ragen in die

Abb. 64. Stromerzeuger für den Signalbetrieb.

deren Signalanlagen bereits beschrieben sind, mit Gleichstrom betrieben. Dieser wird für einen Teil der Linien in einem Nebenkraftwerk unmittelbar mittels Gleichstrommaschinen, für die übrigen Strecken in verschiedenen vom Hauptkraftwerk gespeisten Unterstationen durch Einankerumformer erzeugt und der Bahn mittels einer dritten Schiene zugeführt, der der Strom von den Fahrzeugen mit einer mittleren Spannung von 750 Volt entnommen wird. Die Gleichstrommaschinen des Nebenkraftwerks werden teils von Dampfmaschinen, teils von Dampfturbinen angetrieben; der Antrieb der Umformer erfolgt mit niedrig gespanntem Drehstrom von 550 Volt, der aus dem vom Hauptkraftwerk gelieferten Drehstrom von 10 000 Volt Spannung und 40 Perioden

Abbildung die Ölanlaßwiderstände hinein, mit denen die Maschinengruppen in Gang gesetzt werden.

Der erzeugte Wechselstrom wird mit einem zweiadrigen Kabel einer Schaltanlage zugeführt — Abb. 65 —, auf deren erstem Felde links die Meßinstrumente an einem Auslegerarm vereinigt sind, die für den Fall der Nebeneinanderschaltung der beiden Maschinengruppen zur Synchronisierung dienen. Im zweiten und dritten Feld befinden sich die Schalter und Instrumente für die beiden Maschinengruppen; von den beiden unteren Handrädern jedes Feldes dient das linksseitige zur Bewegung des hinter der Schalttafel befindlichen Regelwiderstandes für den Erregerstrom des Wechselstromerzeugers, das rechtsseitige zur Regelung der Umlaufgeschwindigkeit des Gleichstromantriebes. Eine mitten unter den Strom- und Spannungszeigern angebrachte kleine Signallampe leuchtet auf, wenn der hinter der Tafel befindliche selbsttätige Ausschalter herausfällt oder mit Hilfe des unter der Lampe sichtbaren Handgriffs herausgenommen wird. Das folgende Schalttafelfeld wird mit Apparaten besetzt, wenn Ausdehnungen des Bahnnetzes weitere Signalhauptkabel erforderlich machen. Auf dem letzten Felde sind die Strom- und Spannungszeiger, Signallampen und Automatenschalter für die bereits angeschlossenen Kabel angebracht.

Gleichstrombetrieb eingerichtet; der Strom wird von Batterien geliefert, die mit dem Bahnstrom geladen werden.

### Sicherung der Züge auf freier Strecke.

Wie schon angeführt, sind bei den Gleisen der Hoch- und Untergrundbahn die beiden Schienenstränge mit Trennstößen versehen, und beide werden gleichzeitig zur Rückleitung des Bahnstroms benutzt. Das ist möglich geworden, seitdem sich in den Drosselstößen[1]), sog. Impedanzverbindern, ein Mittel geboten hat, die Trennstöße, die dem Gleisstrom eines

Abb. 65. Schalttafel für die Signalanlage.

Für den Signalbetrieb auf der freien Strecke werden Wechselströme von verschiedenen Spannungen benutzt, die dem mit Wechselstrom gespeisten doppeladrigen Signalhauptkabel mittels Transformatoren entnommen werden. Die Signale und Fahrsperren werden durch elektrische Antriebe gestellt. In den Stellbezirken wird Gleichstrom verwendet, da die Wechselstromstellwerke zur Zeit noch nicht den Grad der Vervollkommnung erreicht haben, der sie für die praktische Anwendung bereits als geeignet erscheinen läßt. Infolgedessen sind auch die von den Stellwerken unmittelbar abhängigen Relais und die Antriebe für die Signale, Fahrsperren, Weichen und Gleissperren für

Gleisabschnitts den Übergang in die Nachbarabschnitte verwehren sollen, für den Bahnstrom wieder leitend zu überbrücken. Von diesem Mittel ist auch bei der Berliner Hoch- und Untergrundbahn Gebrauch gemacht.

Die Drosselstöße bestehen aus Windungen von Stabkupfer, die auf beiden Seiten der Trennstellen zwischen die Fahrschienen geschaltet, und deren Mitten durch Kupferstreifen leitend verbunden sind. Der Gleichstrom des Bahnbetriebes fließt, wie in Abb. 66 durch gestrichelte Pfeillinien angedeutet, von den Schienensträngen des einen Gleisabschnittes G a gegen die Mitte

) Zu vgl. das Deutsche Reichspatent Nr. 196503 vom 3. Mai 1904.

deη einen Spule und von hier aus zur Mitte der andern Spule, durch die er sich auf die beiden Fahrschienenstränge des Nachbarabschnittes G wieder verteilt. Da die Teilströme in den Windungshälften entgegengesetzte Richtungen haben, sind auch die darin hervorgerufenen Kraftlinienfelder einander entgegengesetzt. Die noch durch kräftige Eisenkerne verstärkten Felder sind im Falle wesentlich gleicher Verteilung des Bahnstromes auf die beiden Fahrschienenstränge ungefähr von gleicher Größe, halten sich dann annähernd das Gleichgewicht und lassen den Bahnrückstrom ungehindert durchfließen. Dem Wechselstrom der Signalanlage dagegen setzt sich in den Windungen ein hoher induktiver oder scheinbarer Widerstand entgegen; der Strom wird dadurch abgedrosselt, so daß sich zwischen den Fahrschienen eine Spannung von etwa 2 bis 3 Volt für die Erregung der Gleisrelais einstellt.

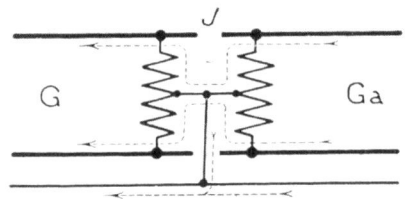

**Abb. 66  Drosselstoß (Impedanz-Verbinder).**

Im praktischen Betriebe ist es nun nicht möglich, die beiden Schienenstränge eines Gleises so auszubauen, daß sie dem Bahnrückstrom genau den gleichen Widerstand bieten. Der Bahnstrom verteilt sich daher in Wirklichkeit ungleichmäßig auf die beiden Fahrschienenstränge. Die in den Windungshälften des Drosselstoßes entstehenden Kraftlinienfelder sind demzufolge ungleich; in der einen Hälfte ergibt sich ein Überschuß an Kraftlinien, durch den der Scheinwiderstand in der Impedanzspule für den Gleisstrom eine Verminderung erfahren muß. Der Gleisstrom nimmt daher an Stärke zu, und diese Zunahme wird um so größer, je größer der Kraftlinienüberschuß in der einen Windungshälfte ausfällt, d. h. je ungleichmäßiger die beiden Fahrschienenstränge durch den Bahnstrom belastet sind. Die Drosselspule müßte für den Gleisstrom geradezu kurzschließend wirken, wenn der Belastungsunterschied und infolgedessen der Überschuß an Kraftlinien in der einen Hälfte der Drosselspulen eine solche Größe erreichte, daß sich die Eisenkerne im Zustande der Sättigung befänden.

Die Gleisrelais könnten unter solchen Umständen nicht mehr erregt werden; ihre Anker würden abfallen und unnötige Haltstellungen der Signale zur Folge haben. Um den Drosselstoß gegen derartige Ungleichheiten unempfindlich zu machen, pflegen die Eisenkerne mit einem Luftspalt versehen zu werden.

Weiteres Eingehen auf die physikalischen Vorgänge im Drosselstoß würde hier zu weit führen.

Abb. 66 läßt auch erkennen, wie etwa erforderlich werdende Verstärkungsleitungen für den Bahnrückstrom an die mit Drosselstößen ausgerüsteten Gleisanlagen angeschlossen werden müssen. Sie zeigt, daß nur die Verbindungsleitungen der beiden Drosselstoßhälften für den Anschluß benutzt werden dürfen, weil nur von hier aus eine gleichmäßige Belastung der Spulenhälften des Drosselstoßes möglich ist.

Die grundlegenden Schaltformen für die durchgehende Strecke sind auf Tafel IV zusammengestellt. Die Transformatoren, mit denen die Gleisabschnitte gespeist werden, sind mit den Hochspannungsseiten an das Signalhauptkabel geschaltet, während die Pole der Niederspannungsseiten an den A u s f a h r e n d e n der Gleisabschnitte in der üblichen Anordnung mit den Fahrschienensträngen verbunden sind. Durch die Fahrschienen gelangen die Gleisströme nach den E i n f a h r e n d e n der Abschnitte, wo sie auf die Relais einwirken, die durch Öffnen und Schließen von Kontakten die Signale und die mit diesen in Nebeneinanderschaltung arbeitenden Fahrsperren steuern. Während die Primärwicklungen der Transformatoren, wie schon auf S. 59 angegeben, mit Wechselstrom von 500 Volt gespeist werden, besitzt der von der Sekundärwicklung abgegebene Gleisstrom eine Klemmenspannung von etwa 6 Volt, die je nach den Widerstandsverhältnissen der zu speisenden Strecke mit Hilfe von Widerständen w — Tafel IV — so eingeregelt wird, daß den Relais diejenige Spannung zuteil wird, für die sie gebaut sind. Diese beträgt mindestens 2 Volt. Da sich der Potentialunterschied an den Speisepunkten der Gleisabschnitte auf etwa 4 Volt stellt, so ist in den Fahrschienen noch ein Verlust von 2 Volt zulässig.

Grundregel im selbsttätigen Signalbetriebe ist, daß e i n e m Z u g e  d i e  E i n f a h r t  i n  e i n e n  S t r e c k e n a b s c h n i t t  A a (zu vergl. die Steuer- und

Schutzstreckenpläne unterhalb der Schaltpläne auf Tafel IV) durch das Signal S a erst freigegeben werden darf, wenn der Vorzug den Gleisabschnitt Ga vollständig geräumt hat (Forderung 1). Ferner muß dafür gesorgt werden, daß das Signal S a in die Stellung Fahrt frei nur gelangen kann, wenn sich am Signal S b — durch Haltfall des Signalflügels oder durch den Lichtwechsel von Grün auf Rot — die Haltanzeige vollzogen hat. Denn nur dann wird die Gefahr mit Sicherheit vermieden, daß ein Zug, der vor[1]) einem aus Störungsgründen nicht in die Haltlage gehenden Signal liegen bleiben sollte, vom Folgezuge, dem die Weiterfahrt trotz der Fehlanzeige des Deckungssignals freigegeben würde, im Rücken angefahren wird. Während man in London und Neuyork — wie die Schaltpläne auf Tafel I erkennen lassen — gegen derartige Vorkommnisse besondere mechanische Sicherheitsmaßregeln nicht getroffen hat, ist auf der Berliner Hoch- und Untergrundbahn — wie allgemein auf deutschen Bahnen — eine Überprüfung jedes Hauptsignals durch einen besonderen Stromkreis gefordert, der auf das rückwärtige Hauptsignal derart einwirkt, daß es nur dann in die gezogene Stellung gelangenkann, wenn das erstere die Haltanzeige tatsächlich vollzogen hat (Forderung 2). Die Freigabe kann, was ebenfalls wichtig ist, nur erfolgen, wenn auch der Prüf- oder Überwachungsstromkreis fehlerfrei arbeitet. Die Überwachung ist noch weiter verschärft durch die Bedingung, daß nicht nur das Signal selbst, sondern auch die dazu gehörige Fahrsperre die Haltlage eingenommen haben müssen, ehe das rückliegende Signal die Fahrstellung einnehmen kann (Forderung 2a). Gegenüber dem Auslande also eine Steigerung der Sicherheitsforderungen, die nicht wohl überboten werden kann!

Die geschilderte Art der Signalüberwachung ist bei der Hoch- und Untergrundbahn durch ein Relais sichergestellt, das nur durch zwei Stromkreise zugleich — Gleisstrom und Prüfstrom — zum Ansprechen gebracht werden kann. Das Relais besitzt zu diesem Zweck zwei Wicklungen, nämlich eine feststehende Feldwicklung, die vom Prüfstrom, und eine um eine Achse drehbare Ankerwicklung, die vom Gleisstrom erregt wird; erst wenn beide gleichzeitig Strom erhalten, wird der Relaiskontakt durch Drehung der Ankerwicklung geschlossen und damit der Signalstrom eingeschaltet, der das Signal mit der Fahrsperre in die Fahrstellung bringt.

Die Wirkungsweise ist an der Hand des Schaltplanes in Abb. 1 der Tafel IV näher zu erläutern. Der Schaltplan zeigt zunächst vier Stromkreise, nämlich

1. den Gleisstromkreis 1—1, der den Anker des zu dem Gleisabschnitt G a gehörenden Relais A a speist (entsprechend der Forderung 1);

2. den Signalstromkreis 2—0 mit dem in üblicher Weise. nebeneinandergeschalteten Antrieben für das Signal S a mit Fahrsperre F a, der durch Schließung des Kontaktes I a des Relais A a hergestellt wird;

3. den Überwachungs- oder Prüfstromkreis 3—0 für die Haltlage des Signals S b mit Fahrsperre F b, der das Feld des Relais A a speist, wenn Signal und Fahrsperre zugleich die Haltlage eingenommen und damit die Kontakte sb und fb geschlossen haben (entsprechend den Forderungen 2 und 2a);

4. ferner einen Hilfsstromkreis 4—0 mit besonderem Kontakt IIa, der sich mit dem Prüfstrom 3—0 an der Speisung des Relaisfeldes A a beteiligt, und der dem Zwecke dient, den Schluß der Kontakte und damit die Speisung des Relaisfeldes A a aufrecht zu erhalten, wenn auch der Stromkreis 3—0 wieder geöffnet wird.

Während der Gleisstromkreis durch eine Sekundärwicklung des an das Signalhauptkabel angeschlossenen Transformators mit Wechselstrom von etwa 6 Volt Klemmenspannung beschickt wird, arbeiten die sämtlichen übrigen Stromkreise mit Wechselstromspannungen von 110 Volt oder — bei Lichtsignalen — auch von 16 Volt. Diese Spannungen werden von dem Transformator mittels einer zweiten Sekundärwicklung abgenommen. Für die Spannung von 110 Volt sind die Signal- und Fahrsperrantriebe gebaut und die Feldspulen der Relais gewickelt, während, wie schon erwähnt, die Ankerspulen der Relais auf Wechselstrom von 2 Volt ansprechen.

---

[1]) Die Bezeichnungen „vor" und „hinter" sind auch in der vorliegenden Abhandlung in dem in den „Vorstudien" erläuterten Sinne gebraucht.

Das zum Gleisabschnitt G a gehörende Signal S a — zu vergl. auch den unter den Abb. 1 und 2 der Tafel IV befindlichen Steuerplan — nimmt nun, zugleich mit der Fahrsperre F a, in dem Augenblick die Fahrstellung ein, in dem der Zug mit seiner letzten Achse die Trennstelle J a über schritten hat und damit vollständig in den Abschnitt G b eingerückt ist. Denn es wird in dem Augenblick, in dem die erste Achse des Zuges in den Abschnitt G b übertritt, und damit infolge Abfalls der Kontakte I b mit II b das Signal S b mit der Fahrsperre F b auf Halt gelegt wird, bei s b und f b der Prüfstromkreis 3—0 geschlossen und hierdurch das Feld des Relais A a erregt; und es wird ferner in dem Augenblick, in dem die letzte Zugachse in den Abschnitt G b übertritt, durch den Gleisstrom im Abschnitt G a auch wieder der Anker des Relais A a erregt, so daß also in dem Augenblick, in dem der Abschnitt G a vollständig vom Zuge geräumt wird, Signal S a und Fahrsperre F a wieder die Stellung Fahrt frei einnehmen müssen. Ebenso nehmen S b und F b in dem Augenblick wieder die Fahrstellung ein, in dem der Zug bei Fortsetzung der Fahrt mit seiner letzten Achse den Abschnitt G b verläßt. Dadurch werden dann die Prüfstromkontakte s b und f b wieder geöffnet. Dies würde aber die sofortige Stromlosigkeit des Relaisfeldes A a und somit den Abfall der Kontakte I a und II a zur Folge haben, so daß S a und F a vorschriftswidrig in die Haltstellung gelangen würden. Dem ist aber durch den Hilfsstromkreis 4—0, den sogenannten Selbstschlußkreis, vorgebeugt.

Das Relaisfeld A a ist durch die beiden Stromkreise 3—0 und 4—0 zugleich erregt, wenn

1. S b mit F b Halt zeigen (Stromkreis 3—0 geschlossen) und

2. S a mit F a sich in der Fahrstellung befinden (Kontakte des Relais A a angezogen).

Das Feld bleibt auch erregt, wenn jetzt S b mit F b auf Fahrt frei gehen und dadurch der Prüfstrom 3—0 bei s b und f b unterbrochen wird. Denn dann hält der Hilfsstromkreis 4—0 die Speisung des Relaisfeldes A a aufrecht, so daß die Relaiskontakte angezogen bleiben. Sie fallen erst wieder ab, wenn durch Einfahren eines neuen Zuges in den Gleisabschnitt G a der Anker des Relais A a stromlos wird.

In Abb. 1 der Tafel IV ist die Schaltung eines Vorsignals Vs a bei Anwendung von Flügelsignalen angedeutet. Das Vorsignal wird vom Hauptsignal in der Weise selbsttätig mitgenommen, daß der Signalflügel S a in der Fahrstellung einen Kontakt v a in der Vorsignalleitung 6—0 schließt. Da der Schluß erst eintritt, wenn der Signalflügel S a seinen Hub vollendet hat, so erleidet die Anzeige des Vorsignals eine Verzögerung, die sich auch bei Anwendung bewährter Antriebe doch auf etwa 4 Sekunden beläuft. Der Vorsignalstromkreis ist an die 110 Volt-Wicklung des Transformators angeschlossen. Der Antrieb des Vorsignals stimmt daher in seiner Bauart mit dem des Hauptsignals und der Fahrsperre vollkommen überein.

Während bei Flügelsignalen die Bewegungen des Signalflügels und des Fahrsperrenarmes ohne weiteres zum Schließen der Kontakte s und f benutzt werden können, ist bei den Lichtsignalen der Berliner Hoch- und Untergrundbahn nur der Fahrsperrenkontakt in dieser Weise verfügbar, da am Lichtsignal ein bewegliches Organ, das einen Kontaktschluß herbeiführen könnte, nicht vorhanden ist. Es lag daher nahe, zur Betätigung des Signalkontaktes ein derartiges Organ, das durch die Stromläufe gezwungen wird, das Spiel des Signalwechsels mitzumachen, zu schaffen. Ein solches Mittel ist das Signalrelais. Zum Verständnis der Abb. 2 der Tafel IV, in der das Signalrelais mit C (C a, C b) bezeichnet ist, bedarf es zunächst einer Erläuterung der Arbeitsweise der Lichtsignale.

Die Lichtsignale werden durch hinter rot und grün gefärbten Linsen stehende elektrische Glühlampen gegeben. Die Lampen sind verdoppelt, damit im Falle des Durchbrennens einer Lampe das Signal nicht erlischt; die beiden Lampen jedes Signals sind nebeneinandergeschaltet.

Von dem Transformator ist laut Abb. 2 der Tafel IV außer dem Gleisstromkreise von 6 Volt und dem 110 Volt-Stromkreise noch ein Stromkreis von 16 Volt Spannung abgezweigt, und zwar in der Weise, daß die Sekundärwicklung von 110 Volt noch durch eine Zwischenklemme unterteilt ist. Die Fahrsperre und die Lampen des Signals Fahrt frei (grün geblendet) befinden sich in Zweigen des 110 Volt-Stromkreises 2—0; hinter die Lampen ist eine Spule g geschaltet. Die rot geblendeten Lampen werden von dem 16 Volt-Strom 2 a—0 gespeist, in den auch die Ankerwicklung des Signalrelais C eingeschaltet ist.

während sich die Feldwicklung dieses Relais dauernd unter Strom von 110 Volt Spannung befindet. Im Stromkreis 2 a—0 der roten Lampen befindet sich ein dünner Eisendraht e, dessen Widerstand so bemessen ist, daß er normaler Weise etwa die Hälfte der Spannung des Stromkreises aufnimmt, so daß für die Lampen nur noch ungefähr 8 Volt übrig bleiben. Bei dieser Spannung brennt die vordere

Eisenkern gewickelt, wie er in den Abb. 67 und 68 angedeutet ist.

Die Lampeneinrichtung, die nach den Abbildungen k e i n e r l e i b e w e g l i c h e T e i l e besitzt, arbeitet in folgender Weise[1]):

Fährt ein Zug in den Gleisabschnitt G — Tafel IV Abb. 2 — ein, so öffnet, wie in Abb. 67 gezeigt, das Relais A dieses Abschnitts — für die Folge als L i n i e n - r e l a i s bezeichnet — seine Kontakte; der

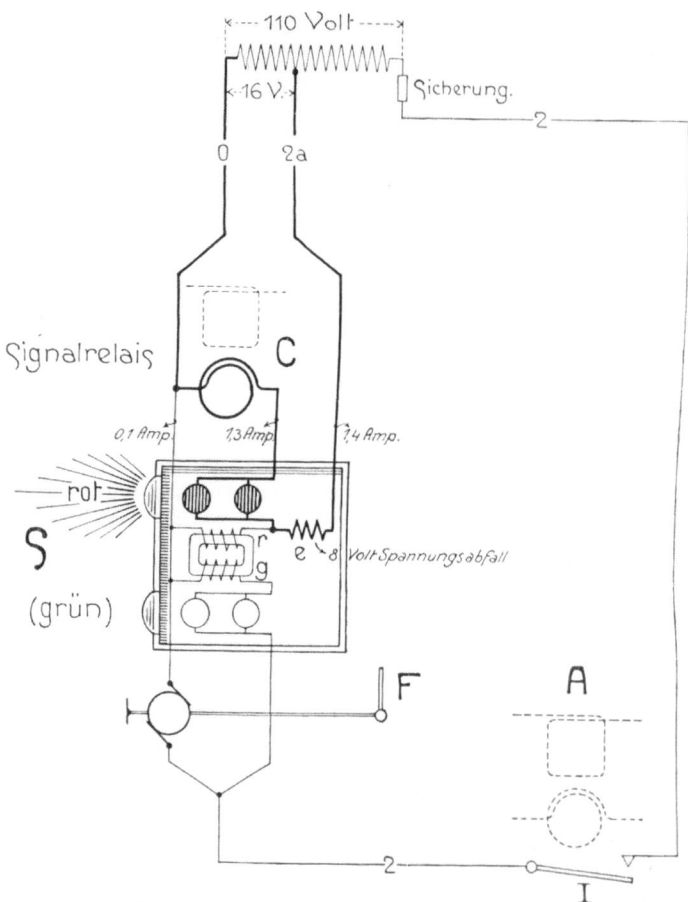

Abb. 67. Stromverlauf bei der Haltanzeige eines Lichtsignals (zu vgl. Tafel IV).

der beiden rot geblendeten Signallampen mit vollem Licht, während die hintere erst bei einer Spannung von 14 Volt ordnungsmäßig aufleuchtet. Neben die roten Lampen ist eine Spule r geschaltet, die nur sehr geringen Ohmschen Widerstand besitzt. Die beiden Spulen g und r sind in entgegengesetzten Richtungen auf einen — auf Tafel IV nicht dargestellten — ringförmig geschlossenen

Stromkreis 2—0 des Signals S wird unterbrochen, die grüne Lampe erlischt und die Fahrsperre F nimmt die Haltlage ein. Der Wechselstrom 2 a—0 verzweigt sich über die rot geblendeten Signallampen und die Wicklung r, in deren Eisenkern ein Kraftlinien-Wechselfeld erzeugt wird. Dieses ruft

---

[1]) Zu vgl. auch das Deutsche Reichspatent Nr. 261 416 vom 23. August 1912.

in der Wicklung einen induktiven oder scheinbaren Widerstand hervor, der sich ihrem Ohmschen Widerstand hinzugesellt. Während der letztere sehr klein ist, erreicht der Scheinwiderstand einen so hohen Wert, daß die Stromstärke in der Wicklung auf einen sehr geringfügigen Bruchteil des Gesamtstromes in dem Kreise 2 a—0 abgedrosselt wird, der praktisch vernachlässigt werden kann. Fast der gesamte Strom nimmt also seinen Weg über die Lampen, von denen

grün geblendete Lampenpaar und die Fahrsperre geschlossen; zu vgl. die gestrichelten Linien der Abb. 68. Die Lampen leuchten auf, und die Fahrsperre F nimmt die Fahrstellung ein. Während der Dauer der Fahrt frei-Anzeige, in der nur der Kuppelmagnet des Fahrsperrenantriebes Strom verbraucht, herrschen in den Zweigen des gestrichelten Stromkreises die der Abbildung beigeschriebenen Stromstärken von 0,5 und 0,6 Amp. Der Antrieb selbst hat

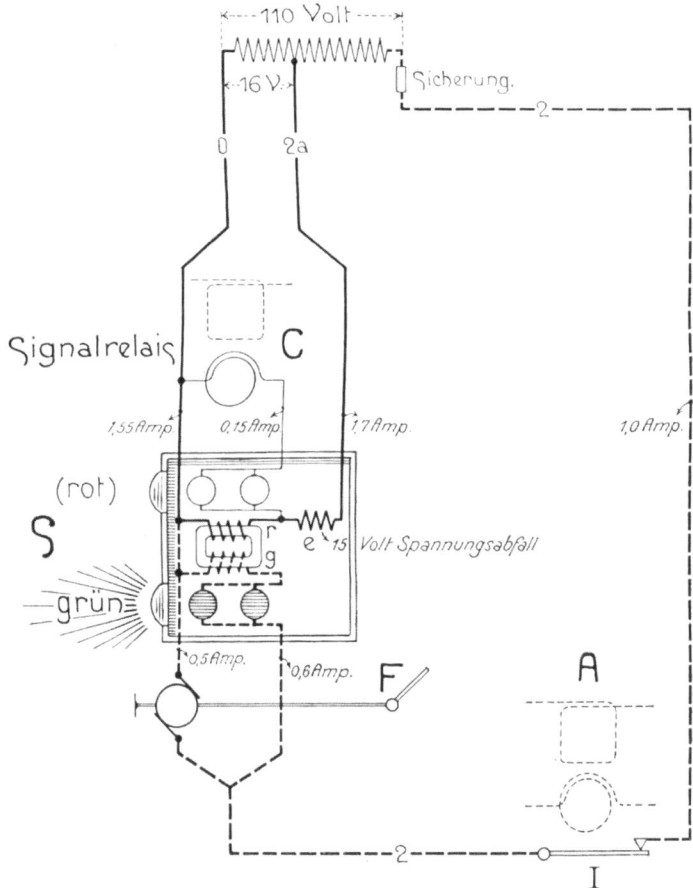

Abb. 68. Stromverlauf bei der Fahrt frei-Anzeige eines Lichtsignals (zu vgl. Tafel IV).

die vordere voll aufleuchtet. Die unter diesen Verhältnissen auftretende Verteilung der Stromstärken ist der Abb. 67 nach mittleren Werten beigeschrieben[1]).

Hat der Zug den Gleisabschnitt G geräumt, so kommen die Kontakte des Relais A wieder zum Anzug. Der 110 Volt-Stromkreis 2—0 wird dadurch über das

einen wesentlich größeren Stromverbrauch; er zieht in ähnlicher Weise, wie die Antriebe der Flügelsignale, beim Ingangsetzen mit 8 Amp. an und arbeitet auch während des Aufrichtungsvorganges der Fahrsperre, d. i. für eine Zeitdauer von etwa 4 Sekunden noch mit rd. 4½ Amp.

Im Eisenkern der Wicklung g erzeugt nun der Lampenstrom ein Kraftlinienfeld, dessen Polarität derjenigen des in dem

---

[1]) Zu vgl. der auf S. 59 erwähnte Bothesche Vortrag.

Eisenkern durch die 8 Volt-Spule r erzeugten Wechselfeldes entgegengesetzt ist, letzteres daher fast vollständig aufhebt, den Kern, also unmagnetisch macht. Dadurch vermindert sich der Scheinwiderstand in der Spule r so weit, daß der Strom des Kreises 2 a—0 vollständig von der rot geblendeten Signallampe auf die Spule abgelenkt wird; es ergibt sich eine Verteilung der Stromstärken, wie sie in Näherungswerten der Abb. 68 beigeschrieben ist. Der geringe Rest von etwa 10 v. H. der Stromstärke, der noch über die Lampen fließt, vermag diese nicht mehr zum Leuchten zu bringen. Durch die Widerstandsverminderung in der Spule r erfährt aber gleichzeitig der Strom im Kreise 2 a—0 eine Verstärkung, die sofort in dem dünnen Eisenwiderstand e eine größere Erwärmung hervorruft. Dadurch wird der Widerstand des Eisendrahtes derart vergrößert, daß von der Gesamtspannung des Stromkreises 2 a—0 nicht mehr der normale Betrag von 8 Volt, sondern ein weit höherer Anteil abgedrosselt wird, der etwa 15 Volt beträgt[1]). In den beiden Zweigen des Stromkreises 2 a—0 (Lampe und Spule r) herrscht also nur noch eine Spannung von etwa 1 Volt, und bei dieser geringen Spannung vermögen die rot geblendeten Lampen, wenn sie auch noch etwa $1/7$ Amp. Strom führen, nicht mehr zu leuchten.

Auch die vorhin erwähnte Ungleichheit in der Bauart der beiden Haltsignallampen erklärt sich aus den Widerstandsänderungen, die im Eisendraht e durch die wechselnde Stromstärke hervorgerufen werden. Falls die vordere der beiden rot geblendeten Lampen, die für 8 Volt Spannung gebaut ist, durchbrennen sollte, erhöht sich infolge des dadurch eintretenden Wegfalls an Leitungsquerschnitt der Widerstand im Lampenzweige; die Stromstärke im Kreise 2 a—0 sinkt. Das hat zur Folge, daß der Eisendraht e eine Abkühlung erfährt. Sein Widerstand nimmt infolgedessen ab, und zwar um so viel, daß von der Spannung des Stromkreises 2 a—0 nur noch etwa 2 Volt abgedrosselt werden. Die rot geblendete Lampe erhält also nicht mehr eine Spannung von 8 Volt, wie bisher, sondern eine solche von 14 Volt. Bei dieser Spannung leuchtet sie hell auf. Die beschriebene Anordnung der rot geblendeten Lampen bietet den Vorteil, daß die hintere Lampe im regelrechten Betrieb infolge der

Unterspannung geschont wird und nur in mattem Lichte mitleuchtet.

Aus dem gleichen Grunde ist auch die hintere der beiden G r ü n l i c h t lampen im 110 Volt-Stromkreise 2—0 so gebaut, daß sie mit Unterspannung brennt. Da aber in diesem Stromkreise eine Einrichtung, die im Falle des Durchbrennens der vorderen Grünlichtlampe die Spannung im Lampenkreise sofort selbsttätig heraufsetzt — wie beim Rotlicht —, nicht vorhanden ist, durfte die Unterspannung nur so groß bemessen werden, daß die durch die Linse verstärkte Leuchtkraft der Lampe für die Signalzwecke noch ausreicht. Die Lampe ist daher für eine Normalspannung von 130 Volt eingerichtet. Die vordere Lampe ist für 120 Volt gebaut, brennt also ebenfalls mit geringer Unterspannung. Nähere Angaben über die Signallampen sind der Abb. 69 beigeschrieben. Die ungleiche Kerzenzahl erklärt sich aus den gegebenen Widerstandsverhältnissen der Stromkreise.

R o t l a m p e n :

| Spannung | 8 | 14 | Volt |
|---|---|---|---|
| Kraftverbrauch | 8 | 7 | Watt |
| Lichtstärke | 8 | 7 | Kerzen |

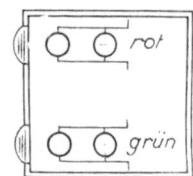

G r ü n l a m p e n :

| Spannung | 120 | 130 | Volt |
|---|---|---|---|
| Kraftverbrauch | 55 | 22 | Watt |
| Lichtstärke | 16 | 5 | Kerzen |

Abb. 69. Größenwerte der Signallampen.

Nach den vorstehenden Darlegungen über die Arbeitsweise der Lichtsignale bedarf es zum Verständnis der Abb. 2 der Tafel IV nur noch einiger Erläuterungen über die Schaltung des Signalrelais C b. Das Feld des Relais ist vom 110 Volt-Strom des Kreises 3 a—0 gemäß Abb. 2, Tafel IV, dauernd erregt, während der Anker, wie schon angeführt, in dem 16 Volt-Kreise 2 a—0 hinter das rot geblendete Lampenpaar geschaltet ist, also auch nur beim Aufleuchten der Rotlampen Strom erhält. Da dann Feld und Anker zugleich erregt sind, schließt das Signalrelais den Kontakt s b, und da gleichzeitig auch der Prüfstrom-

---

[1]) Über Bauart und Wirkungsweise der Widerstände ist das D. R. P. 271 008 vom 5. September 1912 zu vergleichen.

kontakt f b infolge der Haltlage der Fahrsperre Fb Schluß erhalten hat, ist der Prüfstrom vollständig geschlossen, der nunmehr das Feld des Linienrelais A a erregt. Die weiteren Vorgänge vollziehen sich in derselben Weise wie im Falle der Abb. 1 der Tafel IV.

Wie bei Anwendung von Lichtsignalen die Schaltung des Vorsignals durchzuführen ist, ist aus Abb. 2 der Tafel IV ohne weiteres verständlich. Die Farbengebung des Vorsignals ist in der Abbildung angedeutet. Es ist ohne weiteres ersichtlich, daß das Vorsignal als Lichtsignal mit dem Hauptsignal gleichzeitig arbeitet, während es als Flügelsignal dem Hauptsignal nachfolgt.

In den Abb. 1 und 2 der Tafel IV ist vorausgesetzt, daß die Speisung der Gleisabschnitte an den Enden erfolgt. Auf diese Art der Speisung bezieht sich die Angabe auf S. 62, daß in den Fahrschienensträngen des Gleisabschnitts ein Spannungsabfall von etwa 2 Volt zulässig sei. In Wirklichkeit wächst der Spannungsverlust mit der Ausdehnung der Gleisabschnitte. Ist bei längeren Gleisabschnitten der Spannungsabfall größer als 2 Volt, so erfolgt die Speisung von der Mitte aus, so daß sich der Gleisstrom nach den beiden Enden des Abschnittes hin verzweigt.

Die Abb. 3 und 4 der Tafel IV zeigen, daß in diesem Falle auch an den Ausfahrenden der Gleisabschnitte noch Linienrelais angeordnet werden müssen, die in den Schaltplänen mit dem Buchstaben B bezeichnet sind. In der Führung der Stromläufe treten dann die folgenden Änderungen ein.

Während die Signale in derselben Weise wie in Abb. 1 und 2 der Tafel IV, durch die Kontakte I a der A-Relais mittels der Ströme 2—0 und 2 a—0 gesteuert werden, sind die Überwachungsstromkreise 3—0 so geändert, daß sie nicht mehr die Feldwicklungen der A-Relais, sondern die der B-Relais im rückwärtigen Abschnitt speisen, da hierdurch an Leitungsmaterial gespart wird. Dementsprechend sind auch die Selbstschlußströme 4—0 über das Feld und den Kontakt II der B-Relais zu führen. Ferner wird die Hinzufügung eines neuen Stromkreises 5—0 erforderlich, der die Feldwicklung des A-Relais über einen neu hinzugefügten Kontakt III des B-Relais in demselben Gleisabschnitt speist. Dieser Stromkreis hat die Aufgabe, die Wirkung des Prüfstromkreises 3—0 auf das A-Relais zu übertragen; er arbeitet ebenso

wie dieser mit der Spannung von 110 Volt. Alles Weitere ergibt sich aus den Schaltplänen.

In der Abb. 2 der Tafel IV ist eine Schaltung des Signalrelais angegeben, bei der das Feld dauernd unter Strom steht. Der Verbrauch an Feldstrom, dessen Stärke etwa 0,3 Amp. beträgt, läßt sich dadurch einschränken, daß der Fahrsperrenkontakt in den Feldstrom 3 a—0 verlegt wird. Die auf Tafel IV angegebenen Schaltweisen, welche in den Abb. 70 und 71 nochmals besonders dargestellt sind, erfahren dann die in den Abb. 70 a und 71 a dargestellten Änderungen, durch die freilich die Einbaukosten etwas erhöht werden.

---

Um die Grundgedanken der Schaltung noch klarer hervortreten zu lassen, sollen die wesentlichen A r b e i t s v o r g ä n g e v o m  B e t r i e b s b e g i n n  b i s  z u m S c h l u ß  d e s  B e t r i e b e s an dem in Abb. 4 der Tafel IV dargestellten Schaltungsbeispiel nochmals zusammenfassend erläutert werden.

*Einschaltung der Signalanlage bei Aufnahme des Betriebes.*

Vor der Einschaltung sind die Kontakte der Linienrelais A und B und der Signalrelais C abgefallen, die Fahrsperrenkontakte f infolge der Haltlage der Fahrsperren F geschlossen; die Signalhauptkabel erhalten Strom, und die Transformatoren treten in Tätigkeit. Die Anker der Linienrelais A und B sowie die Felder der Signalrelais C werden erregt, erstere mit Strom von 6 Volt Spannung (Stromkreise 1—1a und 1—1b), letztere mit Strom von 110 Volt (Stromkreise 3 a—0). Dem 16 Volt-Strom des Signalstromtransformators bieten sich offene Wege über die rot geblendeten Signallampen (Stromkreise 2 a—0) und die daneben geschalteten Spulen r. Da die Relaiskontakte noch abgefallen sind, die grün geblendeten Lampen also noch keinen Strom erhalten, setzen die Spulen r dem Strom des Kreises 2 a—0 einen hohen Scheinwiderstand entgegen; dieser wählt daher den Weg über die rot geblendeten Lampen — von denen die vordere aufleuchtet — und über die Anker der Signalrelais, was zur Folge hat, daß diese ihre Kontakte s schließen. Die Linienrelais A und B sind in diesem Augenblick noch stromlos.

Dadurch, daß die Signalrelais ihre Kontakte schließen, wird auch den Feldwicklungen der B-Relais, deren Anker bereits erregt waren, Strom zugeführt. Infolgedessen kommen die Kontakte II und III zum Schluß, so daß jetzt sowohl die Selbstschlußkreise an den B-Relais (4—0), als auch vermöge der Kreise 5—0 die Feldwindungen der A-Relais Strom erhalten. Da die Anker der A-Relais bereits erregt waren, schließen auch diese ihre Kontakte I. Nunmehr sind auch die Stromkreise

Ergänzungskreise 5—0 unter Strom gehalten werden. Inzwischen haben sich auch die Fahrsperrenkontakte geöffnet, da sich die Fahrsperren in demselben Augenblick aufzurichten beginnen, in dem die A-Relais ihre Anker angezogen haben.

Die beschriebenen Vorgänge folgen so schnell aufeinander, daß das vorübergehende Aufleuchten der rot geblendeten

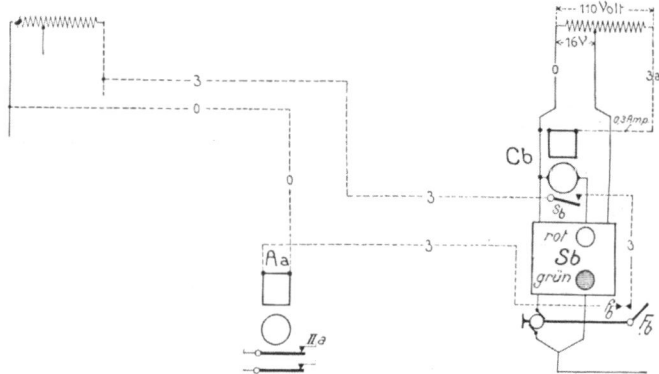

Abb. 70. Schaltung des Signalrelais gemäß Abb. 2 der Tafel IV.

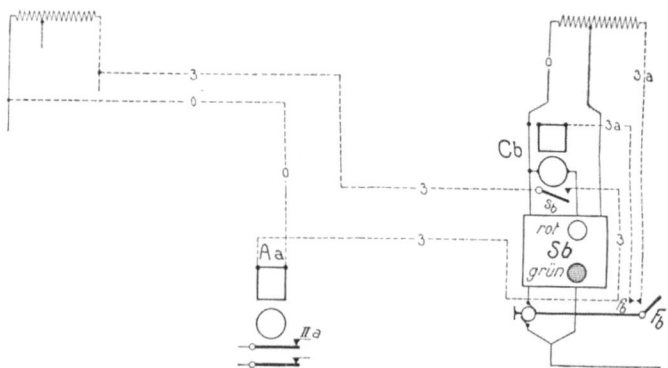

Abb. 70a. Abgeänderte Schaltung des Signalrelais.
Abb. 70 und 70a: Schaltung des Signalrelais bei Endspeisung der Gleisabschnitte.

der grün geblendeten Signallampen und Fahrsperren (2—0) stromführend. Dadurch wird der Scheinwiderstand in den Windungen r aufgehoben; die Ströme 2 a—0 werden von den rot geblendeten Lampen abgelenkt — die damit wieder erlöschen — und über die Spulen r geführt. Da infolgedessen den Ankern der Signalrelais der Strom wieder entzogen wird, öffnen sich die Kontakte s wieder, ein Vorgang, der indessen auf die B- und A-Relais ohne Einfluß bleibt, da deren Feldströme durch die Selbstschlußkreise 4—0 und die

Lampen mit dem bloßen Auge kaum bemerkbar ist; sie werden durch die grün geblendeten Lampen sofort abgelöst.

*Fahrt eines Zuges aus dem Gleisabschnitt Ga in den Gleisabschnitt Gb.*

Befindet sich ein Zug im Abschnitt G a, so ist der Gleisstrom durch die Zugachsen kurzgeschlossen. Die Anker der Relais A a und B a sind infolgedessen stromlos, die Kontakte I a, II a und III a geöffnet, infolgedessen der Stromkreis 2—0 am Relais A a unterbrochen, so daß Signal S a und Fahrsperre F a Halt zeigen. Die Kontakte s a und f a des Prüfstromes 3—0 sind also geschlossen. Durch Öffnen des Kontaktes II a ist der Selbstschluß am Relais B a aufgehoben, das Feld dieses Relais also stromlos geworden, und durch Öffnen des Kontaktes III a ist auch dem F e l d e des Relais A a der Strom entzogen.

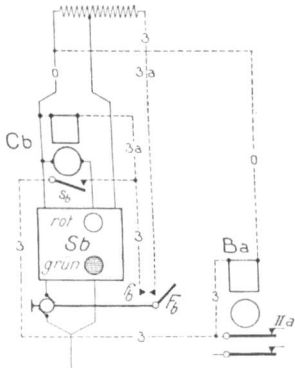

Abb. 71. Schaltung des Signalrelais gemäß Abb. 4 der Tafel IV.

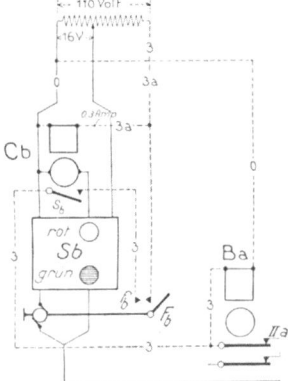

Abb. 71a. Abgeänderte Schaltung des Signalrelais.
Abb. 71 und 71a: Schaltung des Signalrelais bei Mittelspeisung der Gleisabschnitte.

Indem der Zug in den Abschnitt G b einrückt, werden die Anker der Relais A b und B b stromlos; ihre Kontakte öffnen sich. Dadurch werden dieselben Wirkungen in bezug auf den Gleisabschnitt G b ausgeübt, wie sie vorhin für den Abschnitt G a beschrieben wurden. Das Öffnen des I b-Kontaktes bewirkt, daß der grünen Lampe des Signals S b und der Fahrsperre F b der Strom entzogen wird. Die grüne Lampe erlischt; die Fahrsperre F b geht in die Haltlage und schließt dabei den Kontakt f b. Die Spule r des Signals S b nimmt hohen

Scheinwiderstand an, so daß die roten Lampen des Signals S b aufleuchten und der Anker des Signalrelais C b Strom erhält. Da infolgedessen auch der Kontakt s b geschlossen wird, ist der Prüfstrom 3—0 geschlossen und dadurch die Feldwicklung des Relais B a erregt. Verläßt der Zug den Abschnitt G a, so erhalten die Anker von A a und B a wieder Strom. Zunächst schließen sich die Kontakte des Relais B a; dadurch erhält auch die Feldwicklung von A a Strom und A a zieht an. Der dadurch geschlossene Stromkreis 2—0 bringt S a mit F a wieder in die Stellung Fahrt frei.

Das Spiel wiederholt sich mit jedem Zuge. Sollte bei der Einfahrt eines Zuges in den Abschnitt G b trotz Unterbrechung der Relaiskontakte von A b und B b die Rotanzeige des Signals S b aus Störungsgründen ausbleiben, so bleibt das rückliegende Signal auch dann auf Halt stehen, wenn der Zug den Abschnitt G a geräumt hat. Denn die Störung macht den Anker des Signalrelais C b stromlos, so daß es den Kontakt s b nicht anziehen kann. Da somit das Relaisfeld B a keinen Strom erhält, können auch die Kontakte II a und III a nicht geschlossen werden, und wegen III a bleibt auch das Feld des Relais A a stromlos, so daß dieses ebenfalls seinen Kontakt nicht mehr schließen kann. Dieselbe Betrachtung findet auf den Fall Anwendung, daß aus Störungsgründen die Fahrsperre F b nicht in die Haltlage kommen sollte.

Kurz wiederholt, ergibt sich folgendes: Fährt ein Zug aus dem Gleisabschnitt G a in den Abschnitt G b, so werden zunächst die beiden Abschnitte vom Zuge überbrückt; in beiden sind daher die Schienenstränge kurzgeschlossen. Während der Zug bisher durch das Signal S a gedeckt war, nimmt nunmehr auch das Signal S b an der Deckung teil. Der Zug ist unter diesen Verhältnissen zweifach gedeckt. Das Signal S a aber wird seine Anzeige in dem Augenblick in Fahrt frei ändern, in dem der Zug den Abschnitt G a geräumt hat und vollständig in den Abschnitt G b übergerückt ist, so daß sich der Zug jetzt unter der Deckung des Signals S b befindet. Bliebe etwa diese Deckung aus Störungsgründen aus, so könnte der Anker des Signalrelais nicht zum Anzug gebracht werden, das rückliegende Signal also keinen Strom erhalten, was zur Folge hätte, daß das Haltsignal stehen bleibt.

Bei der Überbrückung zweier Abschnitte durch den Zug müssen die Signale beider Abschnitte in die Deckung gegangen sein, ehe das Signal für den ersten Abschnitt beim Verlassen des Zuges wieder die Freilage einnehmen kann.

*Abschalten der Signalanlage nach Betriebsschluß.*

Beim Abschalten des Stromes werden die Transformatoren stromlos; die Gleisströme verschwinden. Die Felder der Signalrelais und die Anker der Gleisrelais werden stromlos. Da die Kontakte nur schließen, wenn Feld und Anker der Relais Strom haben, so fallen die sämtlichen Relaisanker ab.

### Sicherung der Züge in den Stationsabschnitten der durchlaufenden Strecke.

Wie sich schon bei der Besprechung der Signalanlage der Neuyorker Untergrundbahn ergab, bedarf es für Schnellbahnen, die zeitweise mit der dichtestmöglichen Zugfolge befahren werden müssen, der Anwendung besonderer Mittel zur Verkürzung der Stationszeit der Züge, d. h. des Zeitaufwandes, der nötig ist, um die Züge durch die Stationsabschnitte hindurchzubringen. Die Zugfolge in diesen Abschnitten wird vor allen Dingen beeinflußt von der veränderlichen Aufenthaltsdauer der Züge; längere Zugaufenthalte üben auf die Zugfolge einen drosselnden Einfluß aus. In den Beschreibungen der Londoner und Neuyorker Schnellbahnen ist ausgeführt, daß sich diese drosselnde Wirkung durch Nachrücksignale zum Teil wieder wettmachen läßt. Die Erörterung der Schaltweise für die Signale in den Stationsabschnitten hat daher die Nachrücksignale mit zu umfassen. Das Wesen dieser Signale ist bereits in meinen „Vorstudien" erläutert. Diese Erläuterungen sollen im nachstehenden ergänzt werden durch eine Darstellung der Zusammenhänge, die zwischen der Zugfolge und der Aufenthaltsdauer der Züge auf den Stationen bestehen, und durch weitere Betrachtungen über die Nachrücksignale selbst. Auf diese Weise wird das Verständnis der weiterhin folgenden Erläuterungen über die Schaltweise selbst erleichtert.

#### 1. Einfluß der Stationsaufenthalte auf die Zugfolge.

Über den Einfluß der veränderlichen Dauer der Stationsaufenthalte auf die Zugfolge hat der bereits früher genannte amerikanische Signalfachmann B r o w n eingehendere Betrachtungen angestellt, die er im April 1914 v o r d e m L o n d o n e r V e r e i n d e r E l e k t r o i n g e n i e u r e vorgetragen hat[1]). Pforr hat die Gedankengänge in der Zeitschrift E l e k t r i s c h e K r a f t b e t r i e b e u n d B a h n e n[2]) weiter ausgeführt und in eine wissenschaftlichere Form gebracht. Die grundlegende Bedeutung der Brownschen Vorarbeiten rechtfertigt es, sie auch dem deutschen Leser zugänglich zu machen, während auf die Ausführungen Pforrs an dieser Stelle lediglich verwiesen werden soll, da sie jedermann leicht zugänglich sind. Im folgenden ist von Brown nur insofern abgewichen, als auf Gemeinverständlichkeit der Darstellung größerer Wert gelegt ist. Die seinem Vortrage beigegebenen allzu skizzenhaft gehaltenen zeichnerischen Darstellungen sind weiter ausgeführt, zum Teil auch umgeformt und mit meinen „Vorstudien", an die sich die Darstellungsweise im folgenden anlehnt, in Einklang gebracht. Die englischen Längermaße sind in metrische umgerechnet.

Die Betrachtungen erstrecken sich auf die eine der beiden Fahrrichtungen in einem Stationsabschnitt mit 100 m langen Bahnsteigen. Die Bahnlinie ist wagerecht und frei von Krümmungen; sie wird von 90 m langen Zügen mit übereinstimmender Geschwindigkeit befahren. Der Einfachheit wegen ist Brown darin gefolgt, daß die Züge, abweichend von der in der Praxis zur Anwendung kommenden Fahrweise, im Beharrungszustande durchweg mit gleichförmiger Stundengeschwindigkeit von 40 km verkehren. Hiernach sind die über der Abb. 72 befindlichen Fahrschaulinien sowie die Zugspitzen- und Schlußlinien des normalen Fahrplanbildes entworfen; unter der Abbildung befindet sich der übliche Steuer- und Schutzstreckenplan.[3])

---

[1]) The signaling of a rapid-transit railway. A study of the relation between signal locations and headway.

[2]) Heft 21, S. 217 u. f., des Jahrgangs 1916.

[3]) Bereits in den „Vorstudien" habe ich einiges über die Zugbewegungen und die kürzeste Zugfolge sowie deren zeichnerische Behandlung, die vor dem rechnerischen Verfahren weitaus den Vorzug verdient, mitgeteilt. Die auf Tafel 1 der Vorstudien gezeigten Fahrschaulinien sind nach einem vom Baurat Pforr ausgebildeten, zuerst in Nr. 8 des Jahrgangs 1900 des Zentralblattes der Bauverwaltung dargelegten Verfahren entwickelt, das inzwischen bedeutend vereinfacht worden ist; zu vgl. die 1919 im Verlage von R. Oldenbourg, München, erschienene Pforr'sche Schrift über die Berechnung von Zugbewegungen. Welche Bedeutung der zeichnerischen Behandlung des Gegenstandes zukommt, zeigt die große Zahl der in den beiden letzten Jahrzehnten erschienenen einschlägigen Arbeiten. Unter anderen haben sich mit der Bildbehandlung befaßt: Kadrnozka (Elektrische Kraftbetriebe und Bahnen, 1904); Sanzin (Zeitschrift des österreichischen Ingenieur- und Architekten-Vereins, 1905);

Aus den zeichnerischen Ermittelungen ergibt sich die Länge der Ablaufstrecke eines Zuges, d. i. der Bremsweg, zu 77 m, die Bremszeit zu 13,9 Sekunden, die Länge der Anfahrstrecke zu 137 m, die Anfahrzeit zu 24,7 Sekunden. Die Einfahrschutzstrecke ist auf 120 m bemessen, also 43 m länger als die Bremsstrecke. Dementsprechend befindet sich das Einfahrsignal S b — Abb. 72 — 120 m hinter dem am Trennstoße J a beginnenden Gleisabschnitt G b, von dem es gesteuert wird (D a = 120 m); die Trennstelle J a ist 5 m hinter dem Bahnsteig oder 10 m hinter dem haltenden Zuge angebracht. Das Ausfahrsignal S c steht 10 m vor der Spitze des haltenden Zuges, so daß es vom Zugfahrer noch gut übersehen werden kann. Zur Erzielung klarerer Abbildungen ist die Ausfahrschutzstrecke auf 80 m bemessen; in Wirklichkeit wird sie auf Schnellbahnen mit dichter Zugfolge für Stationen, auf denen alle Züge halten, bekanntlich stark eingeschränkt, um die Züge schnell aus dem Stationsabschnitte herauszuführen. Schließlich rechnet Brown für seine Untersuchungen mit einem „planmäßigen", also durchschnittlichen Stationsaufenthalt der Züge von 10 Sekunden. Auch diese Annahme trägt lediglich den Studienzwecken Rechnung, da die im Betriebe der Schnellbahnen auftretenden Aufenthaltsdurchschnitte in den meisten Fällen größer sind als 10 Sekunden.

Zur Vereinfachung der Darstellungen ist die Signalstellzeit, die für Lichtsignale allerdings nur geringfügig ist, dagegen — wie schon früher angegeben — bei Flügelsignalen, auch mit gut wirkenden elektrischen Antrieben, bis auf etwa 4 Sekunden steigen kann, außer Ansatz gelassen, d. h. es ist angenommen, daß das Einfahrsignal S b — Abb. 72 — in demselben Augenblick selbsttätig auf Fahrt geht, in dem die letzte Achse des Zuges 1 den dem Trennstoß J b entsprechenden Punkt i b der Schlußlinie des Zuges 1 überschreitet.

Der geringste Zugabstand wird unter den vorstehend entwickelten Annahmen auf zeichnerischem Wege gefunden durch eine vom Punkte i b der Schlußlinie des Zuges 1 bis zur Spitzenlinie des Folgezuges 2 reichende wagerechte Linie i b—x—y, deren Endpunkt y sich in Sichtweite hinter demjenigen Punkte x befindet, in dem das Einfahrsignal S b bei Räumung des Gleisabschnitts G b durch den Zug 1 seine Anzeige wechselt; die Strecke x—y ist so groß zu wählen, daß der Fahrer des Zuges 2 in der Lage ist, am Einfahrsignal anzuhalten, wenn er dieses in der Haltstellung antreffen sollte. Wie bereits in den „Vorstudien" erwähnt, ist der als Sichtstrecke zu bezeichnende Abschnitt x—y als Bremsstrecke für ordnungsmäßige Fahrt zu behandeln; an ihrem hinteren Ende wäre also für den Bedarfsfall das Vorsignal aufzustellen. Im vorliegenden Schulbeispiel ist die Sichtstrecke gleich dem Bremsweg von 77 m. Ist somit durch den Punkt y die Spitzenlinie des Folgezuges festgelegt, so läßt sich der kleinste Wert für die Z u g w e c h s e l z e i t Tw, d. i. die Zeit von der Ausfahrt eines Zuges bis zum Stillstand des Folgezuges in der Station, i n  d i e  a l s o  d e r  Z u g a u f e n t h a l t  s e l b s t  n i c h t  e i n b e g r i f f e n  i s t, ohne weiteres bestimmen. Das geringste Zeitmaß für die Zugfolge T f ergibt

Dalby (Engineering, 1912, übersetzt in der Elektrotechnischen Zeitschrift, 1913); Zehme (Eisenbahntechnik der Gegenwart, 1914); Terdina (Organ für die Fortschritte des Eisenbahnwesens, 1914 und 1917); Unrein (Glasers Annalen, 1915); Zissel (Organ für die Fortschritte, 1915); Müller (Organ, 1920 und Habilitationsschrift, 1920). Aus diesen Arbeiten möge sich der Leser die für den jeweiligen Zweck beste und einfachste zeichnerische Ermittlungsart auswählen.

Mit der Ermittlung der dichtesten Zugfolge und den damit zusammenhängenden Fragen haben sich u. a. befaßt: Pforr (Glasers Annalen, 1900); Wechmann (Glasers Annalen, 1906); Pfeil (Elektrische Kraftbetriebe und Bahnen, 1907); Brecht (Elektrische Kraftbetriebe und Bahnen, 1908); Kemmann (Zeitung des Vereins Deutscher Eisenbahn-Verwaltungen, 1908); Obergethmann, Pforr, Cronbach (Monatsblätter des Berliner Bezirksvereins deutscher Ingenieure, 1913); Brugsch und Briske (Elektrische Kraftbetriebe und Bahnen, 1913); Zehme (Elektrotechnische Zeitschrift, 1913); Bethge (Elektrische Kraftbetriebe und Bahnen, 1913 und 1918); Arndt (Verkehrstechnische Woche, 1916 und Organ für die Fortschritte, 1919); Bothe (Elektrotechnische Zeitschrift, 1916); Musil (Organ für die Fortschritte, 1918); Christiansen (Organ für die Fortschritte, 1918 und Glasers Annalen, 1919) sowie Miethke (Zeitung des Vereins Deutscher Eisenbahnverwaltungen, 1920, Nr. 44).

Inzwischen ist es dem Diplomingenieur U. Knorr in München gelungen, eine mechanische Vorrichtung zu erfinden, die den Verlauf der Geschwindigkeits- und Weglinien eines Zuges nach Einstellung der Grundgrößen auf dem Zeichentisch selbsttätig vorausbestimmt; nähere Angaben über diese sehr bemerkenswerte Neuerung finden sich in den Heften 7 und 8 des Jahrgangs 1920 der Zeitschrift Elektrische Kraftbetriebe und Bahnen.

Bei dieser Gelegenheit sei noch eine Angabe über den Wert der mittleren Bremsverzögerung, mit der der Zug zum Stillstand gebracht wird, beigefügt. Dieser Wert ist in den Vorstudien mit 1,0 m in der Sekunde in Rechnung gestellt, ein Maß, das einem Bericht über die Ergebnisse von Bremsversuchen entnommen ist, die am 6. Juni 1912 auf der Hampsteadbahn in London durchgeführt wurden, wobei Bremsverzögerungen von im Mittel 0,9 bis 1.7 m in der Sekunde erreicht worden sind. Auf Grund neuerer in Berlin, London und Neuyork durchgeführter Versuche sollte man jedoch bei der Aufstellung von Fahrschaulinien im Höchstfalle mit einer mittleren Bremsverzögerung von 0,8 m in der Sekunde rechnen, wie es für die nachfolgenden Abbildungen geschehen ist.

sich als die Summe aus der Zugwechselzeit und dem Stationsaufenthalt der Züge, so daß Tf = Tw + Th ist. Im Falle der Abb. 73 stellt sich Tw auf 62 Sekunden. geben; er hat mit anderen Worten das Gesetz ermittelt, nach dem eine planmäßige Zugfolge von 72 Sekunden durch eine Zugverspätung gestört wird. Nach den

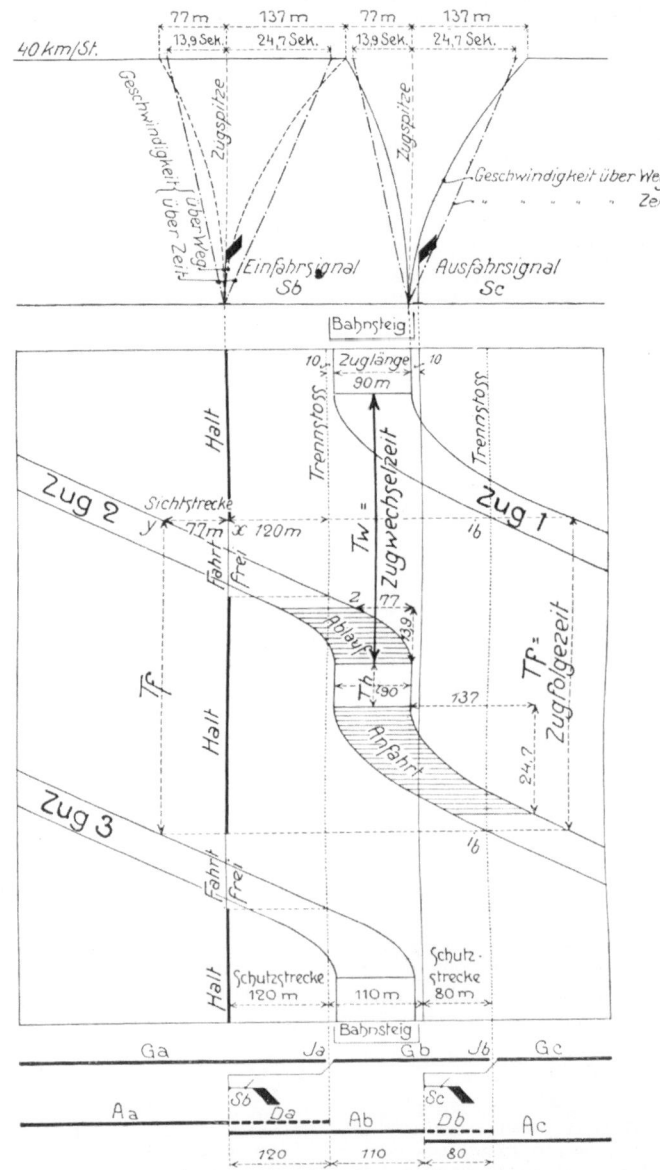

Abb. 72. Regelmäßige Zugfolge in einem Stationsabschnitt.
Anmerkung: Die oberhalb der Zeitwegelinien dargestellten Schaulinien für Brems- und Anlaufperioden beziehen sich auf Abb. 73.

Unter Zugrundelegung eines planmäßigen Stationsaufenthaltes der Züge von 10 Sekunden hat nun Brown die Verspätungen festgestellt, die sich bei der Überschreitung dieses Aufenthalts für die Folgezüge ergeben zeichnerischen Ermittlungen ist auf einem Zuge 2 — Abb. 73 —, der rechtzeitig in der Station zum Stillstand gebracht werden soll, die Bremse in einem Punkt z anzuziehen, der sich 214 m vor dem Punkt y befindet und mit der zwischen y und z entwickelten Fahrgeschwindigkeit von | Punkt z auf 77 m Weglänge in 13,9 Sekunden, so daß vom Punkte y bis zum

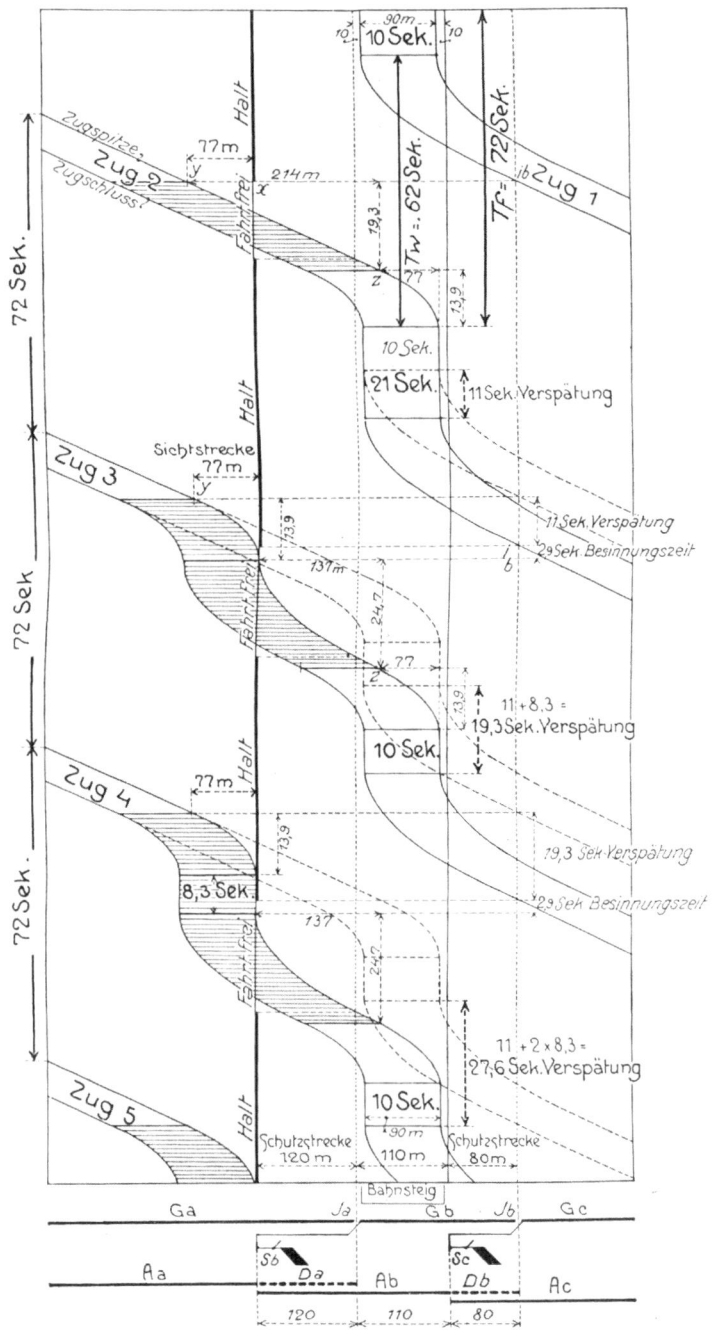

Abb. 73. Fortpflanzung einer Zugverspätung in einem Stationsabschnitt.

40 km in 19,3 Sekunden erreicht wird; der Ablauf des Zuges vollzieht sich vom | Stillstand insgesamt 33,2 Sekunden verfließen. Erleidet nun Zug 2 auf der

Station eine Verspätung, so findet der Fahrer des Zuges 3 das Einfahrsignal in der Haltstellung und hat in y die Bremse anzuziehen. Die Verspätung des Zuges 2 möge nun genau so groß sein, daß Zug 3 nach beendetem Ablauf sofort wieder anfahren und bei erreichter Höchstgeschwindigkeit sofort wieder ablaufen kann, so daß sich bis zum Stillstand des Zuges innerhalb der Station eine volle Ablauf-, Anfahr- und nochmalige Ablaufperiode unmittelbar aneinanderreihen. Aufenthaltloses Wiederingangsetzen des Zuges 3 am Einfahrsignal S b setzt aber voraus, daß dieses bereits vor dem völligen Stillstand des Zuges wieder die Fahrstellung eingenommen hat, da aus psychologischen Gründen immer einige Sekunden vergehen werden, ehe sich der Fahrer auf die durch den Signalwechsel vorgeschriebenen Handlungen vorbereitet hat und die mechanischen Einrichtungen seinen Handhabungen gefolgt sind. Brown schätzt diese von ihm als „Reflex" bezeichnete Besinnungs- oder Überlegungszeit auf 3 Sekunden; aus rechnerischem Grunde ist sie im folgenden zu 2,9 Sekunden angenommen. Zug 2 würde also seinen Aufenthalt in der Station um 13,9 — 2,9 = 11 Sekunden über die planmäßige Zeit ausdehnen können. Der Trennstoß bei i b würde von der letzten Achse des Zuges 2 mit einer Verspätung von 11 Sekunden überschritten und somit auch das Einfahrsignal S b um 11 Sekunden verspätet freigegeben. Diese Verzögerung wird von Brown die u r s p r ü n g l i c h e genannt. Während nun Zug 2 zur Durchfahrung der Strecke y—z eine Zeit von 19,3 Sekunden braucht, hat Zug 3 unter den entwickelten Annahmen auf dieser Strecke bereits eine Fahrzeit von 13,9 + 24,7 = 38,6 Sekunden aufzuwenden. Die Verzögerung des Zuges 3 stellt sich danach auf 38,6 — 19,3 = 19,3 Sekunden, die Brown als a b g e l e i t e t e V e r z ö g e r u n g bezeichnet.

Das würde bedeuten, daß sich die Fahrzeit auf dem in Abb. 73 durch Schattierung herausgehobenen Abschnitt der Fahrlinien infolge der Verspätung genau verdoppelt oder die mittlere Fahrgeschwindigkeit auf genau die Hälfte vermindert hat. Es folgt weiter, daß sich die ursprüngliche Verzögerung von 11 Sekunden beim Folgezug um 19,3 — 11 = 8,3 Sekunden vergrößerte. Der nächste Zug 4 muß selbstverständlich gleichfalls hinter dem Einfahrsignal stehen bleiben, da dieses erst um 19,3 Sekunden verspätet in die Fahrstellung gelangt, die Fahrt selbst außerdem erst wieder um die Besinnungszeit von 2,9 Sekunden später angetreten wird. Zug 4 liegt demgemäß 19,3 + 2,9 Sekunden abzüglich der Bremszeit von 13,9 Sekunden, also 8,3 Sekunden vor dem Einfahrsignal still. Zu der Verspätung des Zuges 3, die 11 + 8,3 Sekunden betrug, kommen also beim Zuge 4 weitere 8,3 Sekunden hinzu; dieser erleidet also eine Verspätung von 11 + 2.8,3 Sekunden. Für Zug 5 ergibt sich eine Verspätung von 11 + 3.8,3 Sekunden u. s. f. so daß die Verspätung beispielsweise beim zehnten Zuge auf 11 + 8.8,3 = 77,4 Sekunden anwächst. Wenn die Durchfahrzeiten der zurückliegenden Streckenabschnitte mit der des Bahnhofsabschnitts übereinstimmen, überträgt sich die Verzögerung in arithmetischer Steigerung rasch auf alle rückwärtigen Züge.

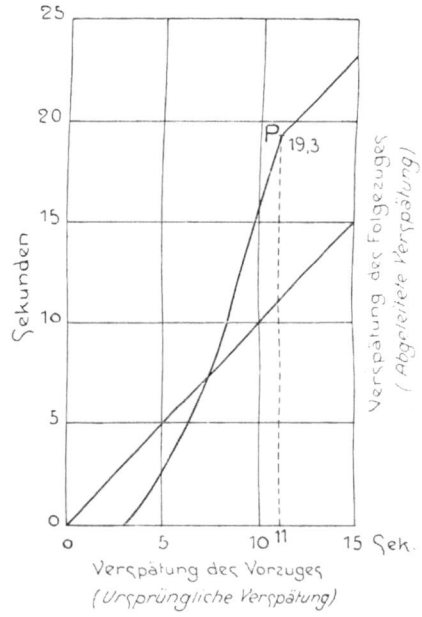

Abb. 74. Abhängigkeit zwischen den Verspätungen zweier aufeinander folgender Züge.

Will man die Werte der abgeleiteten Verspätung des Zuges 3 im Verhältnis zur ursprünglichen Verspätung des Zuges 2 in einem Kurvenzuge darstellen, dessen Abszissen die ursprüngliche und dessen Ordinaten die abgeleitete Verspätung darstellen, so ist durch die bisherigen Ermittlungen ein Punkt P dieser Kurve — Abb. 74 — gefunden, dessen Abszisse

11 Sekunden und dessen Ordinate 19,3 Sekunden beträgt. Über P hinaus setzt sich die Kurve unter einem Winkel von 45° geradlinig fort, da Zug 3 mit jeder Sekunde, um die sich Zug 2 über 11 Sekunden hinaus verspätet, auch eine Sekunde länger vor dem Einfahrsignal liegen bleiben muß. Für Verspätungen des Zuges 2, die kleiner sind als 11 Sekunden, müssen die Verspätungswerte des Zuges 3 besonders ermittelt werden; sie ergeben einen unregelmäßig gekrümmten Linienverlauf.

In den z e i c h n e r i s c h e n E r m i t t l u n g e n ist angenommen, daß Zug 3 und die Folgezüge mit dem p l a n m ä ß i g e n Stationsaufenthalt auskommen. In Wirklichkeit ist dies jedoch nicht der Fall. Gleichmäßigen Zustrom der Fahrgäste zur Station vorausgesetzt, finden die verspätet eintreffenden Züge auf den Bahnsteigen eine größere Personenzahl vor, deren Abfertigung zeitraubender wird. Die durch den stärkeren Zudrang beeinträchtigte Bewegungsfreiheit auf dem Bahnsteige, das Gedränge an den Türen, das langsame Einsteigen haben zur Folge, daß die Aufenthaltszeiten stärker zunehmen, als dem Zuwachs an Fahrgästen entspricht.

Nach alledem stellt die nach der planmäßigen Aufenthaltsdauer von 10 Sekunden ermittelte Zugfolgezeit von 72 Sekunden einen t h e o r e t i s c h e n M i n d e s t w e r t dar, der infolge von Aufenthaltsüberschreitungen in der Praxis nicht wohl aufrecht erhalten werden kann. Man wird die planmäßige Aufenthaltsdauer nach einem aus dem Betriebe gezogenen Durchschnitt bemessen müssen, der so viel Spielraum gewährt, daß sich die Verspätungen nach und nach wieder ausgleichen können. Sie darf einerseits nicht zu knapp bemessen sein, da sonst die Folgezüge im Falle einer Verspätung eine so starke Zusammendrängung oder „Bündelung" erfahren, daß die Verspätung nicht wieder einzuholen ist. Jede neu hinzutretende Zugverspätung würde die Unregelmäßigkeiten noch vermehren, so daß sie sich schließlich bis zum Betriebsschluß hinziehen könnten. Anderseits ist einleuchtend, daß die durchschnittliche Aufenthaltsdauer nicht so groß angenommen werden kann, daß eine Fortpflanzung von Zugverspätungen überhaupt zu vermeiden wäre. Das würde im Falle des behandelten Beispiels zur Voraussetzung haben, daß die engste Zugfolge auf 62 Sekunden zuzüglich des nach der Erfahrung einge-

schätzten l ä n g s t e n Zugaufenthalts bemessen würde. Aber schon ein einziger Aufenthalt von einer Dauer, die größer wäre, als der nach Schätzung eingesetzte Höchstwert, müßte eine Störung in der Zugfolge herbeiführen, so daß beispielsweise bei einem längsten Aufenthalte von 30 Sekunden wohl noch eine Zugfolge von 62 + 30 = 92 Sekunden, aber schon bei Annahme eines Höchstaufenthalts von 58 Sekunden nur noch eine Zugfolge von 2 Minuten, bei einem Höchstaufenthalte von 88 Sekunden gar nur noch eine solche von $2\frac{1}{2}$ Minuten durchführbar wäre.

Welche Aufenthaltsdauer für die dichteste Zugfolge auf einer Schnellbahn zugrunde zu legen ist, ist Sache der Erfahrung. Voraussetzung ist die Anwendung der Mittel, die geeignet sind, die in Fahrzeit umgesetzte Länge der Streckenabschnitte einzuschränken. „Vom Standpunkt des Zeitaufwandes ist der Bahnhofsabschnitt offenbar als der kritische anzusehen, und wenn eine Verdichtung der Zugfolge erforderlich wird, müssen die Signaleinrichtungen auf dem Bahnhofe dementsprechend eingerichtet werden."

## 2. Nachrücksignale.

Wenn alle Züge auf dem Bahnhof halten, läßt sich die Zugfolge bereits durch Einschränkung der Ausfahrschutzstrecke wesentlich verbessern. Sie kann, wie dies auf der Berliner Hoch- und Untergrundbahn geschehen ist, bis auf 20 m und darunter herabgesetzt werden. Bei einer Verkürzung dieser Schutzstrecke auf 20 m Länge ergibt sich bereits eine Verminderung des Zugabstandes von rund 6 Sekunden. Auch eingeschobene kürzere Züge ergeben einen Zeitgewinn für die Zugfolge. Ein besonders wirksames Mittel zur Verkürzung der Zugfolge aber besteht darin, daß zwischen Einfahrsignal und Station gemäß Abb. 76 bis 78 ein oder mehrere Nachrücksignale aufgestellt werden, die dem Folgezug bereits die Einfahrt in den Stationsabschnitt freigeben, e h e d e r V o r z u g diesen vollständig g e r ä u m t h a t. Im Falle der Abbildungen stehen die Nachrücksignale im Schutzstreckenabstande von 120 m hinter den Zwischentrennstellen J b₁, J b₂, J b₃, die in den Gleisabschnitt G b (Abb. 75 und 78) eingeschaltet werden. Nach rückwärts reiht sich den zu den Nachrücksignalen gehörenden Schutzstrecken, ebenso wie beim Einfahrsignal S b₁, wieder die Sichtstrecke von 77 m an. Wie nämlich in

Abb. 75 die Spitze des Folgezuges den Sichtstreckenanfang y des Einfahrsignals Sb erst in dem Augenblick überschreiten darf, in dem der Schluß — genauer: die letzte Achse — des Vorzuges bei i b über den Trennstoß J b hinwegfährt, so darf beispielsweise bei Aufstellung z w e i e r Nachrücksignale — Abb. 77 — die Spitze — erste Achse — des Folgezuges den Punkt y bereits in dem Augenblick überschreiten, in dem der Schluß des Vorzuges den Z w i s c h e n t r e n n s t o ß J b₁ bei i b₁ verläßt; sobald der Vorzug die Zwischentrennstelle J b₂ bei i b₂ freigibt, darf der Folgezug über den Sichtpunkt y 1 nachrücken usf. Die vorderen Endpunkte i a, u, v der aus Sicht- und Schutzstrecke

Zugspitzenlinie des Folgezuges befinden. Diese Linientreppe ist so auszuprobieren, daß sie mit ihrem Endpunkt i a auf einer über dem — ein für allemal festliegenden — Trennstoß J a errichteten Senkrechten mündet. Nach einigen Versuchen ist diese Lage der Treppe leicht gefunden. Die Spitzenlinie des Folgezuges ist damit festgelegt, denn sie befindet sich in einem wagerechten Abstande gleich der Summe von Sicht- plus Schutzstrecke (77 + 120 m) hinter der Linie i a—u—v. Die Trennstöße liegen senkrecht unter den Punkten i a, u, v der Linientreppe. Im Falle dreier Nachrücksignale ist ebenso zu verfahren. Wo nur ein einziges Nachrücksignal aufgestellt werden soll, erübrigt sich die Probe, da der

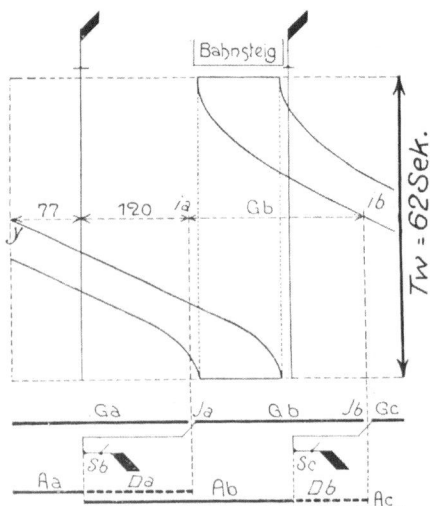

Abb. 75. Stationsabschnitt o h n e Nachrücksignal.

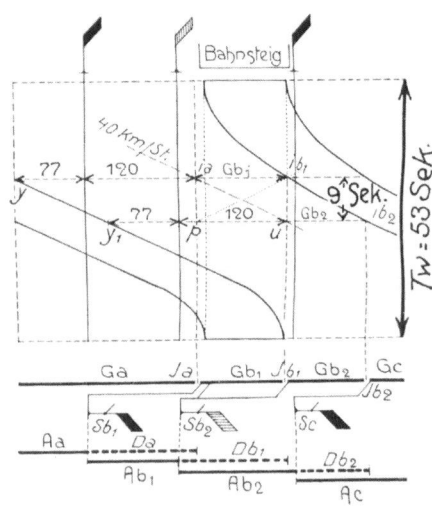

Abb. 76. Stationsabschnitt mit e i n e m Nachrücksignal.

zusammengesetzten Abschnitte befinden sich in einer Linie, die mit der im vorliegenden Falle geradlinigen Zugspitzen - Zeitweglinie parallel verläuft; die zwischen den Punkten i a, u, v und der Schlußlinie des Vorzuges befindlichen Abschnitte der Zugabstandslinien y—i b₁, y₁—i b₂, y₂—i b₃, nämlich die Abschnitte i a—i b₁, u—i b₂, v—i b₃ stimmen mit den Teilschutzstrecken G b₁, G b₂, G b₃ überein. Aus den Abbildungen ergibt sich also, daß man zum Punkt i a in der Weise gelangen kann, daß man von i b₃ eine aus wagerechten und senkrechten Strecken zusammengesetzte Linientreppe so hinter der Schlußlinie des Vorzuges aufwärts führt, daß sich ihre Eckpunkte v, u, i a in einer Parallelen zur

Punkt i b₁, unter dem der Trennstoß J b₁ liegt, ohne weiteres durch eine vom Punkt p ausgehende Linie angeschnitten wird, die in der Richtung der Gegendiagonale von i a—u verläuft.

Die Lage der Zwischentrennpunkte kann natürlich auch auf rechnerischem Wege ermittelt werden, doch ist das einfachere zeichnerische Verfahren vorzuziehen. Auch Irrtümer sind dabei ausgeschlossen, da etwaige Konstruktionsfehler sofort augenfällig werden.

Die Abbildungen ergeben, daß im vorliegend behandelten Schulfalle durch e i n Nachrücksignal die Zugwechselzeit Tw von 62 Sekunden (Abb. 75) auf 53 Sekunden (Abb. 76), also um nicht weniger als

9 Sekunden verkürzt wird. Durch Einschaltung eines weiteren Nachrücksignals wird die Zugwechselzeit noch um 3 Sekunden, d. i. auf 50 Sekunden, herabgesetzt (Abb. 77), so daß die im Schulbeispiel der Abb. 73 dargestellten Zugstockungen durch die Einführung eines zweiten Nachrücksignals bereits behoben würden. Die Aufstellung eines dritten Nachrücksignals kommt für die praktischen Zwecke nicht mehr in Betracht, da dadurch für die Zugfolge nur noch eine einzige Sekunde gewonnen wird (Abb. 78). Wenn sich der Trennstoß des Ausfahrsignals verhältnismäßig weit vor der Station befindet, kann der Fall eintreten, daß ein oder mehrere Nachrücksignale auf den Bahnsteig zu stehen kommen. Das würde, wie auch Brown hervorhebt, zu Unzuträglichkeiten

struktionsverfahren nicht ohne weiteres einfügen lassen. Vor allen Dingen ist zu beachten, daß die Stationen von Zügen verschiedener Länge befahren werden; daraus ergeben sich Verschiebungen in der Lage der Trennstöße, deren Ausmittelung zugleich mit der Festsetzung des Bahnsteigabschnitts zu erfolgen hat, an dem die Züge halten sollen. Ferner bedarf das Maß der Sichtstrecke, das für das vorliegende Schulbeispiel durchweg zu 77 m angenommen ist, ebenso wie das der Schutzstrecke, von Fall zu Fall besonderer Festsetzung nach Maßgabe der tatsächlichen Strecken- und Betriebsverhältnisse. Durch die Fülle der für die Praxis zu berücksichtigenden Faktoren wird insbesondere auch die Ausmittelung der Nachrücksignale derart beeinflußt, daß die

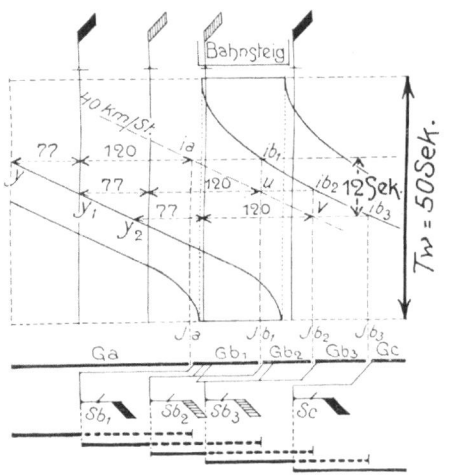

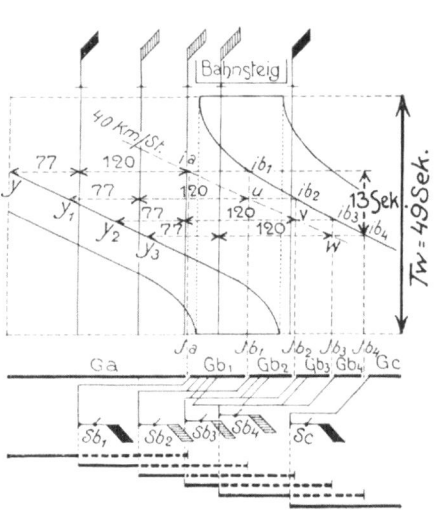

Abb. 77. Stationsabschnitt mit zwei Nachrücksignalen.   Abb. 78. Stationsabschnitt mit drei Nachrücksignalen.

Anmerkung: Die in den Abb. 76 bis 78 angedeutete Steuerung der Nachrücksignale findet auf Tafel V ihre Erläuterung.

führen, und muß daher vermieden werden. Handelt es sich nur um wenige Meter, wie in Abb. 77, so läßt sich durch geringe Verschiebungen der Trennstöße die Stellung des Signals ohne wesentlichen Verlust an Zugfolgezeit so korrigieren, daß der Bahnsteig frei bleibt; rückt das Signal zu weit auf den Bahnsteig vor, so ist eine Korrektur durch Verschieben der Trennstöße nicht mehr möglich.

Die praktische Behandlung der Stationsabschnitte erfordert die Berücksichtigung einer Reihe besonderer Umstände, die sich in das von Brown entwickelte Kon-

dafür aufgestellten allgemeinen Regeln nur als Hilfen dienen können. Für jede Station, für die Nachrücksignale in Frage kommen, ist eine besondere Untersuchung vorzunehmen.

Von den die Zugfolge beeinflussenden Faktoren ist die Aufenthaltsdauer der Züge auf den Stationen der wichtigste. Hängt sie in erster Linie von der Stärke des Stationsverkehrs ab, so wird sie doch auch von der Anordnung der Bahnhofsanlagen selbst und schließlich auch von der dienstlichen Befähigung des Zug- und Bahnsteigpersonals beeinflußt. Die Beschleunigungs- und Verzögerungswerte bedürfen von Fall zu Fall besonderer Erwägung. Daß die Züge mit gleichförmiger Geschwindigkeit gefahren werden und demzufolge mit der **Höchstgeschwindigkeit** am Einfahrsignal ankommen würden, wie Brown es in seiner Studie annimmt, ist im praktischen Betriebe ausgeschlossen; sie werden sich vielmehr dem Einfahrsignal im allgemeinen in stromlosem Auslauf mit verminderter Geschwindigkeit nähern.

Die Londoner wie die Berliner Erfahrungen haben gezeigt, daß eine unter Zugrundelegung eines durchschnittlichen Stationsaufenthalts von 25 Sekunden ermittelte Zugfolge eine mit den praktischen Verhältnissen recht gut übereinstimmende stündliche Zugzahl ergibt, ob auch die Zugabstände im einzelnen von Zug zu Zug und von Strecke zu Strecke wechseln mögen. Dem Ergebnisse kommt dabei zugute, daß die Aufenthalte im Durchschnitt um so geringer werden, je größer die Zahl der Züge ist, auf die sich der Verkehr verteilt und je gewandter die Fahrgäste ein- und aussteigen. Für diesen Durchschnittsaufenthalt von 25 Sekunden beläuft sich im Sonderfalle der Abb. 3 der den „Vorstudien" beigegebenen Tafel 1 die Anzahl 102 m langer Achtwagenzüge, die bei Anwendung von Lichtsignalen, also im Tunnel, stündlich auf einem Gleise abgefertigt werden können, auf 47; die Verwaltung der Londoner Distriktbahn gibt die mit dem selbsttätigen Signalsystem erreichbare größte Zugzahl bei 25 Sekunden Durchschnittsaufenthalt zu 54 an. Daß auch die Stellwerke mit ihren bedeutenden Vereinfachungen den angeführten Leistungen gewachsen sind, wird durch die Londoner Erfahrungen bestätigt.

Von der bisher betrachteten Art der Nachrücksignale weichen die auf der **Neuyorker** Untergrundbahn verwendeten grundsätzlich ab. Hier ist dem Folgezug die Möglichkeit gegeben, dem Vorzug bereits nachzurücken, **ehe dieser die Ausfahrt aus der Station angetreten hat**. Allerdings nur unter der Voraussetzung, daß der Folgezug durch mechanische Mittel gezwungen wird, die Nachrückgeschwindigkeit angemessen herabzumindern. Diese Mittel sind früher beschrieben. Während bei der vorstehend geschilderten Anordnung der Nachrücksignale dauernd ein bestimmter Schutzstreckenabstand gewahrt werden muß, der Folgezug also bei längerem Stationsaufenthalt des Vorzuges am Einfahrsignal halten, nach dessen Freigabe wieder anfahren und dann bei der Einfahrt wieder abbremsen muß, rückt der Folgezug im Neuyorker Falle in ununterbrochener Fahrt mit allmählich abnehmender Geschwindigkeit bis dicht an den in der Station haltenden Zug heran. Das setzt voraus, daß alle Drosselstrecken, wie Pforr die von zwei Nachrücksignalen eingeschlossenen Abschnitte nennt, genau nach dem ihnen zukommenden Teil der Geschwindigkeitskurve befahren werden. Einem Fahrer, der die Zuggeschwindigkeit in dieser Weise ordnungsmäßig herabmindert, wird jedes Nachrücksignal genau in dem Augenblick die Fahrt freigeben, in dem der Zug vor dem Signal anlangt. Daß eine derartige Fahrweise volle Aufmerksamkeit des Fahrers erfordert, ist klar. Falls eine Drosselstrecke **zu schnell** durchfahren wird, kann der Fall eintreten, daß die Zugbremse durch die nächste Fahrsperre ausgelöst wird. Einem Fahrer, der in eine Drosselstrecke mit **zu geringer Geschwindigkeit** einfahren und den Zeitverlust einholen wollte, könnte es passieren, daß der Zug eine zu große Geschwindigkeit erreicht und über das nächste Signal in Fahrstellung hinausfährt, so daß er schließlich durch die Fahrsperre des folgenden Signals aufgehalten wird. In derartigen Fällen würde der Zweck dieser Art der Geschwindigkeitsdrosselung beeinträchtigt werden. Brown hält es daher für fehlerhaft, die Geschwindigkeit des Folgezuges nur an bestimmten Punkten zu überwachen und ist der Meinung, daß ein Drosselungsverfahren der beschriebenen Art, bei dem diese Schwierigkeiten in befriedigender Weise gelöst wären, seine eigene Bestimmung zum Teil vereiteln würde. Ein Fahrer, der es mehr aus Fahrlässigkeit als absichtlich versäumt hat, die Geschwindigkeit schnell genug zu ermäßigen, werde bei dem Neuyorker Verfahren zwar überwacht; gegen übermäßige Nachlässigkeit oder böswillige Absicht könne das Verfahren dagegen keine Abhilfe schaffen. Den Vorschlägen, Abzweigstellen und stärkere Gefälle mit Geschwindigkeitsüberwachungen von der vorliegenden Ausführungsform zu versehen, vermag er nicht beizutreten. Ausreichende Zugüberwachung setze sehr kurze Drosselstrecken voraus. Da aber die Besinnungszeit des Apparates nicht immer vollkommen gleich sei, würde bei jeder Unregelmäßigkeit der Zeitverbrauch für jede

Drosselstrecke über das zulässige Maß anwachsen. In den meisten Fällen sei es besser, einen bestimmten Mindestabstand der Züge dauernd aufrecht zu erhalten.

Die Brown'schen Bedenken scheinen von den Praktikern nicht in gleichem Maße geteilt zu werden, denn die Neuyorker Verwaltung selbst erklärt sich von den Erfolgen des Drosselungsverfahrens für durchaus befriedigt (zu vergl. auch S. 42).

### 3. Steuerung der Nachrücksignale.

Am Fuße der Abbildungen 72, 73 und 75 (Seite 72, 73 und 76) ist der Steuer- und Schutzstreckenplan eines Stationsabschnitts A b angedeutet, der in gewöhnlicher Weise von dem Einfahrsignal S b und dem Ausfahrsignal S c begrenzt wird. Der Stationsabschnitt setzt sich zusammen aus der Schutzstrecke D a und dem Gleisabschnitt G b abzüglich der Schutzstrecke D b. Für die Länge des Stationsabschnitts sind bei gegebener Bahnsteiglänge bestimmend: die Lage des Trennstoßes J a, der Standort des Ausfahrsignals und die Länge der Schutzstrecken D a und D b, während die Länge des Gleisabschnitts G b von der Bahnsteiglänge abhängig ist, die sich wieder nach der größten Zuglänge bestimmt.

Praktisch steht nichts im Wege, die Trennstelle J a an das Ende des Bahnsteigs zu verlegen. Mitunter erweist es sich als ratsam, sie um ein gewisses Maß abzurücken, das als Zuschlag für den Fall dient, daß das Ende des längsten Zuges die Station etwas überragt. Für die Einfahrschutzstrecke D a ist die Regel, daß die Schutzstrecken nach der vollen Fahrgeschwindigkeit der Züge zu bemessen sind, noch strenger zu beachten als für die freie Strecke. Auch hier ist es das Ausland, das zuerst auf die Unzulässigkeit der Auffassung hingewiesen hat, die Einfahrschutzstrecke dürfe um deswillen verringert werden, weil die Züge mit ermäßigter Geschwindigkeit in die Station einfahren. Im Stationsbetriebe ist es von besonderer Wichtigkeit, einen haltenden Zug gegen einen mit unverminderter Geschwindigkeit herannahenden Folgezug zu schützen; die Verantwortung für rechtzeitiges Abbremsen des Folgezuges darf dem Fahrer nicht allein überlassen bleiben.

Der Standort des Signals S c ist so zu wählen, daß es vom Fahrer eines bis an das vorderste Halteschild des Bahnsteiges vorgerückten Zuges noch gut übersehen werden kann; hierfür ist ein Abstand von etwa 5 Metern ausreichend.

Wenn alle Züge im Bahnhof halten, besteht kein Hinderungsgrund, die Ausfahrschutzstrecke D b gegen das für die freie Strecke anzunehmende Maß stark einzuschränken; doch muß einem möglicherweise über das Ausfahrsignal hinausrutschenden Zuge bis zur Trennstelle J b immerhin noch ein gewisser Spielraum gewahrt bleiben. Auf der Stammstrecke der Londoner Distriktbahn, die nach S. 33 ff. in den Stunden stärksten Verkehrs von nicht weniger als 44 Zügen in jeder Richtung befahren wird, ist die Länge der Ausfahrschutzstrecke bis auf etwa 14 m, stellenweise sogar bis auf 8 m herabgesetzt worden. Wird sie auf 10 m bemessen, so ist die Trennstelle J b nach Vorstehendem 15 m vom Bahnsteigende entfernt anzuordnen. Stationen, die von einem Teil der Züge ohne Aufenthalt durchfahren werden, sind mit einer längeren Ausfahrschutzstrecke zu versehen; da jedoch der Zugfahrer unter der Obacht des Bahnsteigpersonals zu erhöhter Aufmerksamkeit veranlaßt ist, darf auch in diesem Falle die Ausfahrschutzstrecke etwas eingeschränkt werden (zu vergl. auch die Abbildungen 72 und 73 sowie 75 bis 78 auf S. 72 u. f. Es ist aber klar, daß für diejenigen Züge, die in der Station anhalten, eine Vergrößerung der Stationszeit eintritt, die jedoch im Sicherheitsinteresse hingenommen werden muß. Fälle der vorliegenden Art kommen auf den Londoner Untergrundbahnen im sogenannten Durchfahrbetriebe — non stop-working — in großer Zahl vor. Die Art dieses Betriebes besteht darin, daß einzelne Züge oder Zuggruppen beim Übergange in die dichtere Zugfolge des Flutverkehrs eine Anzahl von Stationen in rhythmischer Folge überspringen. Beispiele dieser Betriebsweise sind in den Abb. 79 und 80 dargestellt. Die Abbildungen lassen erkennen, daß mit dem Durchfahrbetrieb auch eine Erhöhung der Reisegeschwindigkeit verbunden ist, die beim Eintritt in die dichtere Zugfolge ohne weiteres gewonnen werden kann. Auf Stationen, die mit einer genügenden Anzahl von Gleisen — Überholungsgleisen, Richtungsgleisen — ausgerüstet sind, kann der Durchfahrbetrieb auch mitten in der

Flutzeit des Verkehrs mit erhöhter Reisegeschwindigkeit einsetzen. Die Abzweige-
stationen sind vielfach so eingerichtet, daß
dies von vornherein möglich ist.

Das Einfahrsignal ist, ebenso wie die Nachrücksignale, unter allen Umständen mit einer
Fahrsperre zu versehen. An

bereits so weit von der Station entfernt
hat, daß Zusammenstöße ausgeschlossen erscheinen.

Nach dem Vorstehenden sind die auf
Tafel IV zur Darstellung gebrachten
Streckenschaltpläne ohne grundsätzliche
Änderungen auch für die Stationen zu ver-
wenden. In Abb. 81 ist die Steuerung der

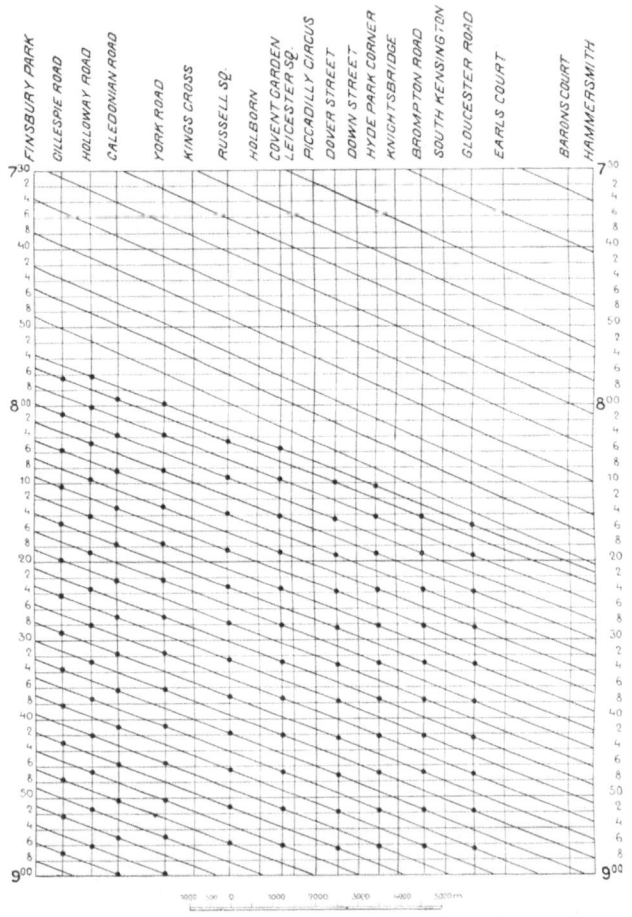

Abb. 79. Durchfahrbetrieb auf der Piccadillybahn, London.
Bemerkung: In den durch Punkte gekennzeichneten Fällen durchfahren die Züge die Stationen ohne Aufenthalt.

den Ausfahrsignalen auf der
durchlaufenden Strecke hat die
Hochbahngesellschaft die in den Abb. 72,
73 und 75 bis 78 angedeuteten Fahrsperren
einstweilen noch fortgelassen, da die Fälle,
in denen Züge vorschriftswidrig oder aus
Störungsgründen über die Station hinaus-
fahren, recht selten sind und für diese
wenigen Fälle nach der Erfahrung angenommen worden ist, daß sich der Vorzug

beiden Stationssignale auf offener und über-
deckter Strecke für den Fall zur Darstellung gebracht, daß die Gleisabschnitte der
Station von den Enden aus gespeist werden.
Die Schaltbilder, in denen die Gleisstromtransformatoren der Übersichtlichkeit wegen
fortgelassen wurden, sind aus den Abb. 1
und 2 der Tafel IV hergeleitet. Sie lassen
die Verkürzung der Ausfahrschutzstrecke
und den vorläufigen Wegfall der Fahr-

sperre am Ausfahrsignal erkennen. Die auf Tafel IV angewendeten Bezeichnungen für die Stromkreise sind in Abb. 81 beibehalten. Danach bezeichnen 1—1 die Gleisströme, 2—0 und 2 a—0 die Signalströme, 3—0 die Überwachungsströme für die Haltanzeige der Signale und Fahrsperren, 3 a—0 die

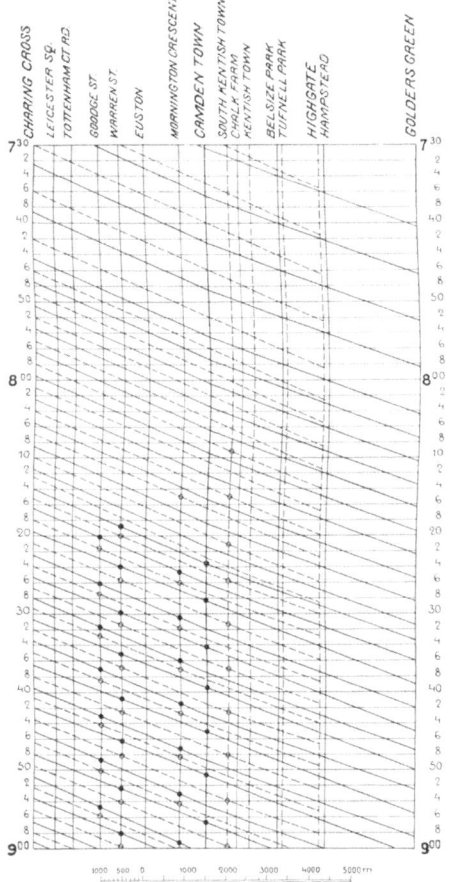

Abb. 80. Durchfahrbetrieb auf der Hampsteadbahn; London.

Bemerkung: Die Fahrten von Charing Cross über Camden Town nach Golders Green sind mit durchlaufendem, nach Highgate mit unterbrochenem Strich dargestellt. In den durch geschlossene oder offene Punkte gekennzeichneten Stationen fahren die Züge ohne Aufenthalt durch.

Feldströme der Signalrelais, 4—0 die Selbstschlußströme der Linienrelais. Weitere Erläuterungen sind unter Hinweis auf die Darlegungen auf S. 62 ff. entbehrlich.

Die Steuerung der Nachrücksignale ist auf Tafel V erläutert. Tafelabbildung 1 zeigt die Schaltweise für einen mit zwei Nachrücksignalen ausgestatteten Stationsabschnitt auf offener Strecke, Abb. 2 für einen mit einem Nachrücksignal versehenen Tunnelstationsabschnitt. Die Steuer- und Schutzstreckenpläne sind mit denen am Fuße der Textabbildungen 77 und 76 (S. 77 und 76) in Übereinstimmung; nur daß auch hier an den Ausfahrsignalen die Fahrsperren fortgelassen sind. Die Stationsabschnitte G b der Abb. 81 a und b sind in Abb. 1 der Tafel V in drei Teilabschnitte G b 1, G b 2 und G b 3, in Abb. 2 der Tafel V in zwei Teilabschnitte G b 1 und G b 2 zerlegt. Das Einfahrsignal, nunmehr als S b 1 zu bezeichnen, deckt nur noch den Teilabschnitt G b 1. Die Teilabschnitte G b 2 und G b 3 werden in Abb. 1 durch die Nachrücksignale S b 2 und S b 3, der Teilabschnitt G b 2 in Abb. 2 durch das Nachrücksignal S b 2 gedeckt.

Es ist ohne weiteres verständlich, daß die Schaltung den folgenden Anforderungen gerecht werden muß:

1. Einfahrsignal, Nachrücksignale und Vorsignal müssen gleichzeitig in dem Augenblick die Haltlage einnehmen, in dem die erste Achse des einfahrenden Zuges über den Trennstoß J a in den ersten Teilgleisabschnitt G b 1 einrückt;

2. Einfahr- und Nachrücksignale müssen der Reihe nach wieder die Stellung Fahrt frei einnehmen, sobald die letzte Achse des ausfahrenden Zuges die Teilgleisabschnitte G b 1, G b 2 und G b 3 über die Trennstöße J b 1, J b 2 und J b 3 verläßt;

3. Das Vorsignal muß in Warnstellung stehen bleiben, bis der Zug den Bahnhof vollständig geräumt, d. h. mit der letzten Achse den zum Ausfahrsignal gehörenden Trennstoß überschritten hat; es kehrt erst zusammen mit dem letzten Nachrücksignal in die Stellung Fahrt frei zurück.

Wie diese Forderungen zu erfüllen sind, soll an den auf Tafel V dargestellten Schaltbildern erläutert werden.

Für die Darstellung ist angenommen, daß der Gleisabschnitt G a in Abb. 2 von der Mitte, die übrigen Gleisabschnitte sämtlich von den Enden aus gespeist werden. Der in der Mitte gespeiste Abschnitt ist daher an beiden Enden mit Linienrelais versehen. Aus den Schaltplänen auf Tafel V ist zu ersehen, daß sich die Grundform der einfachen Stationsschaltung (Abb. 81) in den Stromführungen zwischen dem letzten Nachrücksignal und dem Ausfahrsignal, also in den Beziehung des letzten der Teilgleisabschnitte der Station, wiederfindet. In derselben Weise, wie in Abb. 81 das Einfahrsignal vom Stations-Gleisabschnitt aus durch den Signalstrom 2—0 gesteuert wird, erfolgt in den Abbildungen der Tafel V die Steuerung des letzten Nachrücksignals

A b₁ und dem Relais A b₂ in Tafelabbildung 1 gesteuert. Für die Führung der Überwachungsstromkreise in den Gleisabschnitten G a gelten die früher unter Bezugnahme auf die Abbildungen der Tafel IV angegebenen Regeln mit der Maßgabe, daß die Überwachungsströme 3—0 so zu führen

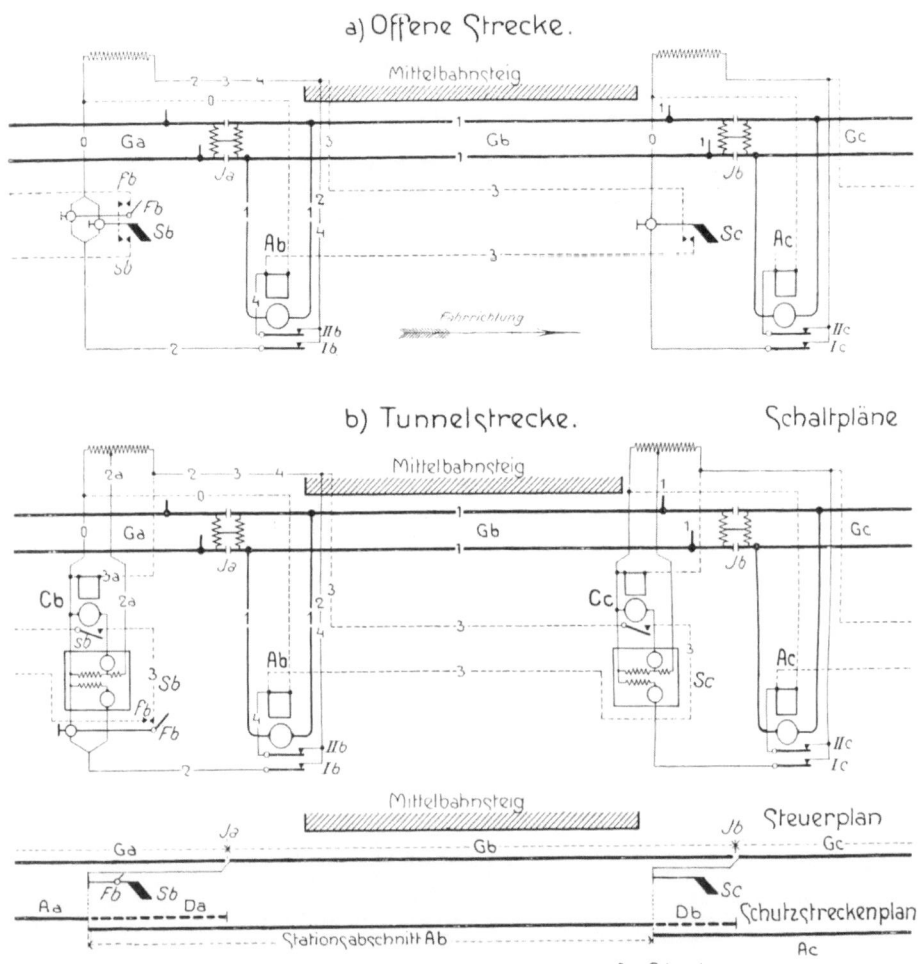

Abb. 81. Steuerung des Ein- und Ausfahrsignals in einem Stationsabschnitt.

durch den Signalstrom 2—0 vom letzten Teilgleisabschnitt aus. In gleicher Weise wird auch das Ausfahrsignal S c durch das Nachrücksignal mittels des Relais A b₃ in Tafelabbildung 1 und mittels des Relais A b₂ in Tafelabbildung 2 überwacht. Die Einfahrsignale und die sonst noch vorhandenen Nachrücksignale sind in gleichartige Stromkreise 2—0 eingeschaltet wie das letzte Nachrücksignal; sie werden von dem Relais

sind, daß sie sowohl das Einfahrsignal als auch die Nachrücksignale mit ihren Fahrsperren zugleich überprüfen, deren Kontakte daher in diesem Prüfstromkreis hintereinandergeschaltet sind. Im Falle der Abb. 2 der Tafel V bedarf es wieder der Hinzufügung des Hilfsstromkreises 5—0.

Die früher angegebenen Forderungen werden nun dadurch erfüllt, daß die Signalstromkreise 2—0 nicht nur durch die eigenen Relais, sondern auch durch die Relais der z u r ü c k l i e g e n d e n T e i l - g l e i s a b s c h n i t t e gesteuert werden. Die Einfahr- und Nachrücksignale einer Gruppe sind derart geschaltet, daß ihre Signalströme bei der Einfahrt eines Zuges in den Bahnhof gleichzeitig d u r c h d a s R e l a i s A b₁ unterbrochen, bei der Ausfahrt eines Zuges dagegen nacheinander d u r c h d i e R e l a i s A b₁, A b₂ und A b₃ geschlossen werden. Auf diese Weise werden also die sämtlichen Signale bei der Einfahrt des Zuges gleichzeitig auf Halt gelegt, und bei der Ausfahrt werden sie der Reihe nach wieder in die Fahrstellung gebracht. Mit den durch diese Art des Signalbetriebes gegebenen Anforderungen ist es vereinbar, wenn auch hier die Felder der Relais A b₁ und des Relais A b₂ in Tafelabbildung 1 durch die Stromkreise 5 a—0 dauernd gespeist werden.

Die in Abb. 22 der Vorstudien gegebene Skizze zeigt, wie bei der Anordnung von Nachrücksignalen das Vorsignal zu schalten ist. Es ist dort angenommen, daß das Vorsignal sowohl von dem Einfahrsignal als auch von allen Nachrücksignalen einer Signalgruppe zugleich in Abhängigkeit zu bringen sei. Dies ist jetzt dahin vereinfacht worden, daß, wie aus der Tafel V ersichtlich ist, das gemeinsame Vorsignal (Vs b₃ und Vs b₂ in den Tafelabbildungen) nur von dem vordersten — dem Bahnsteig nächsten — Nachrücksignal betätigt wird. Die Schaltung der Vorsignale ist im übrigen ohne weitere Erläuterung verständlich.

## Spiel der Signalströme auf einer von Zügen besetzten Gleisstrecke.

Die bisher schrittweise entwickelten Arbeitsvorgänge der Signalanlage auf freier Strecke sollen nochmals an einer Gesamtübersicht erläutert werden, in der das Spiel der Signalströme im Stations- und Streckenbetrieb auf einer mit Zügen besetzten Gleisstrecke gezeigt wird. Auf Tafel VI sind Schalt-, Steuer- und Schutzstreckenplan eines Bahnabschnitts dargestellt, dessen linke Hälfte als Tunnelbahn Lichtsignale besitzt, während die rechte Hälfte als offene Bahn mit Flügelsignalen ausgerüstet ist. In dem Schaltplan sind die Stromläufe zur besseren Übersicht in ähnlicher Weise wie auf Tafel II derart farbig unterschieden, daß die von einem bestimmten Gleisabschnitt gesteuerten Apparate und deren Verbindungsleitungen die Farbe des betreffenden Abschnitts

tragen. Da es wesentlich darauf ankommt, die Arbeitsweise der Nachrücksignale zu zeigen, ist in die Tunnelstrecke eine Haltestelle X mit e i n e m Nachrücksignal, in die offene Strecke eine Haltestelle Y mit z w e i Nachrücksignalen eingeschaltet; der letzteren folgt vergleichshalber eine Haltestelle Z o h n e Nachrücksignal. Die Nachrücksignale machen eine Unterteilung des Stationsabschnitts der Haltestelle X in zwei, der Haltestelle Y in drei Unterabschnitte notwendig[1]). Die Schaltung der Nachrücksignale bedarf unter Hinweis auf Tafel V keiner nochmaligen Beschreibung. Um die Betrachtung zu erweitern, ist auch für den vorliegenden Fall angenommen, daß der Gleisabschnitt G a von der Mitte aus, alle übrigen von den Enden aus gespeist werden. Der Abschnitt G a ist daher an beiden Enden, die übrigen Abschnitte nur am Einfahrende mit e i n e m Linienrelais ausgerüstet.

Es ist ein Augenblick des Betriebes dargestellt, in dem ein — als Einzelwagen angedeuteter — Zug I im Begriff ist, in die Haltestelle X einzufahren; er überschreitet gerade den Einfahrtrennstoß. Der Vorzug II ist im Begriff, die Haltestelle Y zu verlassen und überschreitet deren Ausfahrtrennstoß. Ein dritter Zug hält am Bahnsteig der Haltestelle Z.

Da der Zug I sowohl im Gleisabschnitt G a als auch im Teilabschnitt G b den Gleisstrom kurzschließt, sind die Kontakte der Relais A a, B a und A b abgefallen. Die Signale S a, S b und S c zeigen infolgedessen Halt, die dazu gehörigen Fahrsperren nehmen die Sperrstellung, das Vorsignal Vs b c die Warnstellung ein (gelbes Licht). Die Fahrsperrenkontakte sind also geschlossen. Da auch die Kontakte der Signalrelais angezogen sind, so ist der Prüfstromkreis (rot gestrichelt) geschlossen und das Feld des Linienrelais B a erregt, so daß dieses in dem Augenblick, in dem der Zug den Einfahrtrennstoß der Haltestelle X überschritten hat, seine Kontakte wieder anzieht, somit auch das Linienrelais A a wieder zum Anzug und infolgedessen das Signal S a mit seiner Fahrsperre wieder in die Fahrstellung bringt. Das Spiel der Signale beim weiteren Vorrücken des Zuges bedarf unter Hinweis auf das zu Tafel V Ausgeführte der weiteren Erläuterung

---

[1]) Die Bezeichnung der sich ergebenden Teilabschnitte ist im vorliegenden Falle durch fortlaufende Anhängebuchstaben (G b und G c bei Haltestelle X, G f, G g, G h bei Haltestelle Y) erfolgt, während für die Teilabschnitte früher gleiche Anhängebuchstaben gewählt und diesen zur Unterscheidung Zahlen beigefügt wurden.

nicht. Sobald der Zug den Teilgleisabschnitt G b geräumt hat, nimmt das Einfahrsignal S b, und sobald er mit der letzten
Achse den Ausfahrtrennstoß überschritten
hat, auch das Nachrücksignal S c mit der
Fahrsperre F c samt dem Vorsignal V s bc
die Fahrstellung wieder ein.

Zug II ist im Zustande der Ausfahrt
aus dem Teilgleisabschnitt G h der Haltestelle Y dargestellt. Das Ausfahrsignal
befindet sich in der Haltstellung, da der
Zug den Ausfahrtrennstoß schon überschritten hat. Da sich auch noch Zugachsen im Teilabschnitt G h befinden, so
verharren das Nachrücksignal S h mit der
Fahrsperre F h und das Vorsignal V s fgh
noch in der Haltstellung. Sobald die letzte
Zugachse den Teilabschnitt G h verläßt,
nehmen Signal S h mit Fahrsperre F h und
das Vorsignal V s fgh wieder die Stellung
Fahrt frei ein. Bei weiterem Vorrücken
hat der Fahrer des Zuges II die Stellung
des Signals S k zu beachten, vor dem er
seinen Zug zum Stillstand zu bringen hat,
falls Zug III die Haltestelle Z nicht rechtzeitig geräumt haben sollte.

Weitere Ausführungen zur Tafel VI
erscheinen mit Rücksicht auf die ihr beigefügten Erläuterungen entbehrlich.

## Bauweise einzelner Teile der Strecken-sicherung.

Im folgenden sind die auf der freien
Strecke verwendeten Signalapparate im ein-
zelnen betrachtet. Zur Erleichterung des
Verständnisses ist ihre Arbeitsweise vor-
weg durch Schaltskizzen erläutert, die nach
Formen und Bezeichnungen mit den auf den
Tafeln IV und V mitgeteilten Schaltplänen
übereinstimmen.

Wir wissen, daß die für die Signalanlage verwendeten Ströme aus dem in
einer Hauptspeiseleitung geführten Wechselstrom von 500 Volt Spannung und 60 Perioden durch Transformatoren entnommen
werden. Die hohe Hauptspannung gestattet, mit kleinerem Kabelquerschnitt aus-
zukommen und den Spannungsabfall gering
zu halten. Die den Signalzwecken dienenden Ströme haben niedrige Spannungen, so
daß sie die an den Apparaten hantierenden
Arbeiter nicht gefährden können. Wie
früher mitgeteilt, arbeiten die Gleisströme
mit einer Spannung von 6 Volt, die Signalströme mit 110 Volt; dazu tritt in Tunnel-
abschnitten infolge des eigenartigen Spiels
der Signalströme noch eine Spannung von
16 Volt für die Rotlampen-Stromkreise.

### 1. Der Transformator.

In Abbildung 82 ist die Schaltweise
der in Abb. 2 der Tafel IV angegebenen
Transformatoren mit den von ihnen gespeisten Stromkreisen nochmals übersicht-
lich zusammengefaßt und mit denselben
Bezeichnungen versehen wie auf Tafel IV.

Von der Signalhauptleitung sind
über die Sicherungen S und $S_1$ die aus
zahlreichen dünnen Windungen bestehenden Hauptwicklungen des Transformators
abgezweigt, in denen die Hauptspannung von
500 Volt herrscht. Die Niederspannungs-
wicklungen liefern mit wenigen starken
Windungen den Wechselstrom von 6 Volt
zur Speisung der Gleisstromkreise 1—1
Aus weiterer Wicklungen wird der
Wechselstrom von 110 Volt für die Signalstromkreise 2—0 und die Überwachungsstromkreise 3—0 der Signale und Fahrsperren, ferner für die Feldstromkreise
3 a—0 der Signalrelais und endlich für die
Selbstschlußströme 4—0 der Linienrelais
entnommen. Ein Abschnitt der letztgenannten Wicklung ergibt den zur Speisung der
Rotlampen erforderlichen Wechselstrom von
16 Volt im Kreise 2a—0 (zu vgl. S. 64 u. f.).

Ist der vom Transformator gespeiste
Gleisabschnitt von Zugachsen besetzt, so ist
die Gleisstromwicklung kurz geschlossen.
Da im Gleisstromkreis schon bei unbesetztem Gleisabschnitt eine Stromstärke von
etwa 10 Amp. herrscht, würde im Falle
dieses Kurzschlusses die Stromstärke derart anwachsen, daß eine schädliche Überlastung des Transformators eintreten und
dessen Zerstörung zur Folge haben
könnte[1]). Um derartige Wirkungen zu
verhindern, sind Einrichtungen getroffen,
die dem Anschwellen des Gleisstromes in
besetzten Gleisabschnitten kräftig entgegenwirken. Diesem Zweck dienen die in den
Gleisstromkreis eingeschalteten Widerstände W (Abb. 82), die dem Strom bei
unbesetztem Gleisabschnitt einen nur geringen Widerstand entgegensetzen, der sich
aber bei besetztem Abschnitt infolge des
durch den Kurzschluß herbeigeführten stärkeren Stromdurchganges kräftig erhöht.
Die Widerstände sind von gleicher Art wie
die, deren Wirkungsweise bereits auf S. 64
bei der Erläuterung der Lichtsignale kurz
beschrieben worden ist. Im vorliegenden
Falle bestehen sie aus einem Stoff von
hohem positivem Temperaturkoeffizienten,
d. h. einem Stoff, der seinen Widerstand bei

---

[1]) Zu vgl. auch S. 8, Spalte 2 oben.

erhöhtem Stromdurchgang infolge steigen-
der Erwärmung stark erhöht[2]). Eisendraht
Eisendrahtspiralen, auf deren möglichst
gleichmäßigen Einbau in der Glasröhre

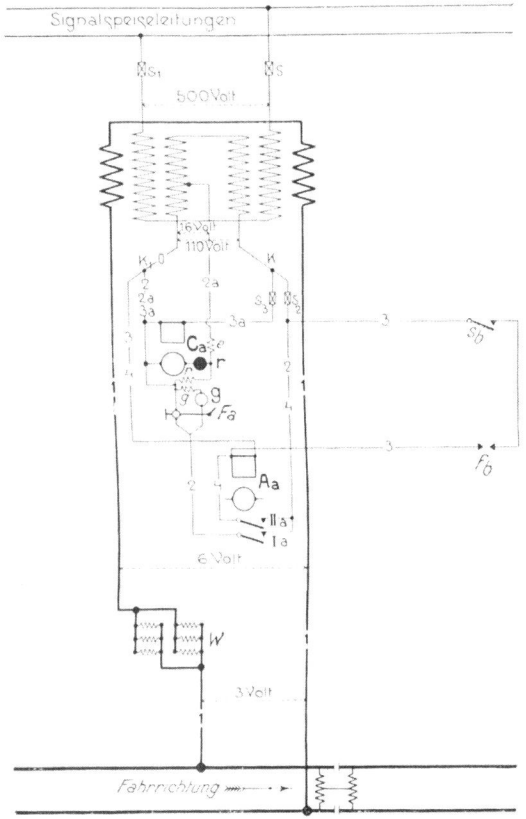

Abb. 82. Schaltung der Gleis- und Signalstrom-Transformatoren
(zu vergl. Tafel IV, Abb. 2).

Bezeichnungen:

1—1: Gleisstromkreis (6 bezw. 8 Volt).
2—0: Signalstromkreis (110 Volt).
2a—0: desgl. (16 „ ).
3—0: Überwachungsstromkreis für Signal und Fahrsperre (110 Volt).
3a—0: Feldstromkreis des Signalrelais (110 Volt).
4—0: Selbstschlußstromkreis des Linienrelais (110 Volt).

eignet sich für den vorliegenden Zweck in
hervorragendem Maße, da das Eisen einen
hohen positiven Temperaturkoeffizienten
besitzt.

Die Widerstände sind zusammengesetzt aus einer größeren Anzahl nebeneinander geschalteter Elemente aus kohlen-
stoffarmem Eisen, die in mit Wasserstoff-
gas gefüllten Glasröhrchen untergebracht
sind. Wie Abb. 83 erkennen läßt, besitzt jedes Element zwei nebeneinander geschaltete

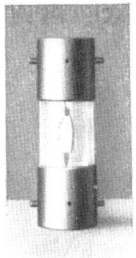

Abb. 83. Element des Eisendrahtwiderstandes im
Gleisstromkreise.

sorgfältig geachtet werden muß. Bei
ungenügendem Abstand der Spiralen von-

---

[2]) Zu vgl. das Deutsche Reichspatent Nr. 271008 der
Klasse 20 i. Leiter von negativem Temperaturkoeffizienten
sind solche, deren Widerstand mit der Erwärmung abnimmt (Kohle, Elektrolyte).

einander würde eine starke gegenseitige Beheizung und bei ungleichen Abständen von den Wandungen der Glasröhre eine ungleichmäßige Abkühlung der Windungsteile erfolgen. Die Spiralen würden in diesem Fall ungleichmäßig erglühen und rungen, der untere von den Widerständen eingenommen wird. Der Kasten wird mit einem Einschiebedeckel von oben verschlossen, der durch ein Vorhängeschloß gesichert wird.

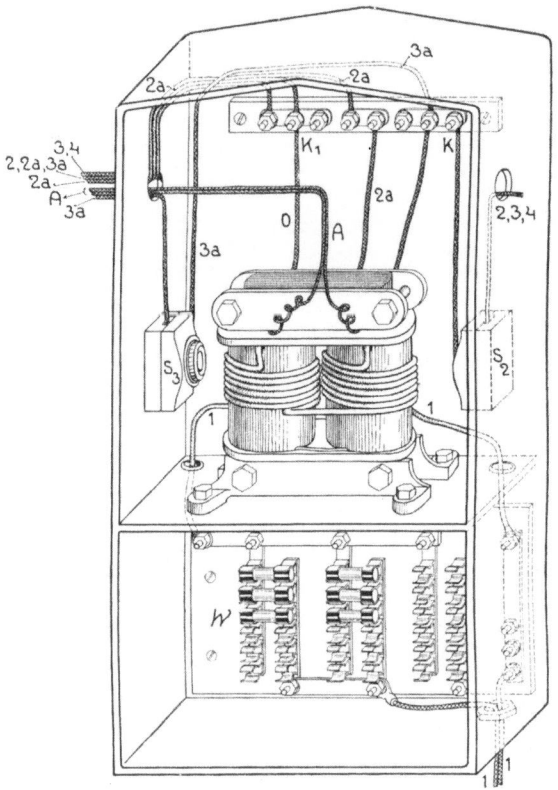

Abb. 84. Gleis- und Signalstrom-Transformator mit dem Eisendrahtwiderstande im Gleisstromkreise.

diesem Fall ungleichmäßig erglühen und die stärker belastete leicht durchbrennen können. Wenn dabei auch eine Unterbrechung in der Stromleitung nicht einträte, würden doch Unregelmäßigkeiten in der Arbeitsweise des Relais zu erwarten sein. Bei sorgfältiger Ausführung können derartige nachteilige Folgen vermieden werden.

Die Gesamtanordnung des Transformators mit seinen Zubehörteilen ist in Abb. 84 dargestellt. Die Bedeutung der einzelnen Anschlüsse und Leitungsführungen ist an der Hand der Abb. 82 leicht zu verfolgen, da auch hier gleichartige Teile die gleichen Bezeichnungen tragen. Die Apparatteile sind in einem zweigeschossigen Gußgehäuse untergebracht, dessen oberer Teil von dem Transformator mit den Siche-

## 2. Der Drosselstoß mit dem Schienentrennstoß.

Von dem auf S. 61 in den Grundzügen bereits kurz erläuterten Drosselstoß ist in Abb. 85 die eine der beiden Spulen deutlicher veranschaulicht. Jede der Spulen enthält acht übereinander gelagerte, mit kräftigem Eisenkern versehene Windungen aus Stabkupfer, deren Ohmscher Widerstand so gering bemessen ist, daß er auf den Bahnrückstrom ohne Einfluß ist. Die Enden und die Mitte K 3 einer Spule münden in drei nebeneinander befindlichen Kabelschuhen K 1, K 2 und K 4, von denen K 1 und K 2 durch Kupferseile an die Schienen, K 4 an die Mitte der gegenüberliegenden Spule angeschlossen sind. Die Kabelschuhe werden außerdem zum Anschluß der Gleisstromzuleitungen benutzt, so daß besondere Anschlüsse dieser Leitungen an die Fahrschienen entbehrt werden können, und zwar wird auf der einen Seite des Trennstoßes über K 1 und K 2 die Verbindung mit dem Transformator des einen Gleisabschnitts, auf der anderen der Anschluß an das Linien-

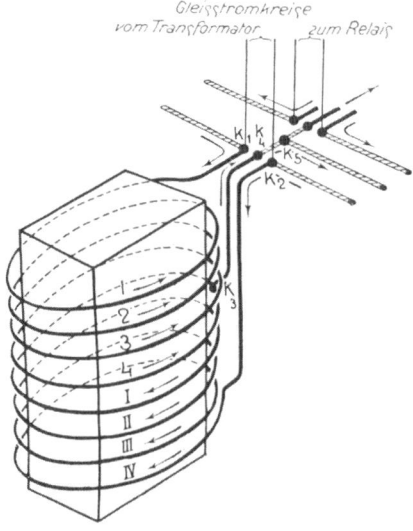

Abb. 85. Stromverlauf in einer Drosselspule.

Gleisstrom innerhalb der Drosselspule ein magnetisches Wechselfeld erzeugt wird, das seinerseits in den Windungen eine elektromotorische Gegenkraft hervorruft, die dem Wechselstrom kräftig entgegenarbeitet. Dieser hohe induktive oder scheinbare Widerstand hat zur Folge, daß die Drosselspulen unter normalen Verhältnissen nur einen sehr geringen Bruchteil des Gleisstroms hindurchlassen, so daß dieser für die praktischen Zwecke als gesperrt angesehen werden kann. Bei unbesetztem Gleisabschnitt wird von den Widerständen W in Abb. 82 etwa die Hälfte der Gleisstromspannung aufgezehrt. Da diese, wie wir wissen, 6 Volt beträgt, so herrscht an den Windungsenden einer Drosselspule unter normalen Verhältnissen eine Wechselstromspannung von 3 Volt und bei dieser Spannung werden nur etwa 4 bis 5 Amp. Wechselstrom durch die Windungen hindurchgelassen (obere Figur der Abb. 86).

Die Fahrschienen eines Gleisabschnitts setzen dem Gleisstrom nur geringen Widerstand entgegen. Sind die Widerstände der beiden Fahrschienenstränge einander gleich, so verteilt sich der Bahnrückstrom auch gleichmäßig auf die beiden Hälften einer Spule. Wird also beispielsweise gemäß der oberen Figur in Abb. 86 jeder der beiden

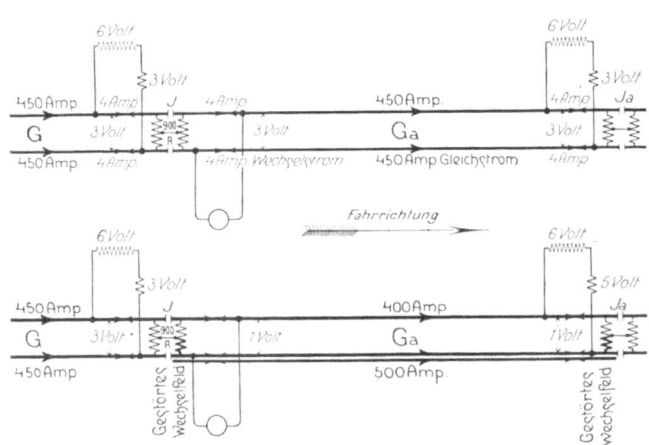

Abb. 86. Wechselfeldstörung in einem Drosselstoß infolge ungleichen Widerstandes der Fahrschienenstränge.

relais des Nachbarabschnitts hergestellt. Verstärkungsleitungen für den Bahnstrom dürfen, wie schon früher ausgeführt, nur an die Verbindungsleitung der Drosselspulen bei K 5 angeschlossen werden.

Die frühere allgemeinere Beschreibung des Drosselstoßes zeigt, daß durch den

Fahrschienenstränge eines Gleisabschnitts G von einem Strom von 450 Amp. durchflossen, so vereinigen sich diese beiden Ströme in der Verbindungsleitung der beiden Drosselspulen am Schienenstoß J zu einem Gesamtstrom von 900 Amp., der sich im Nachbarabschnitt Ga wieder gleichmäßig auf die Fahrschienen verteilt. In den beiden Hälften jeder Spule werden durch den Bahnrückstrom magnetische Felder hervorgerufen, deren Kraftlinien einander entgegengesetzt gerichtet sind. Bei wesentlich gleicher Belastung der Fahrschienenstränge sind diese magnetischen Felder von nahezu gleicher Stärke; sie heben daher einander auf und der Eisenkern bleibt unmagnetisch. Führungschienen jedoch und andere Mittel, die den Widerstand des einen Fahrschienenstranges herabmindern, haben eine ungleiche Verteilung des Bahnstromes zur Folge. Diese wird noch gesteigert durch die bei Verdichtungen des Zugverkehrs erfolgende stärkere Stromzuführung, die vielfach stoßartig in die Erscheinung tritt.

Ungleiche Belastungen in den Windungshälften einer Spule beeinträchtigen aber die Wirkungsweise des Gleisstroms. Beläuft sich beispielsweise, wie in der unteren Figur der Abb. 86 angenommen, die Stromstärke in dem mit einer Führungschiene versehenen Fahrschienenstrang eines Gleisabschnitts G a auf 500 Amp., in dem anderen Strange auf 400 Amp., so werden durch die Mehrbelastung der in der Abbildung stark ausgezogenen Windungshälften in deren Eisenkernen magnetische Felder von bestimmter Polarität hervorgerufen, deren Stärke dem Überschuß von $4 \times 100$ Amperewindungen entspricht. Jede Halbwelle des Wechselstroms, die bestrebt ist, ein Feld von gleicher Polarität zu erzeugen, wird daher in den Windungen nur einen sehr geringen Widerstand finden. Dadurch wird die Gleisstromstärke und infolgedessen auch die Erwärmung des Eisendrahtwiderstandes im Gleisstromkreise eine Steigerung erfahren, die zur Folge hat, daß der Widerstand und damit auch der Spannungsabfall im Eisendrahtwiderstande zunimmt. Während die Erhöhung des Spannungsabfalls im Widerstande beim Befahren des Gleisabschnitts den Zwecken des Signalbetriebes bewußt angepaßt ist, ist die Verstärkung des Gleisstroms und die dadurch herbeigeführte Erhöhung des Spannungsabfalles im Eisendrahtwiderstande, die die Folge ungleicher Verteilung des Bahnrückstroms und der daraus sich ergebenden Impedanzstörungen ist, bei unbesetztem Gleisabschnitt höchst unerwünscht. Würde etwa, wie es vorkommen kann, der Teil der Transformatorspannung, der bei unbesetztem Gleis von

den Eisendrahtwiderständen aufgenommen wird, infolge ungleicher Verteilung des Bahnrückstroms von 3 auf 5 Volt gesteigert, so würde zwischen den Fahrschienen nur noch der unzureichende Spannungsbetrag von 1 Volt zur Wirkung gelangen können. Die Folge wäre, daß die Freigabe des betreffenden Gleisabschnittes nach der Ausfahrt des Zuges in Frage gestellt und der Betrieb, wenn auch nicht gefährdet, so doch in zeitraubender Weise gestört werden könnte.

Ungleichmäßige Verteilung des Bahnstromes muß also tunlichst vermieden werden. Ihre Wirkung in den Drosselstößen kann dadurch abgeschwächt werden, daß die Eisenkerne möglichst groß gemacht und ferner mit Luftspalten oder Trennungsflächen versehen werden, die den Kraftlinien einen hohen Widerstand entgegensetzen. Auf diese Weise wird die Stärke des durch ungleiche Bahnstrombelastungen hervorgerufenen Poles und seine schädliche Einwirkung auf das Wechselfeld verringert. Es hat sich ergeben, daß bei Anwendung dieser Mittel einseitige Mehrbelastungen des Drosselstoßes bis zu 100 Amp. die ordnungsmäßige Arbeitsweise der Signalanlage nicht beeinträchtigen. Die geschilderten Störungsquellen können natürlich von Grund auf beseitigt werden, indem die Widerstandsverhältnisse der beiden Fahrschienenstränge eines Gleisabschnitts in wesentliche Übereinstimmung gebracht werden.

Bei der Aufstellung von Schaltplänen für eine Signalanlage ist darauf zu achten, daß Überbrückungen der Trennstöße durch Gleisstromleitungen vermieden werden. Dies gilt insbesondere bei Nachrücksignalen, wo es aus Ersparnisgründen erwünscht sein kann, zwei oder mehrere Teilgleisabschnitte — etwa G b und G c sowie G f, G g, G h auf Tafel VI — von einem gemeinschaftlichen Transformator unter Spannung zu setzen. In diesem Falle wäre es fehlerhaft, die Gleisabschnitte gemäß der oberen Figur in Abb. 87 an die gemeinsame Sekundärwicklung eines Transformators anzuschließen, da dann die in der Abbildung verstärkt ausgezogene Verbindungsleitung in der durch Pfeile angedeuteten Weise als Entlastungsleitung für den Bahnstrom wirken würde. Die Folge wäre, daß die mit stärkerem Strich gekennzeichneten Windungshälften der Drosselspulen stärker mit Bahnstrom belastet würden als ihre beiden anderen Hälften. Durch diese ungleiche Belastung wird das Wechselfeld in der schon beschriebenen Weise gestört und die Gleisstromspannung auf den ungenügenden Betrag von etwa 1 Volt herabgedrückt. Die Wirkungsweise des Gleisstroms in einem gestörten Gleisabschnitt, beispielsweise G a, kann jedoch nur dann beeinträchtigt werden, wenn dieser Gleisabschnitt u n b e s e t z t ist. Bei b e s e t z t e m Gleisabschnitt, wie in der oberen Figur der Abb. 87 angedeutet, ist die Ungleichheit der Belastung ohne nachteilige Folgen, da zwischen den Schienensträngen die Spannung Null herrscht und der dem Transformator vorgeschaltete Eisendrahtwiderstand ungefähr die ganze Spannung des Transformators von 6 Volt

Windungshälfte einer Spule normalerweise bis zu 900 Amp. Belastung aufnimmt. Dementsprechend beträgt der Windungsquerschnitt 360 qmm bei einem Widerstand von 0,002324 Ohm. Die Windungen sind in einen Mantelkern gelegt, der sehr reichliche Abmessungen erhalten hat, um die durch ungleiche Strombelastungen hervorgerufene Vormagnetisierung zu erschweren. Dazu tritt die Wirkung eines Trennungsspaltes, der durch Zerlegung des Mantels in zwei Teile, einen Unterteil a mit den zur Aufnahme der Kupferwindungen dienenden Schlitzen b und den Deckel c, entsteht. Beide Teile sind in üblicher Weise zur Unterdrückung der Wirbelströme aus papierbeklebten Blechen weichen Eisens zusam

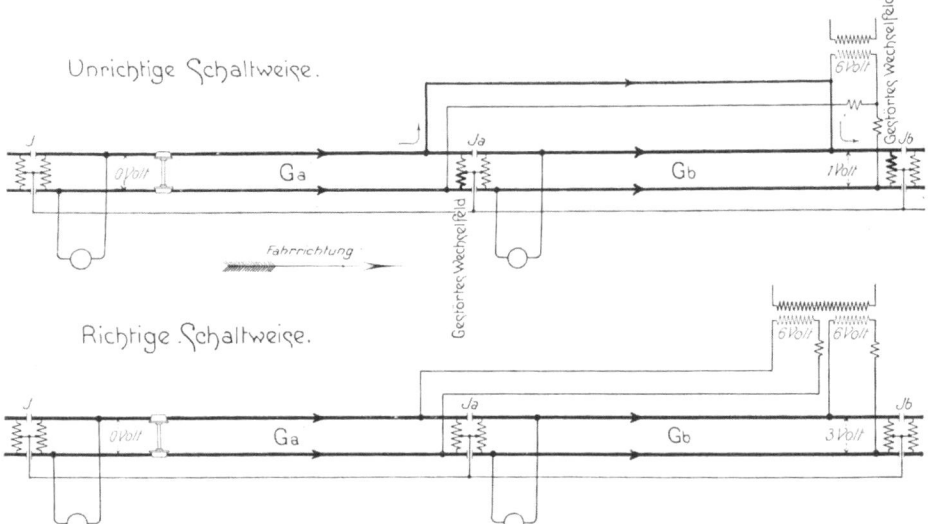

Abb. 87. Wechselfeldstörung in einem Drosselstoß infolge unrichtiger Gleisstromschaltung.

aufzehrt; nur ein kleiner Teil der Spannung wird von der Leitung selbst aufgenommen.

Die geschilderten Belastungsstörungen in den Drosselspulen der zu speisenden Gleisabschnitte werden dadurch beseitigt, daß die Sekundärwicklungen der Transformatoren nach der u n t e r e n Figur der Abb. 87 voneinander getrennt werden. Derartige Teilung der Nebenwicklungen hat sich im Betriebe der Hochbahn bewährt.

Der Aufbau der bei der Hochbahn angewendeten Drosselspulen ist in Abb. 88 gezeigt. Ihre Windungen, die sich in ölgefüllten gußeisernen Töpfen unter dichtem Verschluß befinden, sind für eine Gesamtstromstärke von 1800 Amp. gebaut, so daß jede

mengesetzt, die zwischen Kopfplatten d d festgenietet sind. Die beiden mittleren Windungen 4 und I sind im Übergang von einer Windung zur anderen zu einer aus dem Gußgehäuse heraustretenden Schleife ausgezogen, so daß an die Stelle des Punktes K 3 in Abb. 85 der Punkt K 4 tritt. Im Kasten selbst sind die Kupferwindungen durch in Fiberbuchsen geführte Bolzen e e mit Fiberzwischenlagen f f sowie durch Fiberstreifen g g, h h und i i voneinander und von dem Mantelkern, in dem sie gelagert sind, elektrisch getrennt und in ihrer Lage festgelegt. Der Kernkörper mit den Windungen ist auf Stuhlflächen 11 gelagert, auf die er durch Deckelschrauben fest niedergepreßt ist. Ein hölzernes Sattelstück legt sich zwi

schen die Gefäßwand einerseits und die Ein-
und Austrittsenden und die Mittelschleife der
Windungen anderseits, die den Gußeisen-

Topfes zu vermeiden, ist diese durch eine
mit Bleiweiß getränkte Ringwulst o abgedichtet, deren Auflagefläche mit Graphit-

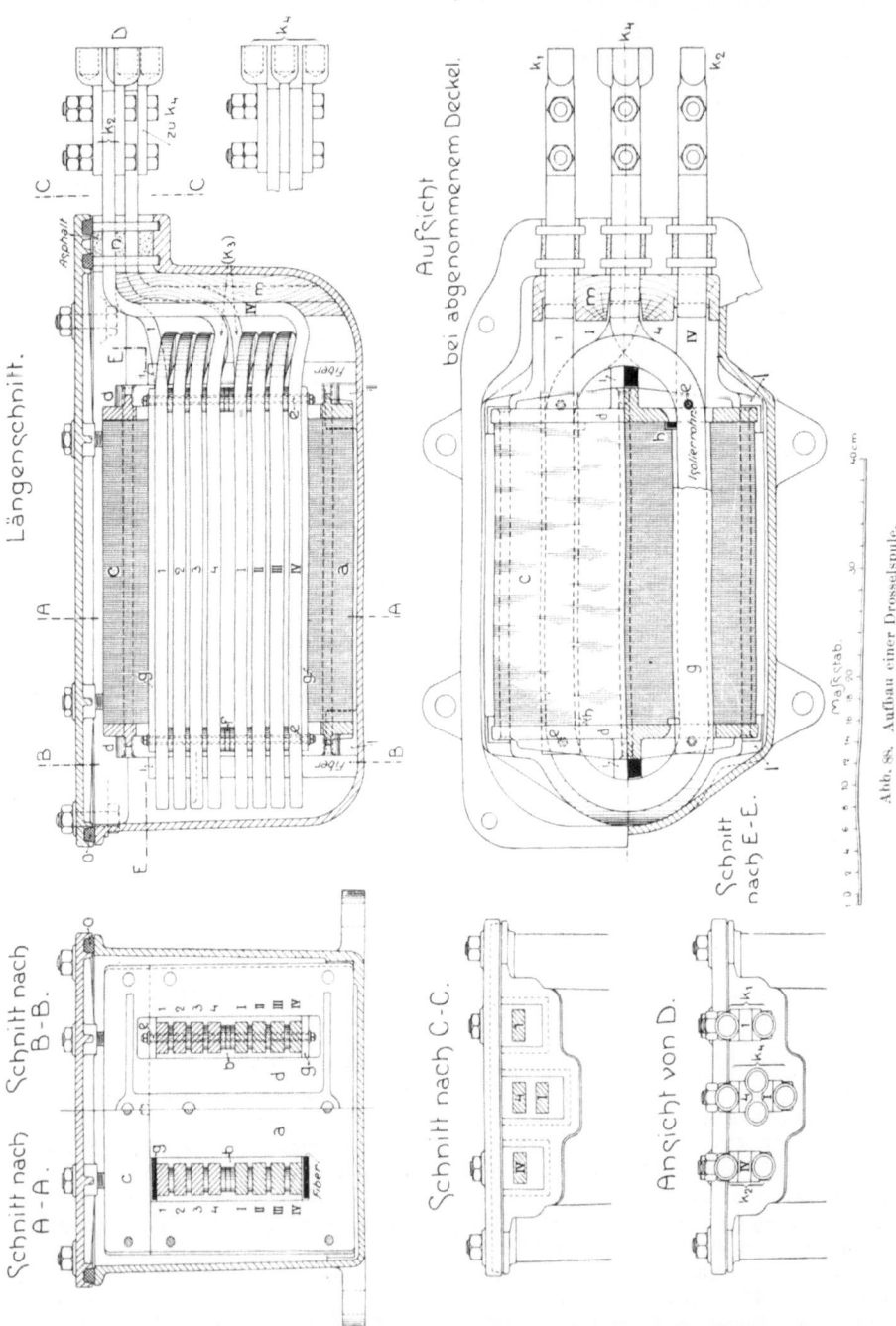

Abb. 88. Aufbau einer Drosselspule.

topf durch sorgfältig mit Asphaltguß ge-
dichteteStopfbüchsen n verlassen. Um auch
jede Undichtigkeit in der Deckelfuge des

farbe gestrichen ist. Das Gußgefäß wird
auf zwei durchhängenden eisernen Gurt-
bändern festgeschraubt, die auf benach-

barten Bahnschwellen befestigt werden. Die Drosselspulen werden mit einer langgestreckten Eisenblechkappe abgedeckt, die zweckmäßigerweise auf zwei mit An- und Auslauf versehenen Hochkantbohlen be-

Seite zeigt zwei Anschlüsse für ein A-Relais, die andere vier Anschlüsse für einen Transformator und ein B-Relais.

Abb. 91 zeigt den auf einer Doppelschwelle gelagerten Trennstoß einer mit

Abb. 89. Drosselstoß innerhalb eines Gleises der Berliner Untergrundbahn
(Rechts und links die Schienentrennstöße.)

Fahrschiene
Leitschiene

Abb. 90. Entlastungskabel. Seilverbindungen eines Drosselstoßes.

festigt wird; zu vergl. Abb. 89. In Abb. 90 ist der Anschluß einer Entlastungsleitung erläutert. Die Abbildung zeigt ferner den Anschluß der Gleisstromleitungen, deren Enden mit Ösen zwischen Verschraubungen der Kabelschuhe geklemmt sind. Die eine

innerer Leitschiene versehenen Fahrschiene, deren Unterlagsplatten zur Aufnahme beider Schienenstränge stuhlartig ausgebildet sind. Die Fahrschienen der Hochbahn haben überwiegend versetzte Stege (Wechselstege); die gewöhnlichen Schienenstöße

7

sind verblattet. In den Trennstößen dagegen setzen sich die Fahrschienen stumpf gegeneinander, so daß eine Vereinigung

lichst zusammengelegt werden, die dann als Stumpfstöße ausgebildet werden müssen. Jedenfalls sollen die Trenn-

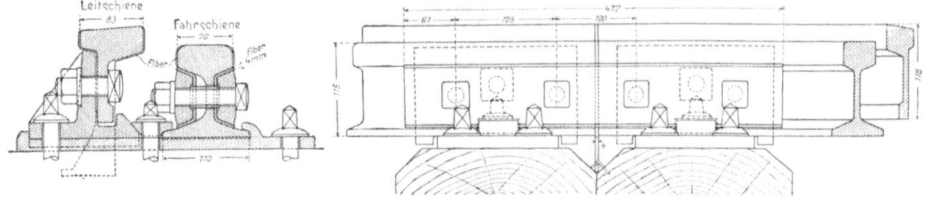

Abb. 91. Fahr- und Leitschienen-Trennstoß auf einer Doppelschwelle.

beider Stoßarten nur in der Form des Stumpfstoßes durchgeführt werden kann. Fahr- und Leitschienenstoß sind mit 4 mm

stöße nicht weniger als 3 m von den gewöhnlichen Schienenstößen entfernt angeordnet werden.

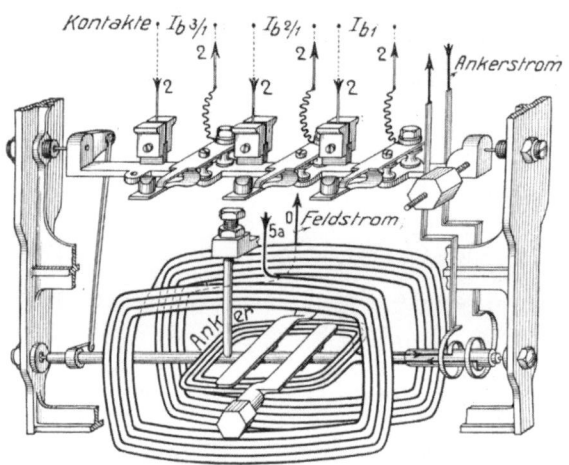

Abb. 92. Stromverlauf im Relais Ab₁ für das Einfahrsignal und die beiden Nachrücksignale in Abb. 1 der Tafel V.
(Untätiger Zustand des Relais.)

starken Vulkanfiberplatten durchschossen, die den Stromübergang zwischen den Kopfflächen der Schienen verhindern; die in die Leitschiene eingeschobene Fiberplatte wird mit einer fußartigen Fortsetzung in der Trennungsfuge der Schwellen durch einen kleinen Haken festgehalten. Stromübergang durch die Laschen ist dadurch unmöglich gemacht, daß die Laschenbolzen durch Buchsen, die Laschen selbst durch Blindlaschen aus Vulkanfiber gegen den Schienenkörper elektrisch abgedichtet sind. Die Befestigungsteile sind sorgfältig bearbeitet, damit sich die Fiberteile fest an sie anschließen können. Um die Schienen nicht unnötig zerschneiden zu müssen, gilt als Regel, daß die Trennstöße mit den gewöhnlichen Schienenstößen mög-

### 3. Das Wechselstrom-Relais.

Die in den Abbildungen 92 bis 94 dargestellte Ausführungsform des Relais entspricht dem in Abb. 1 der Tafel V durch den Buchstaben Ab₁ bezeichneten Linienrelais, das mit drei Kontakten ausgerüstet ist; für einen vierten Kontakt ist noch eine Leerstelle vorgesehen.

Die Ankerspule ist aus wenigen stärkeren Drähten zu einem flach gelagerten Rahmen gewickelt, der innerhalb der aus zahlreichen dünnen Drähten aufrecht gewickelten Feldspule — Stromkreis 5 a—0 der Tafel V — um eine wagerechte Achse schwingt. Die Feldspule setzt sich aus zwei hintereinander geschalteten Teilen zusammen, in deren Zwischenraum die Drehachse der Ankerspule sowie die Befestigungsmittel untergebracht sind, mit denen die beiden Spulen an dem Deckel des Relaisgehäuses aufgehängt sind. Für die Drehbewegung wird der Anker durch aufgelegte Gewichtskörper im Gleichgewicht erhalten; durch ein Kurbelgestänge — links in den Abbildungen — überträgt sich seine Bewegung auf eine Schwinge, die oberhalb der Feldspule mit der Ankerwelle gleichlaufend gelagert ist und die Kontaktschlüsse vermittelt.

Der Anker wird in der Ruhelage durch ein mit der Schwinge verbundenes Stellgewicht niedergehalten, das in den Abbildungen rechts zu erkennen ist. Werden Anker- und Feldstromkreis geschlossen, so entstehen innerhalb der Wicklungen Kraftlinienfelder, die einander, ähnlich wie bei einem Galvanometer, gleich zu richten suchen und dadurch unter Anheben des Stellgewichts eine Drehung der Ankerspule und

Abb. 93. Ansicht des Relais Ab₁ in Abb. 1 der Tafel V im untätigen Zustande (zu vgl. Abb. 92). (Der rechtsseitige vordere Ständer ist abgenommen, um das Innere des Relais deutlicher zu zeigen.)

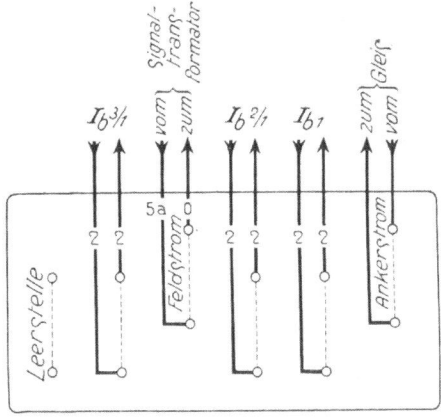

Abb. 94. Anschlußklemmen des in den Abb. 92 und 93 gezeigten Relais.

damit auch der Kontaktschwinge hervorrufen. Während der Drehung des Ankers, die durch einen Anschlagstift begrenzt wird, legen sich die auf der Schwinge befestigten Kontaktfedern gegen die Kontaktstücke, die am Relaisdeckel angebracht sind. Das Stellgewicht dreht die Ankerspule wieder in die Ruhelage zurück, wenn der Anker oder die Feldspule oder beide zugleich stromlos werden. Die Kontakte selbst sind aus Kohle gefertigt, da Metallteile durch die Abreißfunken einer Verschmelzung ausgesetzt sind und aneinander haften bleiben könnten. Bei der Rückkehr in die Ruhelage ist also die notwendige Unterbrechung der Relaiskontakte mit Sicherheit gewährleistet.

Besonderer Wert ist darauf gelegt, daß die Federn beim Kontaktanschlag zu sanftem Anliegen kommen, da ein Zurückprallen und allmähliches Ausschwingen des Ankers Unterbrechungsschwingungen im Stromlauf zur Folge hätte, die die Signalgebung störend beeinflussen würden. Durch die entstehenden Funkenbildungen würde außerdem eine vorzeitige Abnutzung der Kontakte herbeigeführt. Um diesen Übelstand zu vermeiden, ist die Richtkraft des Ankers so bemessen, daß sie die Federkraft ständig übersteigt.

Damit die sämtlichen Kontakte zu gleicher Zeit zum Schluß gelangen, ist ihre Stellung durch Gegenfedern von oben festgelegt, von denen sich die Kontaktfedern beim Übergang in die Arbeitsstellung abheben. Beim Übergang in die Ruhelage werden die Kontaktfedern von den Gegenfedern wieder aufgenommen.

Der Ankerstrom wird dem Relais durch federartig gebogene Kupferstreifen zugeführt, die um die Ankerwelle gegenläufig gewunden sind, damit die Widerstandskräfte, die sie der Wellendrehung entgegensetzen, sich ausgleichen.

Die wirksamen Teile des Relais sind eisenfrei, so daß magnetische Einwirkungen auf das Relais nicht stattfinden können.

Die Relais werden in eisernen Gehäusen untergebracht, die unter Sicherheitsverschluß gelegt sind. Auf Viadukten und an sonstigen Stellen, die stärkeren Erschütterungen ausgesetzt sind, werden die Relais auf Gummibälle gestellt.

Linien- und Signalrelais zeigen im Aufbau keinen Unterschied. Abb. 95 veranschaulicht eine Relaisgruppe und einen Transformator im Tunnel. Wie an der Hand der Abbildungen 3 und 4 der Tafel IV leicht zu ersehen, enthält das obere Gehäuse das

Linienrelais A b eines Gleisabschnitts G b, das darunter befindliche das Relais B a des zurückliegenden Gleisabschnitts G a; der Transformator ist die Quelle des Gleisstromes und der Signalströme für den in der Mitte gespeisten Gleisabschnitt G a. Die Apparate sind an einem gemeinsamen eisernen Gestell festgeschraubt, das mit Laschen an einer Tunnelstütze befestigt ist. Die Gehäuse sind mit Einschiebdeckeln versehen, die nach oben herausgezogen werden können. Um die Deckel der unteren Apparate vor den darüber befindlichen Gehäusen frei ein- und ausheben zu können, werden die oberen Gehäuse, wie in Abb. 95 angedeutet, gegen die unteren etwas zurückgesetzt. In Abb. 96 ist gezeigt, wie die Apparate an Brückenteilen der Hochbahn befestigt worden sind.

### 4. Das Flügelsignal.

Auf offener Strecke werden die Hauptsignale durch Flügel, die Vorsignale durch runde Scheiben gegeben. Bei der selbsttätigen Signalanlage tritt zu diesen Signalmitteln noch die Fahrsperre hinzu, die bei der Hochbahn als stabförmiger eiserner Arm ausgebildet ist, der in der Haltstellung den auf dem Dache des vordersten Hochbahnwagens befindlichen Bremsauslöser betätigt, in der Stellung Fahrt frei dagegen aus dem Lichtraumprofil der Wagen heraustritt und den Zug ungehindert durchfahren läßt.

Die Antriebe haben die folgenden Bedingungen zu erfüllen:

1. Die Motoren sollen Signal und Fahrsperre durch Zugwirkung an einem kurzen Gegenarm dieser Sicherungsmittel oder auch durch Anhub des Armes selbst in die Fahrstellung bringen.

2. Alsdann soll der Strom der Motoren abgestellt und der Signal- und Fahrsperrenarm durch andere Mittel in der Fahrstellung festgehalten werden.

3. Bei der Einfahrt eines Zuges in einen Gleisabschnitt soll das zu diesem Abschnitt gehörende Deckungssignal nebst Fahrsperre sofort selbsttätig in die Haltstellung zurückgeführt werden.

4. Es soll dafür gesorgt sein, daß in der Haltstellung befindliche Signale und Fahrsperren nicht von unbefugter Hand — etwa durch Angriff am Gestänge — in die Fahrstellung gehoben oder gezogen werden können,

Es empfiehlt sich, die Arbeitsvorgänge zunächst am Beispiel der aus Abb. 1 der Tafel IV hergeleiteten erweiterten Schaltskizze Abb. 97 kurz zu besprechen. Die

Abb. 95. Befestigungsweise der Linienrelais und Transformatoren an einer Tunnelstütze.

Betrachtung bezieht sich auf die einem Gleisabschnitt Ga zugeordneten Deckungsmittel. Hauptsignal Sa, Fahrsperre Fa und Vorsignal Vsa — letzteres der Übersichtlichkeit halber wieder in Flügelform dargestellt — bedürfen zu ihrer Bewegung je besonderer Antriebe. Die Motoren des Hauptsignal- und Fahrsperrenantriebes sind nebeneinander geschaltet und arbeiten in völliger Übereinstimmung. Am Beispiel des Signalantriebs erläutert, ist der Antrieb wie folgt eingerichtet. Der vom Signalstrom-

transformator zugeführte Strom von 110 Volt Spannung gelangt zunächst über den Relaiskontakt I a zur Klemme k, weiter über den Steuerkontakt u, mit dem der Motor M zum An- und Ablauf selbsttätig ein- und ausgeschaltet wird, zum letzteren, sodann zur Klemme $k_1$ und kehrt alsdann zum Transformator zurück. Die Klemmen k und $k_1$ sind noch durch eine Nebenschlußleitung verbunden, in die außer einem Regulierwiderstand w der „Kuppelmagnet" km eingeschaltet ist, dessen Aufgabe darin beruht, das Signalgestänge an den Motor

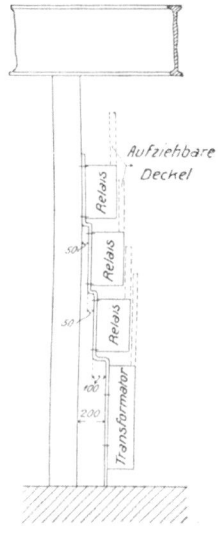

Zu Abb. 95.

anzukuppeln. Es ist ein Elektromagnet mit einem in das Signalgestänge eingreifenden Anker, der von dem Elektromagneten angezogen sein muß, ehe der Motor in der Lage ist, das Signal in die Fahrstellung zu bringen. In Abb. 97 ist die Tätigkeit des Kuppelmagneten schematisch in der Weise angedeutet, daß der Elektromagnet durch Anziehen des Ankers zunächst ein knieartiges Gelenkstück im Signalgestänge zu strecken hätte, bevor dieses der Bewegung des Motors folgen kann. Das Signalgestänge ist in der Abbildung so dargestellt, daß sein Gewicht den Haltfall des Signalflügels unterstützt, beim Übergang in die Stellung Fahrt frei also mit angehoben werden muß.

Wie aus den Schaltzeichnungen (Abb. 1 der Tafel IV und Textabbildung 97) zu ersehen, gehören zur Ausrüstung eines Flügelsignales und seiner Fahrsperre noch die mit den Buchstaben sa und fa bezeichneten Kontakte im Überwachungsstromkreise 3—0. Bei freier Strecke sind die Kontakte unterbrochen, bei besetzter Strecke geschlossen. Wo Vorsignale angeordnet sind, ist das Hauptsignal noch mit einem Kontakt va ausgerüstet, der den Vorsignalstromkreis 6—0 in dem Augenblick schließt, in dem der Signalflügel in die Stellung Fahrt frei gelangt.

Die Skizze Abb. 97 stellt die Deckungsmittel eines Gleisabschnitts in der Grundstellung, d. h. bei unbesetztem Zustande des gedeutet durch punktierte Kniehebelstellung in Abb. 97 —, fällt der Signalflügel durch sein Eigengewicht in die Haltlage zurück. Dabei schließt sich der Steuerkontakt u. Wenn der Zug den Gleisabschnitt verläßt, schließt das Relais den Kontakt Ia, so daß über den in der Haltlage geschlossenen Steuerkontakt u wiederum Strom zum Motor und zum Kuppelmagneten gelangen kann. Der Motor setzt sich in Bewegung und bringt durch Vermittlung des Kuppelmagneten das Signalgestänge in starre Verbindung mit dem Antrieb und das Signal geht in die Stellung Fahrt frei. Ist diese er-

Abb. 96. Befestigungsweise der Relais und Transformatoren an Brückenträgern.

Gleisabschnitts, dar. Der Steuerkontakt u ist geöffnet, der Motor also stromlos. Der Kuppelmagnet steht unter Strom; der Anker ist von dem Kern festgehalten und dadurch das Signalgestänge mit dem Antrieb verbunden. Sobald ein Zug in den Gleisabschnitt einfährt, wird der Gleisstrom kurz geschlossen, und das Streckenrelais öffnet den Kontakt Ia. Dem Kuppelmagneten km wird dadurch der Strom entzogen. Der Anker fällt infolge der Gewichtswirkung des Signalflügels von dem Magnetkern ab. Die als Kniehebelgelenk angedeutete Kuppelung zwischen Signalflügel und Antrieb wird aufgehoben und indem das Gestänge zusammenknickt — an-

reicht, so unterbricht der Motor sofort wieder den Steuerkontakt u und stellt sich dadurch selbsttätig ab; der Flügel wird von dem Augenblick an nur noch durch den Kuppelmagneten gehalten. Beim Eintritt des nächsten Zuges wiederholt sich das gleiche Spiel.

Bei der Hochbahngesellschaft sind zwei verschiedene Arten des Antriebes in Anwendung, die von den Firmen Siemens & Halske und Westinghouse geliefert sind.

Die Ausführungsformen der beiden Antriebarten unterscheiden sich, obwohl ihre Arbeitsweise nach der Skizze 97 im ganzen übereinstimmt, doch im einzelnen nicht unwesentlich.

## 5. Antrieb der Bauart Siemens & Halske.

Die Bauweise der von der Firma Siemens & Halske gelieferten Wechselstromantriebe ist in den Abb. 98—103 gezeigt; diese lassen erkennen, wie sich übereinstimmend mit der Skizze Abb 97 der Signalstrom 2—0 von der Klemme k aus über den Unterbrecher u und den Motor M einerseits, den Widerstand w und den Kuppelmagneten km anderseits verzweigt und an der Klemme $k_l$ wieder vereinigt. Der Motor treibt durch ein Zahnradvorgelege und ein Schneckenrad eine Reibungsscheibe, die die Triebscheibe a mit-

zeitweilig festgehalten wird. Tritt letzteres ein, so wird der Gelenkpunkt V vorübergehend — d. h. so lange der Anker festgehalten wird — ebenfalls zum Festpunkt. Die Triebstange b wirkt unmittelbar auf das Stangenglied f, das ihr zum Anheben eine schulterartige Rast VI darbietet, in die einsetzend die Triebstange b das Gelenkstangensystem d—i anhebt und durch Übertragung der Hubbewegung auf den Gegenarm $i_l$ das Signal zieht. Die Stange f ist ausgebogen, um bei ihren Bewegungen nicht mit anderen Teilen in Berührung zu kommen.

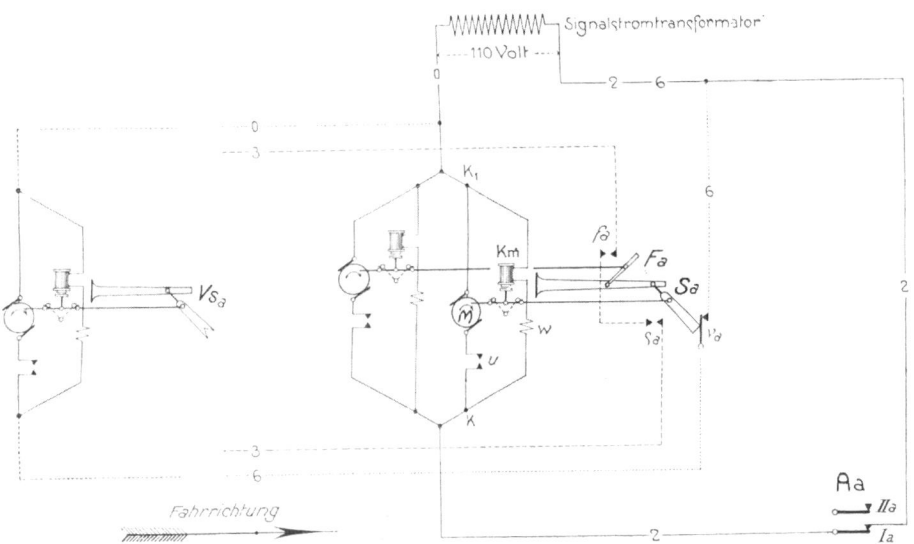

Abb. 97. Schaltung für ein Flügelsignal mit Fahrsperre und Vorsignal (zu vgl. auch Abb. 1 auf Tafel IV).

2—0: Signalstrom.
3—0: Überwachungsstromkreis für die Haltanzeige des Signals und der Fahrsperre.
6—0: Vorsignalstromkreis.
I a u. II a: Kontakte des Linienrelais A a.

nimmt, durch deren Drehung die Triebstange b gehoben und das Signal auf Fahrt gestellt wird; die um einen Festpunkt I drehbare Kurbelstange c sorgt für ordnungsmäßige Führung des Triebendes von b. Letzteres setzt sich unter ein Gelenkstangensystem d e f g h i, das zwischen den Festpunkten II und IV schwingende Bewegungen ausführt, die jedoch dadurch zwangläufig bestimmt sind, daß das Stangenglied g mit seiner — durch Doppelstrich dargestellten — Verlängerung $g_l$ um einen Festpunkt III schwingen muß, und ferner dadurch, daß ein an dem Glied e befestigter Anker von dem Kuppelmagneten km

Der Gegenarm des Gestänges $g\,g_1$ dient dazu, einen um den Festpunkt VII drehbaren Umschalt-Winkelhebel zu betätigen. Der Kontaktarm des Hebels wird von einer Schleife $g_2$, die an den Gegenarm des Gestänges $g\,g_1$ angeschlossen ist, mittels eines Stangengliedes gegen die in dem Signalstromkreis 2—0 liegenden Kontakte u gehoben, und zwar unter Überwindung der Kraft einer Schraubenfeder. Schleife und Feder haben den Zweck, die Bewegung des Kontaktarmes auch noch dem Zwange eines Daumens zu unterstellen, der den zweiten Arm des Winkelhebels bildet. Wenn dieser auf dem Rande der

Scheibe a schleift, sind die Kontakte u geschlossen. Solange dies der Fall ist, ist für die Stange g g₁ vermöge des Spielraumes in ihrem schleifenförmigen Ansatz g₂ eine gewisse Bewegungsfreiheit vorhanden. Ein Randeinschnitt der Scheibe a aber, in den der Daumen des Winkelhebels einfällt, bewirkt bei gehobener Lage der Stange g g₁ durch die Schraubenfeder das Öffnen der Kontakte u. Der Schalter legt sich dann — falls ein Vorsignal vorhanden ist — gegen die Kontakte v a des Vorsignalstromkreises, der in den Abbildungen (entsprechend der Abb. 1 auf Tafel IV) mit den Zahlen 6—6 bezeichnet ist.

Abb. 98 zeigt den Antrieb in seiner G r u n d s t e l l u n g — Signal S a auf Fahrt frei. In dieser Stellung hat der Gleisstrom das Linienrelais zum Anzug gebracht. Dieses hat seine Kontakte geschlossen und damit über die Klemmen k und k₁ dem Kuppelmagneten km Strom zugeführt. Dieser hält seinen Anker und damit die Stange e fest, macht Punkt V zum Festpunkt und „kuppelt" auf diese Weise den Signalflügel, der von der Triebstange b in gezogener Stellung erhalten wird. Das Schneckenrad, mit dem die Triebscheibe gedreht wird, verhindert den Rücklauf der Scheibe unter dem Gewicht des Signalflügels. Zudem befindet sich die Triebstange nahe der oberen Totpunktlage, in der das Signalflügelgewicht nur ein geringfügiges Drehmoment ausübt. Der Motor M ist jetzt durch den Steuerschalter u vermöge Federzuges von der Stromzuführungsleitung abgeschaltet; der Daumen liegt in der Nut der Scheibe a.

Bei E i n t r i t t e i n e s Z u g e s i n d e n S t r e c k e n a b s c h n i t t wird der Gleisstrom durch die Zugachsen kurz geschlossen; das Linienrelais öffnet seine Kontakte und unterbricht dadurch den Kuppelstrom. Die Spule wird stromlos, und der Anker wird stromlos. Dadurch wird das Gelenk V zum Freipunkt. Der Signalflügel fällt vermöge seines Eigengewichtes in die Haltlage, indem er das Gelenkstangensystem d e f g h i i₁ in die in Abb. 99 dargestellte Lage bringt, in der das Stangenglied f über das obere Ende der Triebstange b hinweggerutscht ist. In dem Augenblick, in dem die in Abb. 99 dargestellte Lage erreicht ist, wird durch die am Gegenarm von g g₁ befindliche Schleife der Steuerschalter entgegen dem Zuge der Feder an die Kontakte u gelegt und dadurch der Motor an die Stromzuführungsleitung 2—0 geschaltet. Bis zu diesem Augenblick waren die Kontakte

Va geschlossen, befand sich also das Vorsignal in Freistellung. Der Daumen hat die Randnut der Scheibe a verlassen.

Sobald die letzte Zugachse den Gleisabschnitt verlassen hat, schließt das Linienrelais aufs neue seine Kontakte, und der Stromkreis 2—0 erhält wieder Strom. Dem Motor M wird über den Steuerschalter u — Abb. 100 — Strom zugeführt. Er läuft an und bewegt die Scheibe in der Richtung des Pfeiles. Die

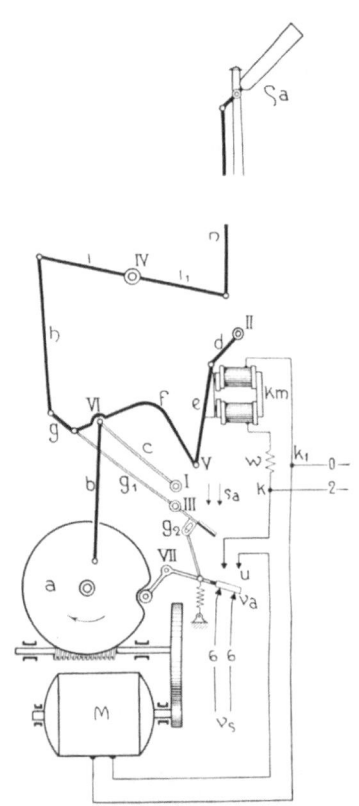

Abb. 98. Siemens & Halske-Antrieb in der Grundstellung (Fahrt frei).

Triebstange senkt sich, und die drei Gestängeglieder d e f folgen. Das Glied e legt sich mit dem Anker wieder gegen den Kuppelmagneten. Da dieser gleichzeitig mit dem Motor Strom erhalten hat, hält er den Anker elektromagnetisch fest, und das untere Gelenk des Gliedes e macht wieder V zum Festpunkt. Der Motor hat sich nunmehr so weit bewegt, daß die Triebstange b ihre Tieflage erreicht hat, die in Abb. 100 dargestellt ist. In dieser Lage ruht das obere Triebstangenende wieder in der Rast der Stange f. Bei weiterer Drehung hebt sich die Triebstange b wieder und nimmt das Gestänge f g h i i₁ um den Festpunkt V mit in die Höhe und zieht auf diese Weise das Signal. Der Schalter u wird dabei von der Gabel des Hebelarms g g₁ freigegeben, bleibt aber nichtsdestoweniger geschlossen, da der auf dem Rand der Scheibe a schleifende Daumen ein Öffnen des Schalters nicht

die Kraft des Kuppelmagneten km gehalten (Abb. 98).

Nach dem Angeführten ist die in den Abbildungen 101 und 102 dargestellte Ausführungsform verständlich, die den Antrieb bei Grund- und Haltstellung des Signals zeigen. Die Triebscheibe a sitzt als Bremsscheibe auf einem Schneckenrade, das durch das Vorgelege vom Motor angetrieben wird. Die Drehpunkte I und III in den Abbildungen 98 bis 100 sind auf eine gemeinschaftliche Achse

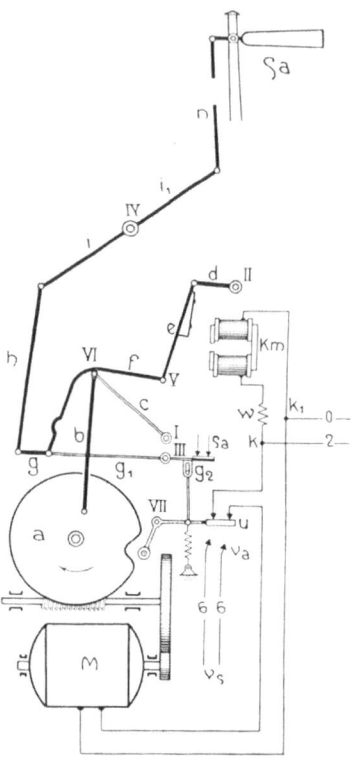

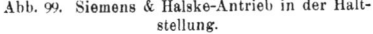

Abb. 99. Siemens & Halske-Antrieb in der Haltstellung.

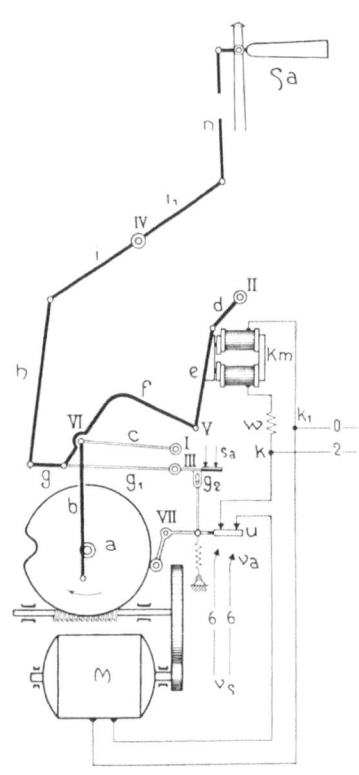

Abb. 100. Siemens & Halske-Antrieb in Bereitschaft zum Übergang in die Grundstellung (Fahrt frei).

zuläßt. Sobald aber die Triebstange wieder die obere Totpunktstellung erreicht hat, ist die im Scheibenrand befindliche Nut dem Daumen gegenüber angelangt, so daß nunmehr der Schalter unter Federzug abfällt und an die Vorsignalleitung gelegt wird. Sobald also der Signalflügel die Stellung Fahrt frei erreicht hat, wird der Strom vom Motor abgeschaltet, und der Flügel wird nunmehr nur noch durch

gelegt, unter der sich noch eine Blindachse befindet, die in Benutzung kommt, wenn dem Antrieb noch die Einrichtungen für einen zweiten Signalflügel beigefügt werden sollen. Diesem Zweck entsprechend ist auch das obere Gelenk der Triebstange ausgebildet. Der Schalter hat Walzenform. Der aus geteiltem Eisen hergestellte Kern des Kuppelmagneten ist an dem Gliede e des Gestängesystems (Abb. 98 bis 100) befestigt und wird bei der Bewegung dieses Gliedes in die Spule des Kuppelmagneten ein- oder ausgeführt; er ist daher als Tauchkern zu bezeichnen. Der Tauchkern wird zeitweilig von dem auf dem Grunde der Kuppelspulen befindlichen festen Anker festgehalten.

in die Stellung Fahrt frei zu bringen. Dies ist in ebenso einfacher wie sinnreicher Weise dadurch erreicht, daß das Gelenk der Gestängeglieder i und h, wie in Abb. 103 angedeutet, als Schlitzführung ausgebildet ist. Wird das Signal durch den Antrieb in der durch den Pfeil p₁ ange-

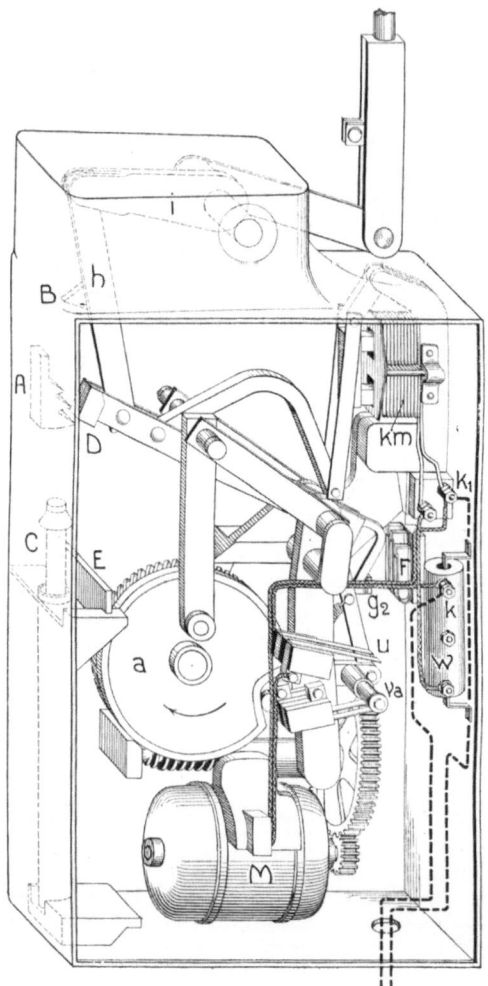

Abb. 101. Siemens & Halske-Antrieb in der Grundstellung (Fahrt frei).

Einer Erläuterung bedarf noch die in Abb. 101 durch die Buchstaben A und B bezeichnete Zahnsperre. Der Antrieb ist so gebaut, daß der Zahn B an den Fangzähnen A bei ordnungmäßigem Betriebe vorbeigleitet, sich aber sofort in ihnen fängt, wenn von unberufener Hand versucht werden sollte, ein in der Haltstellung befindliches Signal durch Zug am Gestänge

deuteten Weise gehoben, so nimmt das Glied h den Hebelarm i mit; i folgt aber der Bewegung erst, wenn sich der Drehzapfen des Teiles h in dem Schrägschlitz des Teiles i vorgeschoben hat. Dabei bewegt sich die Stange h infolge der Schlitzlage so weit nach rechts, daß der Zahn B aus dem Bereiche der Zähne A herausgeführt wird. Wird aber unbefugterweise in der Richtung des Pfeiles p am Signalgestänge gezogen, so vermag die Stange h erst zu folgen, wenn sich ihr oberer Drehzapfen am unteren Ende des Schrägschlitzes im Teil i befindet. Dann aber befindet sich die Stange h im Bereich des Zahnangriffs.

v a, in dem Antrieb selbst untergebracht und werden im Gleichschritt mit den Gestängebewegungen geöffnet und geschlossen. Die Abbildungen 98 bis 102 zeigen, wie in einem Signalantrieb der Signalflügelkontakt sa vom Gegenarm $g_2$ der Stange $gg_1$ gesteuert wird. Das Kon-

Abb. 102. Siemens & Halske-Antrieb in der Haltstellung.

Weiter ist zu den Abbildungen 101 und 102 noch zu bemerken, daß C eine Ölbremse darstellt, deren Kolben beim Haltfall des Signals die Bewegung durch Abfangen des Ansatzes D dämpft, der letzten Endes auf der Rast E zur Ruhe kommt.

Die in Abb. 97 angegebenen Signalflügel- und Fahrsperren - Kontakte sa und fa sind, wie auch der Vorsignalkontakt

taktstück bei $g_2$ arbeitet gegen J-förmig gebogene Federn F, die dadurch in leitende Verbindung gebracht werden.

## 6. Antrieb der Bauart Westinghouse.

Die Bewegungen des zu einem Gleisabschnitt gehörenden Signalflügels Sa — Abb. 97 — werden von einer um die Achse I drehbaren Stellscheibe s (Abb.

104 bis 108) regiert, die mit einem — in den Abb. 104 bis 106 als Teil der Stellscheibe behandelten — Kurbelarm am Signalgestänge angreift. Um das Signal zu ziehen, muß die Scheibe aus der in Abb. 106 gezeigten Haltlage um den Winkel $\alpha$ links herum bewegt und in der Endlage (Abb. 104) festgehalten werden. Zur Überführung des Signals in die Haltstellung hat die Freigabe der Scheibe zu erfolgen, so daß sie durch das Eigengewicht des Signalflügels um den Winkel $\alpha$ zurückgedreht wird. Antrieb und Freigabe werden der Stellscheibe s vermittelt durch das Zusammenwirken einer vom Motor M mittels mehrfachen Vorgeleges drehbaren Mitnehmer- oder Triebscheibe t, die sich hinter der Stellscheibe lose auf der Achse I befindet, sowie eines auf der Stellscheibe angebrachten Sperrwerkes a, b, c, d, e, f, das vom Kuppelmagneten km festgehalten oder losgelassen wird.

der Strom entzogen, so wird das Sperrwerk kraftlos und läßt die Klinke f von dem Mitnehmerstift, der vorher die Stellscheibe in die gezogene Stellung überführte, abgleiten, so daß die Stellscheibe freigegeben wird zur Rückwärtsdrehung, die dann durch das Eigengewicht des Signalflügels selbsttätig erfolgt. Kuppelmagnet und Sperrwerk sind hiernach gebunden, die Hin- und Herbewegungen der Stellscheibe mitzumachen.

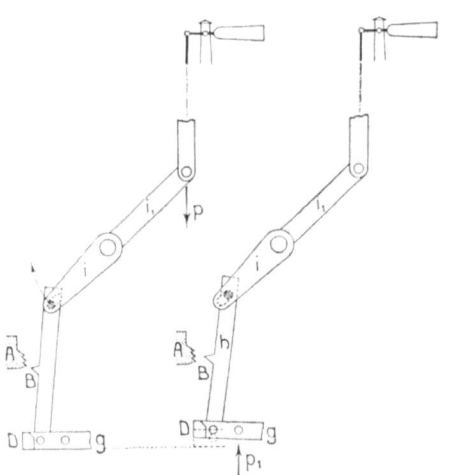

Abb. 103. Zahnsperre in einem Siemens & Halske-Antriebe.

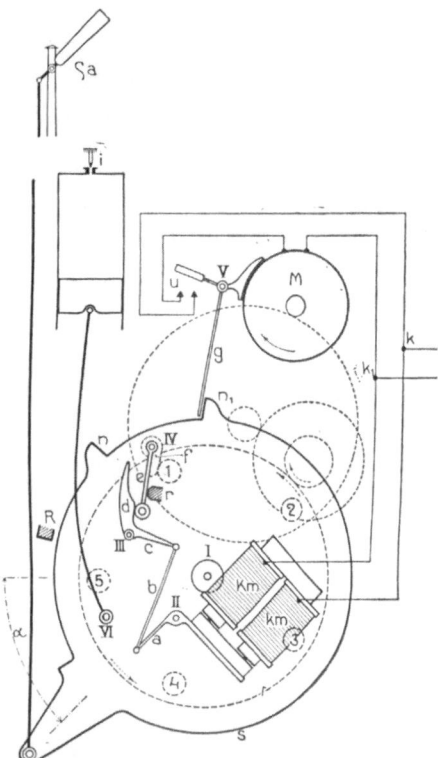

Abb. 104. Westinghouse-Antrieb in Grundstellung (Fahrt frei).

Die Mitnahme der Stellscheibe bei der Überführung des Signals aus der Haltstellung in die gezogene erfolgt dadurch, daß sich einer der Stifte 1 bis 5, mit denen die Triebscheibe an der der Stellscheibe zugewendeten Seite besetzt ist, gegen eine an der Rückseite der Stellscheibe hervortretende Klinke f legt, die einen Teil des Sperrwerkes bildet, und daß der Stift alsdann diese Klinke mitnimmt. Dies setzt voraus, daß der Kuppelmagnet unter Strom steht. Wird dem Kuppelmagneten

Das Sperrwerk besteht aus einer Gestängeverbindung a b c, die ihre Bewegung von dem um den Punkt II drehbaren Anker des Kuppelmagneten erhält und auf eine um den Punkt III drehbare Schwinge d überträgt, mit welcher der um den Punkt IV drehbare Pendelarm e freigegeben oder gegen eine Rast r festgelegt werden kann. Die auf der Rückseite der Scheibe s befindliche Klinke f ist ein Bestandteil des Pendelarmes e, dessen Bewegungen sie also zwangläufig mitmacht.

Wenn der Kuppelmagnet unter Strom steht und seinen Anker angezogen hat, so ist vermöge der Gestängeverbindung a b c der Pendelarm durch die Schwinge d gegen die Rast r festgeklemmt (Abb. 104 und 106). Bei dieser Sachlage legt sich der Gegenarm f sperrend in den Weg der Stifte 1 bis 5. Ist der Kuppelmagnet stromlos, so hat die Schwinge d freies Spiel und läßt den Arm e frei ausschlagen, so daß auch die Klinke f den Stiften 1 bis

ist beim Westinghouse-Antrieb fortgelassen. Die Umstellung des Steuerschalters erfolgt durch zwei an der Stellscheibe s sitzende Anschläge n und $n_1$; ist der Schalter geöffnet, so hält er vermittelst eines als Gegenarm ausgebildeten Bremsschuhes, der sich an ein mit dem Motor verbundenes Bremsrad anlegt, diesen gegen Rücklauf fest; ist er geschlossen, so kann sich der Motor frei betätigen. Zur Dämpfung der Haltfall-

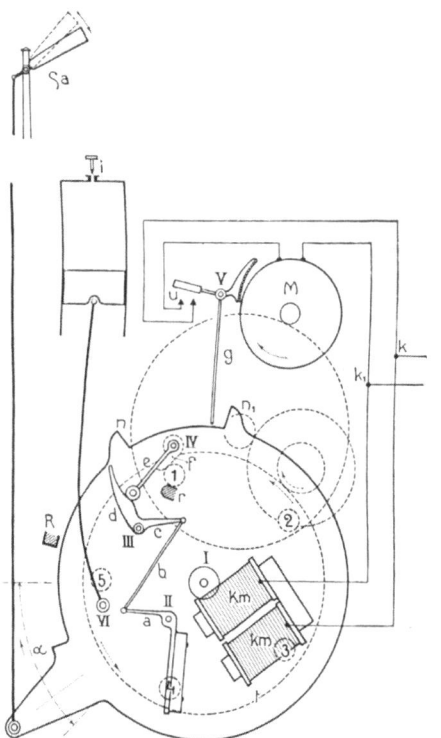

Abb. 105. Westinghouse-Antrieb im Übergang zur Haltstellung.

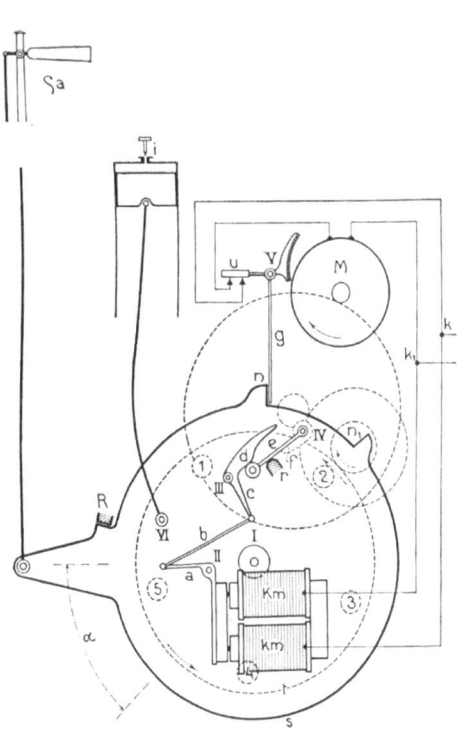

Abb. 106. Westinghouse-Antrieb in der Haltlage (Bereitschaft zum Übergang in die Grundstellung Fahrt frei).

5 keinen Widerstand mehr bietet und frei über sie hinweggleiten kann (Abb. 105).

Den Abbildungen 104 bis 106 ist erläuternd weiter hinzuzufügen, daß die Stromverteilung ebenso erfolgt wie beim Antrieb der Firma Siemens & Halske. Der Signalstrom verzweigt sich wieder zwischen den Klemmen k und $k_1$ über den um den Punkt V drehbaren Steuerschalter u und den Motor M einerseits, den Kuppelmagneten km anderseits. Der in Abb. 97 mit w bezeichnete Widerstand

bewegung des Signals ist an den Festpunkt VI eine Bremseinrichtung angelenkt, bestehend aus einem in einem Luftzylinder bewegten Kolben, der durch eine Öffnung i Luft einzieht oder auspreßt. R ist eine Rast, an der die Scheibe beim Haltfall des Signals schließlich zur Ruhe gelangt.

Es erscheint angezeigt, die Vorgänge nochmals kurz aufeinander folgen zu lassen, die das Signal beim Haltfall und beim Übergang zur Fahrt frei-Stellung durchzumachen hat.

In der Grundstellung auf Fahrt frei nehmen die Teile des Antriebs die in Abb. 104 gezeigte Lage ein. Der Kuppelmagnet steht unter Strom und hält seinen Anker fest; der Stift 1 der Triebscheibe t legt sich gegen die Klinke f des durch die Schwinge d in Sperrstellung festgehaltenen Armes e, während der Motor durch den Anschlag $n_1$ abgeschaltet ist. Der Rückgang des Signalflügels in die Haltstellung infolge seines Gewichts wird da-

ab. Der Arm e, der dann an der Schwinge d keinen Widerstand mehr findet, vermag nach oben auszuweichen, so daß die Klinke f über den Stift 1 nach rechts hinwegrutschen kann. Das Gewicht des Signalflügels wirft infolgedessen die Stellscheibe um den Winkel $\alpha$ (Abb. 105) in die in Abb. 106 dargestellte Lage zurück, so daß die Klinke f bis in die Nähe des Stiftes 2 gelangt. Infolge der Scheibendrehung legt sich der Kuppelmagnet wieder lose gegen den Anker, und das Gestänge a b c d wird wieder in die Lage

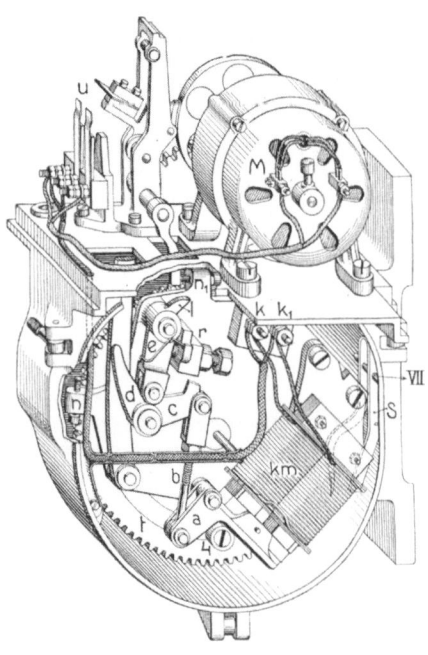

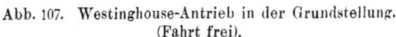

Abb. 107. Westinghouse-Antrieb in der Grundstellung.
(Fahrt frei).

Abb. 108. Westinghouse-Antrieb im Übergang zur Haltstellung
(Signalflügel oder Fahrsperre zum Haltfall freigegeben).

durch verhindert, daß der Anker des Motors durch den mit dem Steuerschalter verbundenen Bremsschuh festgehalten wird; es ist ohne weiteres ersichtlich, daß ein ganz geringfügiger Bremsdruck ausreichend ist, um eine rückläufige Bewegung der dreifachen Zahnradübersetzung, die die Kraft des Motors auf die Triebscheibe t überträgt, zu verhindern.

Wird nun der Kuppelstrom infolge der Einfahrt eines Zuges in den von dem Signal Sa gedeckten Gleisabschnitt Ga durch das Linienrelais unterbrochen, so fällt der Anker des Kuppelmagneten

geführt, in der der Pendelarm e für die nächste Fahrt frei-Stellung des Signals aufs neue wirksam werden soll. Inzwischen hat auch der Ansatz n am Schalthebel wieder gegen die Kontakte gelegt und damit auch den Bremsschuh vom Bremsrad des Motors abgezogen. Die Pufferbremse sorgt dafür, daß das Signal so langsam in die Haltstellung gelangt, daß unnötig scharfes Aufsetzen vermieden wird.

Ist die Strecke vom Zuge geräumt, so erhält der Kuppelmagnet wieder Strom; der Anker wird elektromagnetisch festgehalten, und dadurch wird auch der Arm e wieder zwangsweise festgelegt. Die Triebscheibe t wird sodann vom Motor links herum bewegt; sobald der Stift 2 den Hebelarm f erreicht hat, wird die Scheibe s in gleicher Richtung mitgenommen und dadurch in die Fahrstellung gebracht. Sobald dieser Grundzustand — Abb. 104 — wieder erreicht ist, wird der Schalter u wieder geöffnet und dadurch der Motor abgestellt. Der Signalflügel wird dann nur noch durch den Kuppelmagneten in der Fahrstellung festgehalten.

Zu den Abbildungen 107 und 108, die die Wirklichkeitsform des Antriebes in der Grund- und Haltstellung des Signals zeigen, ist noch folgendes zu bemerken.

Beim Kuppelmagneten ist unmittelbarer Berührung des Ankers mit den Polen durch Messingstifte vorgebeugt, die aus der Ankerfläche hervorstehen; auf diese Weise wird verhindert, daß die Anker an den Polen kleben bleiben können. Der Pendelarm e unterliegt der Kraft einer federnden Drahtspreize, damit sie an der Schwinge d jederzeit anliegt; ihre Endlagen sind einerseits durch die Rast r, anderseits durch einen an dieser Rast Widerstand findenden Ansatz l bestimmt. Die Klinke f ist in den Abbildungen durch die Stellscheibe verdeckt.

Der in den Abbildungen 104 bis 106 mit der Scheibe zu einem Stück vereinigte Stellarm befindet sich in Wirklichkeit

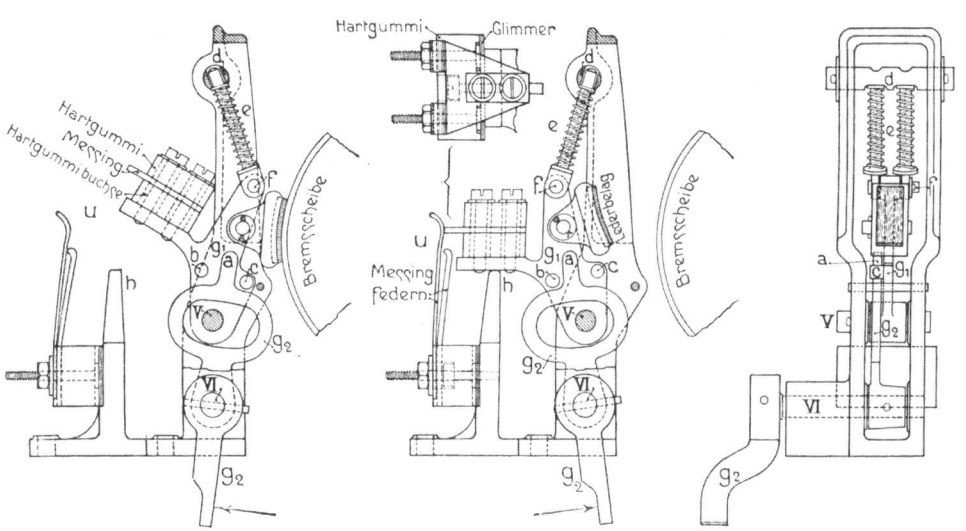

Abb. 109. Schalter des Westinghouse-Antriebes.

Die Klemmen k und $k_1$ zwischen den die den Antrieb betätigenden beiden Stromkreise sich verzweigen, sind mit der Stellscheibe verbunden, so daß die Anschlußleitungen des Stromkreises den Scheibenbewegungen folgen müssen, während sie beim Antrieb der Firma Siemens & Halske außerhalb der beweglichen Teile festgelegt sind. Auch die von den Klemmen k und $k_1$ zum Umschalter führenden Stromleitungen müssen den Bewegungen der Stellscheibe nachgeben. Übelstände sind, wie nunmehr achtjährige Betriebserfahrung gezeigt hat, mit dieser Beweglichkeit nicht verbunden. Der Rand der Stellscheibe selbst ist zur Ersparung von Baustoff soweit wie möglich beschnitten.

als Kurbel auf der Drehachse der Scheibe außerhalb des Antriebgehäuses.

Der zur Umstellung des Schalters dienende Hebel besteht aus mehreren Teilen, die unter dem Einfluß von Schraubenfedern ein beschleunigtes Öffnen des Schalters herbeiführen und dadurch die schädliche Wirkung des Abreißfunkens vermindern. Die in drehbarer Welle d (Abb. 109) geführten Spindeln e sind von gespannten Schraubenfedern umgeben, die bestrebt sind, den Abstand zwischen d und dem Gelenk f zu vergrößern, die also die Bewegungen des um die Welle V sich drehenden Hebels $g_1$ nach den Endstellungen hin beschleunigen. Dieser Hebel, an dem nach der einen Seite der zwischen

Isolierstücken befestigte Schalter bei u sitzt — der sich in geschlossenem Zustande auf eine Rast h legt —, trägt an der anderen Seite den Bremsschuh, der bei geöffnetem Schalter gegen eine auf der Motorwelle sitzende Bremsscheibe gedrückt wird, um den Motor sofort nach dem Abstellen des Stromes zum Stillstand zu bringen und in der schon angegebenen Weise gegen Rückdrehung infolge des Signalflügelgewichts zuverlässig zu sichern. Die Umlegung des Schalters erfolgt durch den um die Welle VI sich drehenden gekröpften Hebel $g_2$ (zu vgl. der Hebel g in Abb. 104 bis 106), der mit einem fingerförmigen Ansatz a den Hebel $g_1$ durch Mitnahme der Zapfen b oder c nach der einen oder anderen Seite umlegt.

Abb. 107 läßt von der Luftbremse, durch die der Haltfall des Signalflügels gedämpft wird, nur einen Teil der Kolbenstange in abgebrochenem Zustande erkennen; in Abb. 108 ist auch der mit einer Anzahl Umfangsnuten versehene Kolben bei abgenommenem Luftzylinder dargestellt. Die Luftbremse hat sich im Hochbahnbetriebe durchaus bewährt.

Die Einrichtung, welche ein unbefugtes Ziehen des Signals durch Angriff am Signalgestänge verhindert, ist in Abb. 107 durch den Buchstaben S bezeichnet. Es ist eine um die Achse VII drehbare Gabel, deren rechtsseitiger Arm durch Sperreingriff in die Zähne des Triebrades t (Abb. 107) jede Bewegung des Signalgestänges durch Außenangriff unmöglich macht, während der linksseitige Arm, der von den Mitnehmerstiften 1 bis 5 des Triebrades nach rechts bewegt wird, beim Ziehen des Signals durch Motorkraft die Sperre vorübergehend ausrückt.

Das Spiel des Vorsignals kann bei dem Westinghouse-Antriebe in ähnlicher Weise hervorgerufen werden, wie bei dem Antriebe der Firma Siemens & Halske. Die in Abb. 97 mit den Bezeichnungen sa und fa versehenen Signalflügel- und Fahrsperrenkontakte werden von den an den Signalmasten hochgeführten Gestängen geöffnet und geschlossen.

Die beschriebenen beiden Wechselstromantriebe unterscheiden sich rein äußerlich durch eine erhebliche Verschiedenheit ihres Größenverhältnisses und ferner durch die äußere Form, die bei dem englischen — richtiger amerikanischen — Antrieb so gedrängt und in den Einzelheiten so materialsparend ausgebildet ist, daß dieser Antrieb im Auslande vielfach unmittelbar auf die Drehachse des Signalflügels gesetzt wird, wie es beispielsweise in Abb. 13 an einem englischen Beispiel dargestellt ist. In diesem Falle werden alle Gestängeübertragungen zum Signalflügel entbehrlich. Hierzulande ist eine derartige Hochlage der Antriebe nicht beliebt, da ihre laufende Unterhaltung und namentlich ihre Behandlung in Störungsfällen mit Unbequemlichkeiten verbunden ist. Während jedoch unter Anwendung der englischen Bauart bei zwei- und dreiflügligen Signalen ein besonderer Antrieb für jeden Signalflügel erforderlich ist, sind die Antriebe der Bauart Siemens & Halske so eingerichtet, daß die sämtlichen Flügel durch einen einzigen Antrieb bedient werden können, der dann, wie auf Seite 99 angegeben, nur der Ergänzung durch einen zweiten und dritten Kuppelmagneten mit dazugehörigen Gestängen — a b c d e f in Abb. 98 bis 100 — bedarf. Durch das verschiedenartige Spiel der Kuppelmagnete wird die jeweilige Anzeige der Signalflügel erzielt.

Im übrigen ist noch zu bemerken, daß die Wechselstromantriebe hinsichtlich ihrer Zuverlässigkeit den Gleichstromantrieben nachstehen. Auch erfordern die Wechselstromkupplungen einen höheren Energieaufwand; die Kuppelmagnete selbst sind verhältnismäßig empfindlich. Die Hochbahngesellschaft dürfte voraussichtlich für die Folge auch innerhalb des selbsttätigen Signalsystems zu Gleichstromantrieben übergehen, wie sie in den von Batterieströmen gespeisten Stellwerkbezirken ohnehin Verwendung finden.

In den Abbildungen 110 und 111 sind Verwendungsformen der beschriebenen Antriebe dargestellt. Die Abbildungen zeigen Flügelsignale mit Fahrsperren, die mit Antrieben der beiden Bauarten gestellt werden.

### 7. Das Wechselstrom-Lichtsignal.

Die in Abb. 112 dargestellte, aus dem bisherigen genugsam bekannte Schaltskizze der Signallaterne dient als Schlüssel für den in den Abb. 115 und 116 gezeigten Aufbau ihrer Teile. Beide Abbildungen zeigen gleichermaßen, wie der von der 110 Volt-Wicklung des Transformators (zu vergl. Tafel IV) über den Relaiskontakt der Vorstrecke mittels der Leitung 2 zugeleitete Grünlichtstrom nach Durchlaufen der beiden nebeneinandergeschalteten Grünlampen über die Klemme k in die in den Abbildungen fein ausgezogenen g-Spulen gelangt und aus diesen über die 0-Leitung zum Transformator zurückfließt. Der 16 Volt-Strom für die r o t e n Lampen (Tafel IV) gelangt über die in den Abbildungen stark ausgezogene Leitung 2 a und die Klemme $k_2$ zum 8 Volt-Widerstande e,

sind die Rot- und Grünlampenleitungen auf Parallelschenkeln eines ringförmigen Eisenkerns gemäß Abb. 115 übereinander gewickelt.

Auch in der Wechselstromlaterne wird der bei der Erörterung des Drosselstoßes zu Abb. 82 beschriebene Eisendrahtwiderstand angewendet. Während jedoch die Elemente in den Gleisstromkreisen nebeneinander geschaltet sind, befinden sie sich in der Signallaterne in Hintereinanderschal-

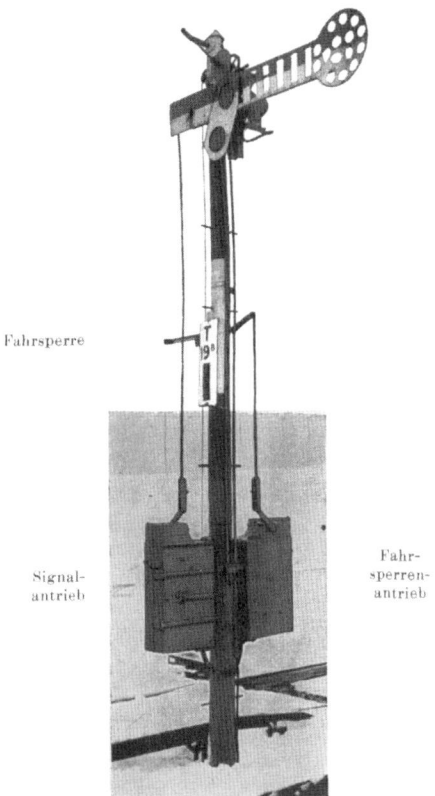

Abb. 110. Flügelsignal und Fahrsperre mit Westinghouse-Antrieben und Hubgestänge (Grundstellung).

Abb. 111. Flügelsignal und Fahrsperre mit Siemens & Halske-Antrieben und Zuggestänge (Haltstellung).

verzweigt sich dann über die Klemme $k_3$ einerseits zur r-Spule und über die 0-Leitung zum Transformator, anderseits in die gleich den Grünlampen nebeneinander geschalteten Rotlampen. Der Rotlampenzweig 2 a führt über den Anker des Signalrelais und wird in der Klemme $k_4$ von der Rückleitung 0 zum Transformator mit aufgenommen.

Die Bauart der Drosselspule ist in Abb. 112 nur angedeutet. In Wirklichkeit

tung. Diese Schaltung mußte gewählt werden, um den für die Unterdrückung des Rotlichtstromes notwendigen hohen Spannungsabfall zu erzielen, der von 8 Volt auf 15 Volt im erwärmten Zustande steigt. Da aber anderseits auch hier eine genügende Strommenge durch den Widerstand hindurch geschickt werden muß, würde bei Anwendung der in Abb. 83 dargestellten Form der Elemente jedes derselben drei nebeneinander geschaltete Spiralen nach Abb. 113 erhalten müssen. Die Form hat den Übelstand, daß die Abstände der Spiralen nicht genügend groß gemacht und nicht so gleichmäßig gestaltet werden können, daß nachteilige gegenseitige Beheizung der Spiralen und ungleichmäßige Abkühlung derselben infolge ungleichen Abstandes von der Glaswand hätten vermieden werden können. Die einzelnen Spiralen werden in-

Vorteil des neuen Widerstandes besteht darin, daß

1. infolge größeren Abstandes der Drähte voneinander eine zu hohe gegenseitige Beheizung nicht mehr stattfinden kann;
2. das gesamte Widerstandsmaterial unter gleichem Gasdruck steht, daher auch eine gleichmäßige Abkühlung erfährt;

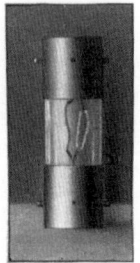

Abb. 113. Element des Eisendraht-Widerstandes in einer Signallaterne.

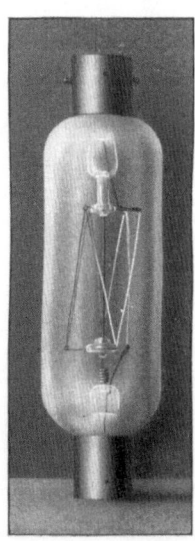

Abb. 114. Eisendraht-Widerstand in einer Signallaterne.

Verzeichnis der Leitungen:
2  : vom Relaiskontakt der Vorstrecke
2a : vom Transformator
$2a_1$: zum Anker des Signalrelais
0  : zum Transformator.

Abb. 112. Stromschaltung für ein Wechselstrom-Lichtsignal mit Fahrsperre.

folge dessen ungleichmäßig überhitzt und brennen leicht durch. Um diesem Übelstande zu begegnen, wurde von der Hochbahngesellschaft die Herstellung eines Widerstandselementes veranlaßt, das für den gleichen Spannungsabfall von 15 Volt und für die gleiche Stromstärke gebaut ist, wie 3 hintereinander geschaltete Widerstände älterer Bauart, die in einer Laterne benötigt würden; Abb. 114. Der

3. die abkühlende Oberfläche des Glaszylinders sehr stark vergrößert ist (7000 qmm gegen 660 qmm bei den älteren Widerständen).

Die in den Abb. 115 und 116 gezeigte Laterne ist noch für beide Arten von Widerständen eingerichtet. Die Federklemmen a bis f, die zur Aufnahme dreier Elemente der in Abb. 113 gezeigten Bauart (a—b, c—d, e—f) verwendet wurden, deren Hintereinanderschaltung durch geeignete Metallstücke dienen, die durch einen entsprechend bemessenen Widerstand e zu der erforderlichen Leistung ergänzt werden.

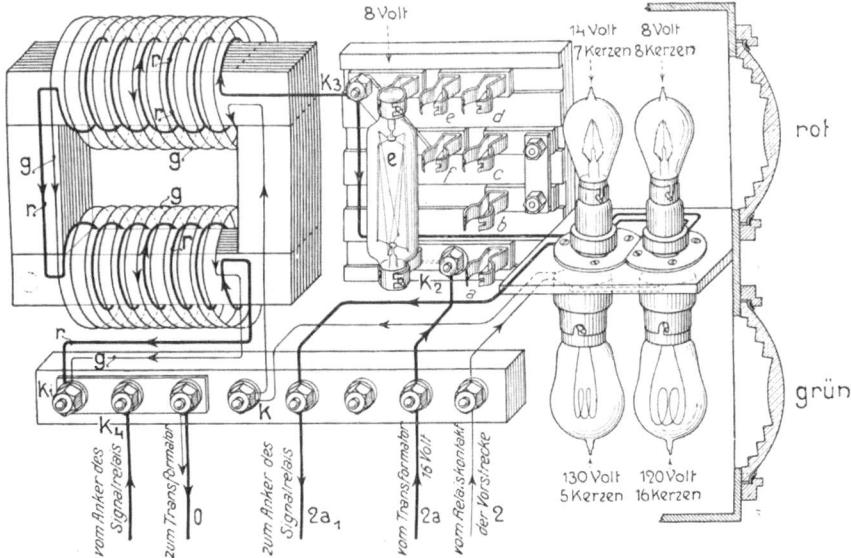

Abb. 115. Stromverlauf in einer Signallaterne.

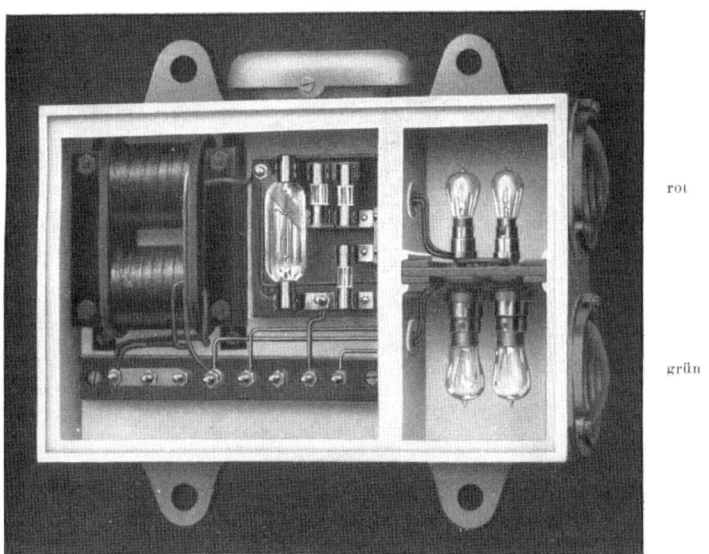

Abb. 116. Signallaterne.

und über die in der Abbildung gezeigte Schrägbrücke zur Klemme K₃ erfolgt, können nunmehr zur Aufnahme von Ausgleichelementen mit 1 oder 2 Spiralen Die Abb. 117 und 118 zeigen die Anordnung einer Fahrsperre bei Betrieb mit Lichtsignalen; in Abb. 117 ist ein Antrieb der Bauart Westinghouse, in Abb. 118

ein solcher der Bauart Siemens & Halske verwendet. Abb. 119 zeigt eine zu einem Lichtsignal gehörende Fahrsperre mit Antrieb Siemens & Halskescher Bauart.

### 8. Das Bahnsteigsignal.

Außer den Vorsignalen werden auf der Hoch- und Untergrundbahn Wiederholungssignale auf den Bahnsteigen verwendet,

Ein derartiges Signal besteht nach Abb. 120 aus einer in etwa 2½ m Höhe über dem Bahnsteige befindlichen Laterne. Je nachdem die Laterne in der Nähe des Bahnsteigendes oder in der Bahnsteigmitte angebracht ist, schickt sie ihr Licht nur nach einer Seite oder nach beiden Seiten in der Längsrichtung des Bahnsteiges. Im übrigen zeigen diese Laternen nur die F a h r - s t e l l u n g des Ausfahrsignals durch

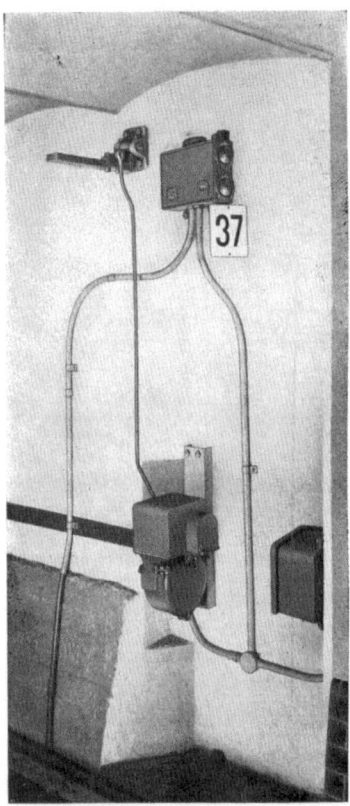

Abb. 117. Lichtsignal, Fahrsperre mit Westinghouse-
Antrieb und Relais an einer Tunnelwand.

Abb. 118. Fahrsperre mit Siemens & Halske-Antrieb und
Relais an einer Tunnelwand.
(Das zugehörige Lichtsignal befindet sich auf der gegen-
überliegenden Seite des Gleises.)

die dem Bahnsteigpersonal angeben, ob das Ausfahrsignal Halt oder Fahrt frei zeigt. Namentlich in gekrümmten Bahnhöfen ist das Ausfahrsignal nicht von allen Punkten aus zu übersehen, so daß es vorkommen könnte, daß die Abfahrt eines Zuges irrtümlicherweise schon zu einem Zeitpunkt angeordnet würde, in dem sich das Ausfahrsignal noch in der Haltlage befindet. Dieser Möglichkeit wird durch das Wiederholungssignal vorgebeugt.

grünes Licht an; befindet sich das Ausfahrsignal in der Haltlage, so bleibt die Laterne dunkel.

### 9. Das Gefahrsignal.

Auf Schnellbahnstrecken ist es wiederholt vorgekommen, daß Fahrgäste von den Bahnsteigen auf das Gleis abstürzten und von einlaufenden Zügen überfahren wurden. Die Schwierigkeit, den einfahrenden Zug durch Hand- oder Pfeifensignale vor Erreichung der Unfallstelle zum Stillstand zu bringen, hat der Verwaltung der Neuyorker Untergrundbahn Veranlassung gegeben, eine Einrichtung zu treffen, die gestattet, vom Bahnsteige aus durch Schnurzug einen Schalter zu öffnen, dadurch den Signalstrom zu unterbrechen und das Einfahrsignal augenblicklich auf Halt zu stellen. Auch auf der Berliner Hoch- und Untergrundbahn ergab sich Veranlassung, eine ähnliche Einrichtung zu treffen, die

bei Haltstellung des Signals dem Zuge in rotem Lichte so kräftig entgegenstrahlt, daß es nicht übersehen werden kann.

Um das Signal mit der Fahrsperre auf Halt zu legen, genügt es, den Feldstrom des zum Einfahrsignal gehörenden Relais zu unterbrechen, da es sich darum handelt, seinen Anker zum Abfall zu bringen. Die auf dem Bahnsteig angebrachten drei Gefahrschalter sind dementsprechend nach Abb. 121 in den Feldstromkreis hintereinander eingeschaltet. In der Grundstellung sind die Schalter geschlossen. Durch

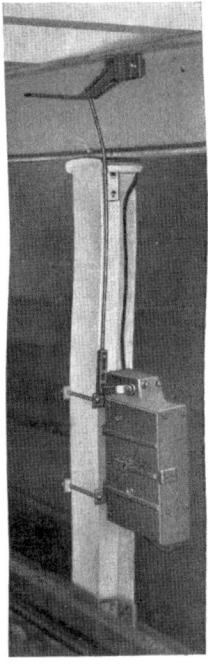

Abb. 119. Fahrsperre mit Siemens & Halske-Antrieb an einer Tunnelstütze.
(Das zugehörige Lichtsignal befindet sich an der gegen überliegenden Seite des Gleises.)

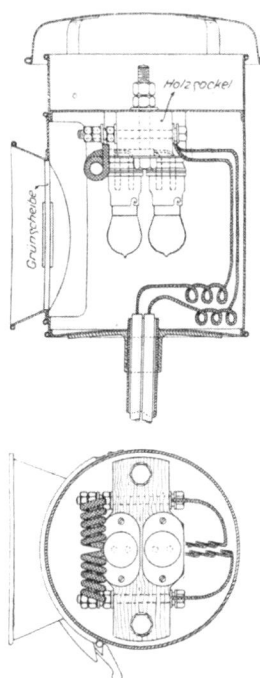

Abb. 120. Bahnsteigsignal.

sich dem mit Gleisströmen arbeitenden selbsttätigen Signalsystem in einfacher Weise eingliedern läßt. Über den Bahnsteigen sind in bequem erreichbarer Höhe für jede Fahrrichtung eine Anzahl Schalter verteilt, deren Drehung bewirkt, daß sofort das Einfahrsignal mit der Fahrsperre auf Halt gelegt wird. Da aber der einlaufende Zug schon so weit vorgerückt sein kann, daß der Fahrer das Einfahrsignal bereits hinter sich hat, ist noch ein besonderes Gefahrsignal dicht am Bahnsteig angebracht, das

Halbdrehung auch nur eines Schalters in der Uhrzeigerrichtung wird der Feldstromkreis geöffnet und die Folge ist sofortige Haltanzeige des Einfahrsignals und der Fahrsperre. Die Schalter haben noch ein zweites Schaltwerk für das Gefahrsignal. Dieses befindet sich in einem vom Transformator gespeisten besonderen Stromkreise, der über die Schalter verzweigt ist. Die Lampen des Gefahrsignals leuchten auf, wenn auch nur einer der Schalter gedreht wird. In dem Augenblick, in dem durch die Halbdrehung eines Schalters der Feldstromkreis des Relais geöffnet wird, wird durch das zweite Schaltwerk dieses Schalters der Gefahrstromkreis geschlossen und das Gefahrsignal eingeschaltet. Ist die Gefahr vorüber, so wird der Schalter in Halbdrehung weiter nach rechts bewegt. Dadurch wird der vorher unterbrochene Feldstromkreis wieder geschlossen und Signal und Fahrsperre gehen wieder in die Stellung Fahrt frei, vorausgesetzt, daß der Gleisabschnitt Gb frei ist. Dieselbe Schalterdrehung hat aber auch bewirkt, daß der Stromkreis des Gefahrsignals wieder geöffnet wird, dessen Lampen infolgedessen erlöschen.

Die beschriebene Einrichtung hat auf der Hoch- und Untergrundbahn bereits in mehreren Fällen Unfälle verhütet.

beitet die Einrichtung in folgender Weise:

Trifft ein **vorwärts fahrender Zug** auf die Fahrsperre, so legt diese den Anschlaghebel aus der Grundstellung nach rückwärts um. Dadurch wird der **Triebstrom abgestellt und die Zugbremse in Tätigkeit gesetzt,** deren Lösung vom Fahrerstande aus dann nicht möglich ist. Der Zug wird also nach dem Abstellen des Triebstroms auf schnellstem Wege sicher zum Stehen gebracht. Der Zugbegleiter bringt die Einrichtung vom Wageninnern aus mit einem Vierkantschlüssel wieder in die Grundstellung. Erst nachdem dies geschehen ist, kann der Fahrer die Bremse wieder lösen und den Fahrschalter wieder bedienen.

Unter besonderen Umständen — bei-

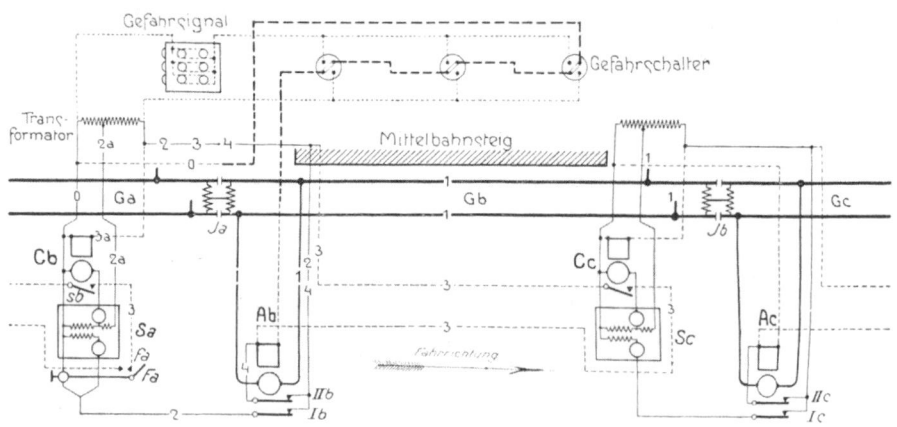

Abb. 121. Schaltung für Einfahr- und Gefahrsignal in einem Bahnhofe
(Zu vgl. Abb. 81 b auf S. 82.)

### 10. Der Bremsauslöser.

Die Fahrsperren haben die Aufgabe, die Zugbremse auszulösen, wenn sie sich in der Haltstellung befinden, in der sie in den lichten Umgrenzungsraum der Betriebsmittel hineinragen. Mit dem Anziehen der Bremse wird gleichzeitig auch der Triebstrom abgestellt.

Die von der Fahrsperre zu betätigende Bremsauslösevorrichtung befindet sich oberhalb jedes Fahrerstandes rechts auf dem Dache des ersten Wagens im Zuge. Sie besitzt einen Anschlaghebel, der in der Betrieb- oder Grundstellung aufrecht steht und dem sich ihm entgegenstellenden Widerstand der Fahrsperre nach rückwärts — im Arbeitslauf — und vorwärts — im Leerlauf — ausweichen kann. Gegenüber einer in der Haltstellung befindlichen Fahrsperre ar-

spielsweise bei Signalstörungen — muß ein Zug eine **in der Haltlage befindliche Fahrsperre unbehindert durchfahren können.** Bei solchen Fahrten hat der Zugbegleiter durch Festhalten der wirksamen Teile mit dem Vierkantschlüssel zu verhindern, daß die Bremsauslösevorrichtung von der Bewegung des Anschlaghebels betätigt wird.

Bei **Rückwärtsbewegungen des Zuges,** wie sie bei Verschubbewegungen erforderlich werden, **findet ein Auslösen der Bremse nicht statt;** der Bremshebel legt sich nach vorwärts um und kehrt selbsttätig in die Grundstellung zurück.

Die Bremsauslösevorrichtung ist weiterhin so eingerichtet, daß sie auch **für Notbremsungen benutzt werden kann.** Durch Ziehen am Notbremsgriff werden die gleichen Wirkungen am Bremsauslöser erzielt, wie durch Umlegen des Anschlaghebels nach rückwärts.

Um volle Freizügigkeit in der Verwendung der Triebwagen zu wahren, ist der gesamte Triebwagenpark oberhalb jedes Fahrerstandes mit Bremsauslösern auszurüsten. Und da die Hochbahnzüge mehr als einen Triebwagen mitführen, die Bremsauslösevorrichtung jedoch nur an der Spitze des Zuges in Tätigkeit treten darf, ist es notwendig, die sämtlichen übrigen im Zuge befindlichen Bremsauslösevorrichtungen still zu legen. Ihre Anschlaghebel werden zu diesem Zwecke nach vorwärts bis auf das Wagendach umgelegt und in dieser Endlage selbsttätig verriegelt. Diese Festlegung hat in die wesentliche Teile der Einrichtung unter Schutz gestellt sind. Die Abbildung zeigt die Einrichtung in der Grundstellung, in welcher der Anschlaghebel a, der sich mit der Welle b dreht, die aufrechte Stellung einnimmt. In dieser wird er durch eine Feder $c_1$ gehalten, die eine lose auf der Welle sitzende Muffe c mit einem Ansatz gegen eine Rast d spannt und dabei zwei an der Welle sitzende Stifte mit ihren Schultern festhält. Ein an der Welle befestigter Mitnehmer e legt sich unter diesen Umständen gegen die Sperrklinke f, die ihrerseits durch den Zug der Feder $f_1$ gegen die Stirnseite einer Schaltwalze gedrückt wird und sich hier unter einem Sperrzahn festlegt. Die Walze dient

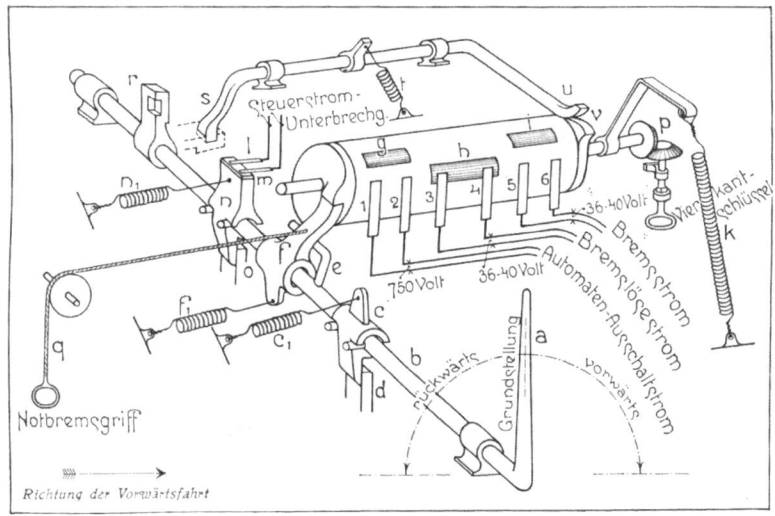

Abb, 122. Allgemeine Anordnung des Bremsauslösers.

gleichzeitig die Wirkung, daß der Steuerstrom des zugehörigen Fahrschalters abgestellt und damit der Fahrschalter unwirksam gemacht wird. Soll ein Triebwagen, dessen Bremsauslösevorrichtung in dieser Weise untätig gemacht ist, wieder an der Spitze eines Zuges laufen, so kann die Verriegelung vom Innern des Wagens mit dem Vierkantschlüssel wieder aufgehoben werden, so daß der Anschlaghebel selbsttätig in die Grundstellung zurückkehrt. Auch bei stillgesetztem Anschlaghebel kann die Bremsauslösevorrichtung zur Notbremsung verwendet werden.

Im folgenden ist die Arbeitsweise des Bremsauslösers an der Hand der Abb. 122 näher erläutert. Dabei ist der Darstellung der Deutschen Patentschrift 285 466 gefolgt, dazu, über Kontaktstücke g, h, i die Fahrstrom-Ausschaltung und Bremsung zu bewirken und ein Wiederlösen der Bremse zu verhindern, wenn die Walze durch die Zugfeder k beim Ausheben der Klinke f in Drehung geraten ist.

Die Kontaktplatten g, h, i kommen in den verschiedenen Stellungen der Walze mit den Kontaktfedern 1 bis 6 in Berührung. Der durch g über die Federn 1 und 2 geschlossene Stromkreis wirkt auf die Auslösespulen der Fahrschalter in den sämtlichen im Zuge befindlichen Triebwagen, so daß der Triebstrom vollständig abgestellt wird. Die Kontaktplatte i stellt über die Federn 5 und 6 den Anschluß des Bremsventils an ein von einer Batterie gespeistes Steuerstromnetz her. Zugleich mit dem

Fahrstromabschalter wird also die Bremse angestellt. Die dritte Kontaktplatte h bewirkt in der Bereitschaftstellung der Walze eine Verbindung zum Bremsenlöser und auf einem anderen Wege eine solche zum in gleicher Weise wie die Muffe c, deren Wirkung unterstützend, unter der Kraft der Feder $n_1$ mit einem Gegenarm gegen eine Rast o gespannt. In aufrechter oder nach rückwärts ausschlagender Stellung des

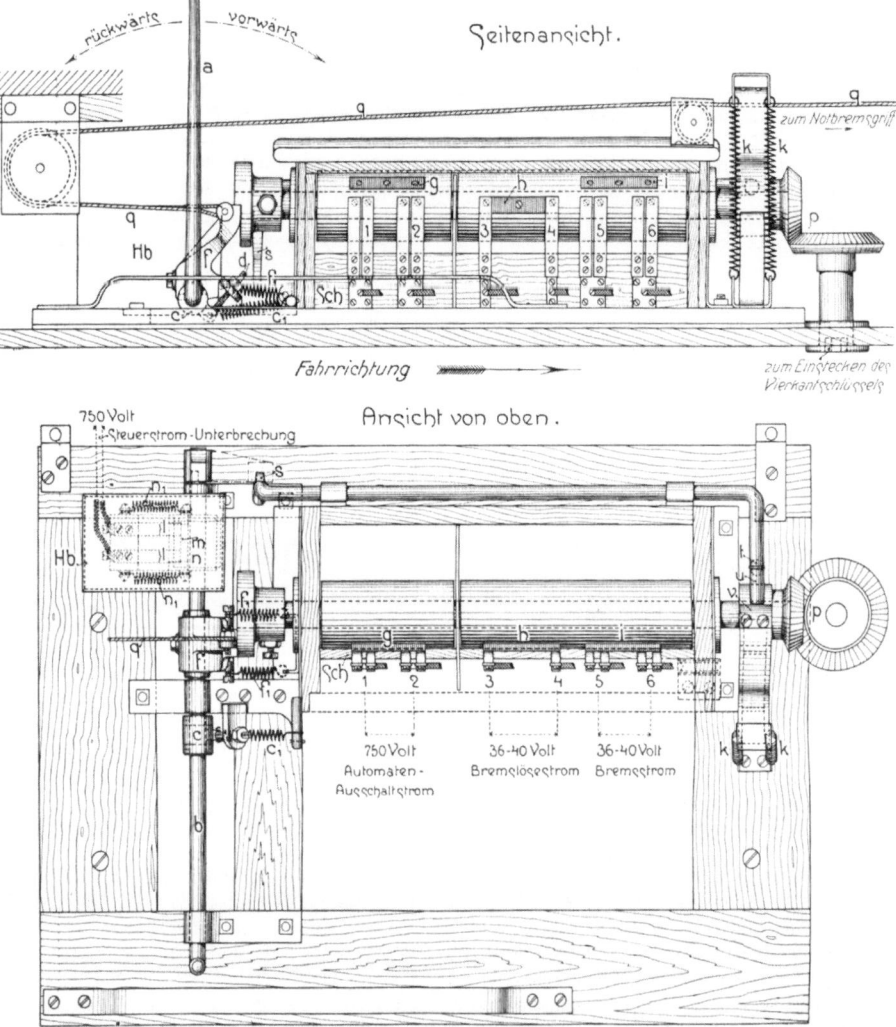

Abb. 123. Aufbau des Bremsauslösers.

Führerbremsventil, dessen Kontaktwalze die Handhabung des Bremsventils und des Bremsenlösers erlaubt.

Der Fahrschalter erhält den Steuerstrom zum Anfahren und Anhalten über eine Leitung, in welche die Kontaktfedern l und m eingeschaltet sind. Der Träger n des dazu gehörigen Kontaktstücks m sitzt lose auf der Welle b und ist in der Grundstellung

Auslösehebels ist zwischen den Federn l und m der Stromschluß hergestellt.

Die Schaltwalze kann mit einem Vierkantschlüssel durch ein Kegelräderpaar p nach jeder Auslösung entgegen der Spannung der Feder k wieder in die Betriebslage zurückgedreht werden. An die Festhalteklinke f der Schaltwalze ist weiter eine über eine Rolle geführte Stahlschnur q so angeschlossen, daß durch Ziehen an einem Handgriff die Klinke ausgehoben und dadurch eine Notbremsung herbeigeführt werden kann.

Zum Festhalten des Auslösehebels a in seiner Außerbetrieblage — nach vorwärts umgelegter Hebel — ist auf seine Welle ein Sperrstück r aufgesetzt, das bei wagerechter Leerlauflage des Hebels a an einer

Überschreitung dieser Stellung dazu führt, daß der Daumen v den Hebel u anhebt, dadurch die Klinke s ausrückt und das Sperrstück r freimacht. Der Auslösehebel wird alsdann durch die von der Feder $c_1$ regierte Muffe c — unterstützt durch den von der Feder $n_1$ betätigten Schalter n — wieder in die aufrechte Stellung zurückgeführt. Ein Überschlagen der Mitnehmerteile c und n

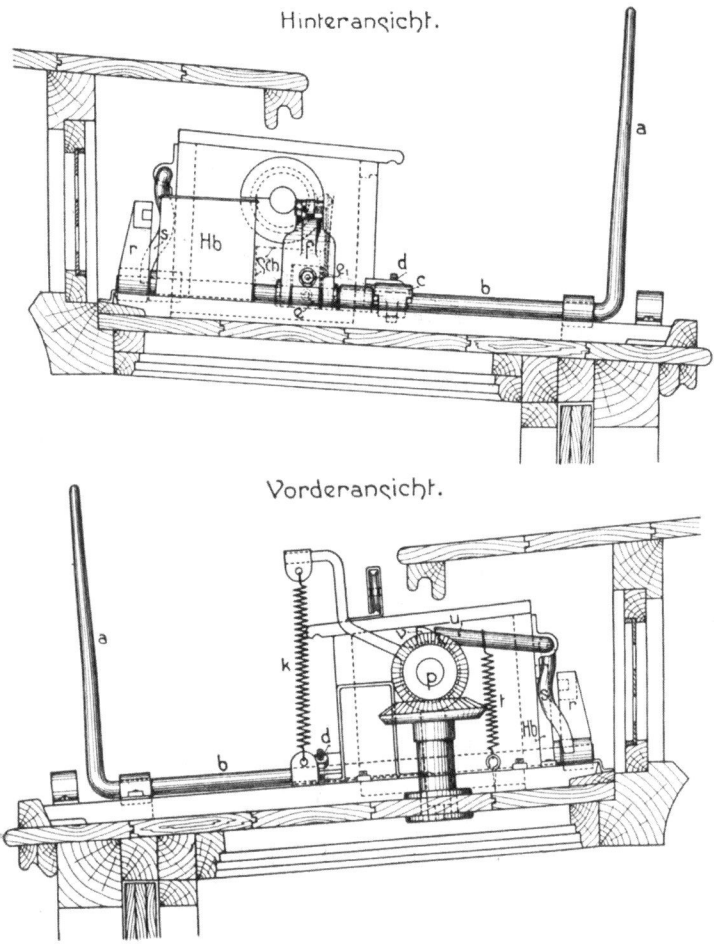

Hinteransicht.

Vorderansicht.

Zu Abb. 123.

Klinke s vorbeistreift und unter diese gerät — punktiert angedeutete Lage des Sperrstücks —, indem die Klinke unter Einwirkung der Feder t auf die Klinkenwelle sich in das Sperrstück r einhakt. Die Welle trägt einen Arm u, und dieser gleitet derartig auf einer Daumenscheibe v der Steuerwalze, daß beim Zurückstellen der Walze in die Grundstellung eine geringe

über diese Stellung hinaus nach rückwärts, das unvorschriftsmäßiges Auslösen der Bremse zur Folge hätte, wird durch die Rasten d und o unmöglich gemacht; ein Überdrehen der Welle b wird durch den Arm e verhindert.

Während der Fahrt nehmen alle Teile die gezeichnete Lage ein und das Führerbremsventil ist so gestellt, daß der Fahrschalter über den Schalter l m n Steuerstrom erhält, also ordnungsmäßig bedient werden kann. Das Führerbremsventil ermöglicht es, über die Kontaktplatte h der Schaltwalze je nach Bedarf die Steuerleitungen und den Bremsauslöser oder das Bremsventil mit Strom von der Batterie zu versorgen und somit in Wirksamkeit zu setzen.

Beim Rückwärtsfahren pendelt der an die Fahrsperre anschlagende Auslösehebel a bei freiem Spiel des Gliedes e gegen den Zug der Federn $c_1$ und $n_1$ unter der Fahrsperre hin, ohne die Schaltwalze in Gang zu setzen.

Damit von allen Auslösehebeln eines

so hebt der Mitnehmer e die Klinke f aus, und die Schaltwalze bringt unter der Wirkung der Zugfeder k die Kontaktplatten g i in Tätigkeit, während die Platte h ihre Kontaktfedern verläßt. Die Kontaktplatte g setzt durch die Auslösespule des Fahrstromabschalters die Motoren still, und zugleich schließt die Kontaktplatte i das Bremsventil an das Steuerstromnetz an, so daß die Bremsen einfallen, während gleichzeitig die Unterbrechung an der Stelle 3 h 4 das Führerbremsventil stromlos und somit das Lösen der Bremse unmöglich macht. Der Zugbegleiter bringt die Schaltwalze vom Wageninnern aus wieder in die Grundstellung. Dieses Zurückstellen der Schalt-

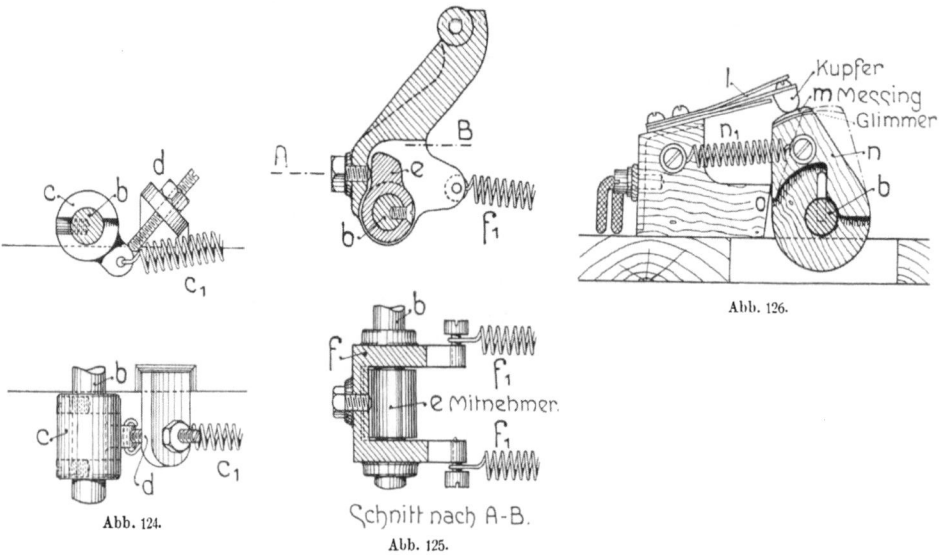

Abb. 124 bis 126. Einzelheiten der auf der Welle b des Bremsauslösers (Abb. 122 und 123) angeordneten Triebmittel.

Zuges nur der des führenden Fahrzeuges aufläuft, werden alle anderen Auslösehebel im Zuge — wie schon erwähnt — in der Leerlaufrichtung völlig umgelegt, so daß sich die Sperrstücke r unter den Klinken s festsetzen und damit die Hebel in wagerechter Stellung festlegen. Das Kontaktstück n unterbricht dabei den Steuerstrom des Fahrschalters, so daß dieser nicht mehr wirken kann. Diese Unterbrechung erfolgt, ohne daß der Triebstrom der Motoren abgeschaltet oder die Bremse angestellt wird, denn die Schaltwalze verbleibt ja in der Grundstellung. Läuft dann — um die Vorgänge nochmals kurz zu wiederholen — der Auslösehebel a bei Vorwärtsfahrt des Zuges gegen eine Fahrsperre,

walze erfolgt stets durch Drehen am Schlüssel bei p, und dabei wird durch den Daumen v und das Hebelwerk u s zugleich die Freigabe des etwa in seiner Leerlaufstellung verriegelt gewesenen Auslösehebels a bewirkt. Erst wenn die Schaltwalze sich wieder in der Grundstellung befindet, kann die Bremse wieder gelöst und der Fahrschalter wieder bedient werden. Soll die Abbremsung durch den Notbremshebel erfolgen, so dient dazu der Seilzug q. Liegt der Fall vor, daß ein Zug über eine auf Halt stehende Fahrsperre vorrücken soll, so hält der Zugbegleiter die Schaltwalze vom Wageninnern aus mit dem Schlüssel vorübergehend in der Grundstellung fest, so daß sie auch beim Anschlagen der Fahrsperre gegen den Anschlaghebel a durch die Feder k nicht gedreht werden kann. Der Schlüssel ist nach Vorschrift im F ü h r e r s t a n d e u n t e r B l e i v e r - s c h l u ß aufzubewahren, während sich der Schlußzapfen der Festhaltevorrichtung über dem Standort des Zugbegleiters befindet. Um die Walze festzuhalten, bedarf es also des Einverständnisses zwischen Fahrer und Begleiter; durch den Zwang dieses Einvernehmens ist eine wirksame Überwachung gesichert.

Daß die beschriebene Einrichtung hiernach alle Eigenschaften besitzt, die zur Erfüllung der nach dem Früheren gestellten Aufgaben erforderlich sind, ergibt sich aus dem Gesagten ohne weiteres.

Die Abb. 123 bis 127 zeigen die Wirklichkeitsform des Bremsauslösers. Träger

Die sonstige Einrichtung des Bremsauslösers ist an der Hand der Abbildungen 123 leicht zu verstehen. Die Befestigungspunkte der Zugfedern $c_1$ und $f_1$-$f_1$ der Elemente c, f, die in Abb. 122 der Deutlichkeit wegen nach links herausgezeichnet sind, befinden sich in Wirklichkeit rechts von der Welle b; dementsprechend tragen die Teile c und f die Federbefestigungsösen an der rechten Seite. Die Öse des Teiles c ist gleichzeitig als Anschlag für die als Stellschraube ausgebildete Rast d benutzt; zu vgl. auch Abb. 124. Der Mitnehmer e hat gemäß Abb. 125 die Form eines Daumens, der mit einer Befestigungsschraube auf der Welle b festgelegt ist und im Innern des Sperrstücks f gegen die Rast drückt, die auch in diesem Falle eine Stellschraube ist. Der Schalter

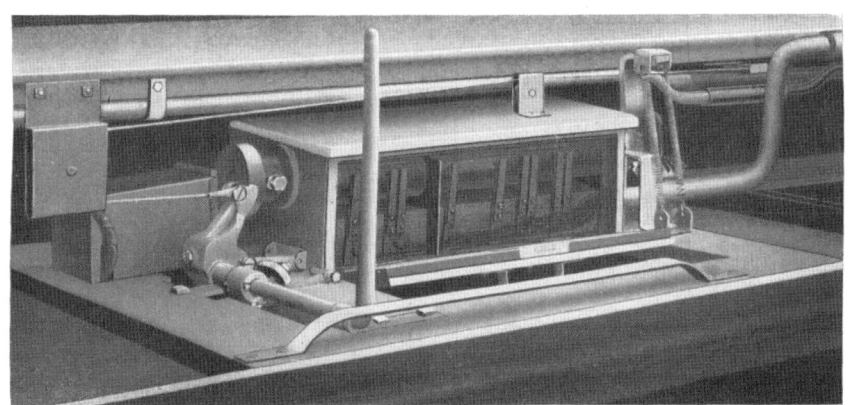

Abb. 127. Bremsauslöser in Grundstellung.

der ganzen Einrichtung ist ein auf dem Wagendach festgeschraubter Holzrahmen (Abb. 123). Die Schaltwalze mit den drei Schaltern für den Automatenstrom, den Bremslöse- und Bremsstrom, befindet sich in einem auf dem Rahmen sitzenden Holzkasten, von dem in der oberen Abbildung auf Seite 114 die als Klapptür ausgebildete Vorderwand, in der unteren die Decke weggelassen ist, um das Innere deutlicher zu zeigen. Für den Hochspannungsschalter 1 g 2 ist durch eine isolierende Papierscheibe, die über die Schaltwalze gesetzt ist, ein besonderer Raum abgetrennt, um jede Möglichkeit einer Einwirkung des Hochspannungsstroms auf die Bremsschwachströme auszuschließen, zugleich aber, um die Arbeiter bei Hantierungen am Hochspannungsschalter zur Vorsicht zu mahnen. Die Kontaktfedern 1 bis 6 sind an einer hölzernen Schwelle Sch befestigt.

l m n ist von einer abnehmbaren Haube H b (Abb. 123) überdeckt. Er ist in Abb. 126 besonders dargestellt. Für den Drehkörper n ergibt sich als Rast die Kante o des Befestigungsstücks der Kontaktfeder 1 l. Abb. 127 ist ein Schaubild des Bremsauslösers.

## Anordnung und Spiel der Apparate auf einer besetzten Gleisstrecke im Tunnel.

Im folgenden ist der Aufbau der auf der freien Strecke verwendeten Apparate in einem Tunnelabschnitt, also für den Lichtsignalbetrieb, betrachtet. Hier müssen zur Anbringung des Hauptsignalkabels sowie der eigentlichen Zugdeckungsmittel, nämlich der Signale, Signalrelais, Fahrsperren mit ihren Antrieben sowie der dazu gehörigen Leitungen bei zweigleisigen Bahnen naturgemäß die Tunnelwände benutzt werden, wie dies bereits an den Abb. 117 und 118 gezeigt wurde. Die Transformatoren und Linienrelais hingegen erhalten ihren Platz vorwiegend an Tunnelstützen und an sonst geeigneten Stellen — zu vergl. die Abb. 95 und 96. In Abb. 128 ist in einem Tunnelquerschnitt die Lage derjenigen Apparate der selbsttätigen Signalanlage angedeutet, die sich auf das rechtsseitige Gleis beziehen. Auf Tafel VII erscheinen die sämtlichen zu diesem Gleis gehörenden Anlageteile an der neben dem Gleis befindlichen Tunnelwand angebracht. Mit dieser Darstellungs-

Apparate ist für den Fall dargestellt, daß der Stationsabschnitt besetzt ist, während alle übrigen Gleisabschnitte frei sind. Aus dem Früheren ergibt sich, daß sich danach das zum Gleisabschnitt G a gehörende Zwischensignal S a mit der Fahrsperre F a in der Grundstellung — Grünlichtanzeige des Signals[1]) — befindet, während das Einfahrsignal S b mit der Fahrsperre F b die Haltstellung einnimmt — Rotlicht am Hauptsignal, Gelblicht am Vorsignal. Das Stationsausfahrsignal S c, dem einstweilen keine Fahrsperre zugeordnet wurde, befindet sich

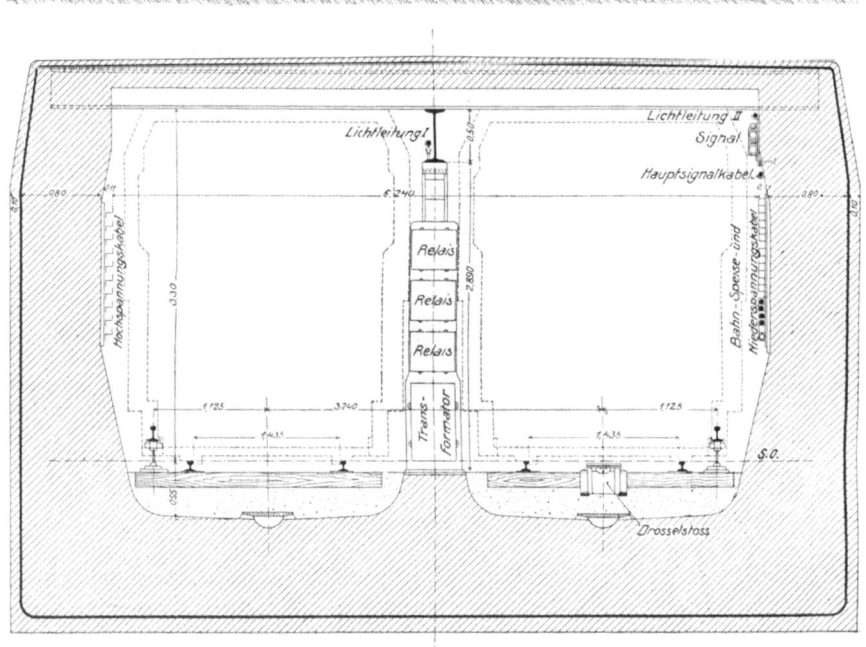

Abb. 128. Regelanordnung des Hauptsignalkabels und der wesentlichsten Signalapparate im Tunnel

weise hängt zusammen, daß auf diesem Gleise in der Zeichnung von r e c h t s nach l i n k s gefahren wird, während für die Besprechung der Schaltpläne in der vorherrschend üblichen Weise die Links-Rechtsfahrt zugrunde gelegt worden war.

Die auf Tafel VII gezeigte Gleisstrecke setzt sich zusammen aus einem vollen Gleisabschnitt G a und einem voraufliegenden vollen Stationsabschnitt G b. Das Stationseinfahrsignal ist durch ein Vorsignal, das Ausfahrsignal durch ein zweiseitiges Bahnsteigsignal wiederholt. Der Zustand und die Anzeige der sämtlichen

noch in der Grundstellung und zeigt Grünlicht, das von dem Bahnsteigsignal wiederholt wird.

Für den Gleisabschnitt G a ist Mittelspeisung, für den Abschnitt G b Endspeisung des Gleisstromkreises angenommen; für G c ist wieder Mittelspeisung vorausgesetzt. Dementsprechend sind für G a und G c Gleis- und Signalstromtransformatoren getrennt (zu vgl. auch Abb. 3 und 4 der Tafel IV). G a und G c sind mit z w e i

[1]) Das Grünlicht des Signals S a ist auf der Tafel versehentlich an der oberen statt der unteren Linse gekennzeichnet.

Linienrelais A a und B a, A c und B c — B c ist auf der Tafel nicht sichtbar —, der Abschnitt G b mit nur e i n e m Linienrelais A b ausgerüstet. Für die Fahrsperren und ihre Antriebe ist die Bauart Westinghouse gewählt, die sich in ihrer gedrängten Form im Tunnel besonders bequem unterbringen läßt.

Die Führung der Stromleitungen ist an der Hand der ihnen beigeschriebenen Zahlen leicht zu verfolgen, die mit denen auf den Tafeln IV und V übereinstimmen. Der Stromverlauf in den Leitungen bedingt, daß im unbesetzten Gleisabschnitt G a an den Linienrelais A a und B a bei angezogenem Anker die Kontakte Schluß haben (Grundstellung), während am Signalrelais C a bei abgefallenem Anker die Kontakte offen sind. Umgekehrt ist der Anker des zum besetzten Gleisabschnitt G b gehörenden Linienrelais A b abgefallen, der des Signalrelais C b dagegen angezogen. Die Schaltung der Relaiskontakte weicht von der in der Abb. 92 gezeigten etwas ab, ist aber an der Hand der Zeichnung ohne weiteres zu übersehen.

## Sicherung der Züge in den Stellbezirken.

### 1. Grundzüge des halbselbsttätigen Betriebes.

In den Stellbezirken sind die Signale, wie schon früher dargelegt, halbselbsttätig: sie müssen vom Stellwerkwärter auf Fahrt gestellt werden; ihre Haltstellung wird jedoch vom fahrenden Zuge selbsttätig herbeigeführt. G r u n d s t e l l u n g  d e r  S i g n a l e  u n d  F a h r s p e r - r e n  i s t  d e m n a c h  i n  S t e l l b e z i r - k e n  n i c h t, w i e  b e i m  r e i n  s e l b s t - t ä t i g e n  S y s t e m, d i e  F a h r t  f r e i - S t e l l u n g, s o n d e r n  d i e  H a l t s t e l - l u n g. Für die Weiche gilt diejenige Stellung als Grundstellung — Plusstellung —, in der sie am meisten befahren wird, also die Stellung auf den geraden Strang. Die Minusstellung ist daher zumeist die der Ablenkung. Weichen- und Signalhebel des Stellwerks befinden sich in der durch die Verschlußregister festgelegten Zwangsabhängigkeit, die widersprechende Weichen- und Signalstellungen ausschließt und die Umstellung eines Hebels unmöglich macht, ehe diejenigen Hebel, von denen er abhängig ist, die Endstellungen eingenommen haben.

Jeder W e i c h e n h e b e l ist mit einer Hemmvorrichtung versehen, die den Hebel bei der Umstellung in seinem Gange aufhält, bis die umzustellende Weiche ihren Lauf beendet hat; wäre es möglich, den Weichenhebel vollständig umzulegen, ehe die Weiche ihre neue Endstellung eingenommen hat, so würde der zugehörige Signalhebel bereits entriegelt werden und gezogen werden können, während sich die Weiche noch in Bewegung befände. Die Hemmung des Weichenhebels wird bei den im folgenden eingehender beschriebenen Westinghouse - Stellwerken durch zwei Sperren erzielt, von denen die eine den Hebel beim Vorziehen, die andere beim Zurücklegen auf ungefähr zwei Drittel seines Ganges so lange anhält, bis die Weiche ihren Lauf vollständig beendet hat, die Zunge also dicht anliegt. Bei der Umstellung des Hebels von Plus nach Minus tritt die Minussperre, in umgekehrter Richtung die Plussperre in Tätigkeit, wie später erörtert wird (zu vergl. auch Tafel XIV).

Die Tatsache, daß sich die Weichenzunge nach Umstellung des Hebels an die Backenschiene ordnungsmäßig angelegt hat, muß dem Stellwerkwärter durch eine Meldevorrichtung augenfällig gemacht werden. Andernfalls würden ihm solche Störungen in der Fahrstraße verborgen bleiben, die den Schluß der Weichenzunge beeinträchtigen. Bei den Stellwerken der Berliner Hochbahngesellschaft erfolgt die Überprüfung der Zungenlage in der Weise, daß dem Wärter oberhalb des Weichenhebels im Stellwerk ein erleuchtetes Plus- oder Minuszeichen in dem Augenblick erscheint, in dem beide Weichenzungen ihre Endlage ordnungsmäßig eingenommen haben. Das Zeichen bleibt so lange sichtbar, bis die Weiche erneut gestellt wird. Es verschwindet beim Anziehen des Hebels; das Gegenzeichen erscheint in dem Augenblick, in dem die Weichenzungen die neue Endlage eingenommen haben, und es bleibt dann stehen, bis eine neue Umstellung erfolgt. Diese Art der Überwachung der Weichenendlagen, die sogenannte Zungenüberwachung, schließt nach dem Vorstehenden auch die selbsttätige Anzeige derjenigen Störungsfälle ein, in denen eine Weichenzunge durch gewaltsamen Eingriff — Aufschneiden u. dgl. — von der Backenschiene abgedrängt wird.

Auch die S i g n a l h e b e l (zu vgl. Tafel XIV) ist mit zwei Sperren ausgerüstet, die jedoch beide nur der Zurückführung des Hebels in die Grundstellung entgegenwirken. Die eine Sperre dient der Signalüberwachung (englisch: indication lock), die andere der Fahrstraßenfestlegung (back lock). Ein Signal kann, wenn die Einstellung der Fahrstraße durch den Weichenhebel ordnungsmäßig erfolgt ist, in ununterbrochenem Hebelgange auf Fahrt frei gestellt werden; beim Haltstellen jedoch hemmen die beiden Sperren den Signalhebel auf etwa zwei Drittel seines Weges. Sobald der Signalhebel die Fahrstellung verläßt, wird der Signalstrom (Kuppelstrom) unterbrochen, so daß das Signal selbsttätig die Haltstellung einnimmt (Haltfall bei Flügelsignalen). Sobald dies der Fall ist, wird die Signalüberwachungssperre ausgelöst. Die Fahrstraßensperre bleibt dagegen in Sperrstellung, bis der Zug die Fahrstraße geräumt hat. Sie unterliegt nämlich dem Einfluß des Gleisstroms der Fahrstraße und wird beim Kurzschluß dieses Stroms durch die Zugachsen dadurch wirksam, daß ein von dem Gleisstrom abhängiges besonderes F a h r - s t r a ß e n r e l a i s , im folgenden als W e i c h e n r e l a i s bezeichnet, aussetzt. Durch die Fahrstraßensperre ist der Wärter nicht behindert, ein Signal auch bei besetzter Strecke, wo immer auch der Zug sich befindet, durch Zurücklegen des Hebels in die Z w i s c h e n s t e l l u n g jederzeit wieder auf Halt zu stellen; indem es ihm aber unmöglich gemacht ist, bei besetzter Fahrstraße den Hebel in die E n d l a g e zu führen, ist ihm durch die Abhängigkeiten des Verschlußregisters auch die Gelegenheit genommen, eine Änderung der Fahrstraße vorzunehmen, ehe der Zug sie vollständig geräumt hat.

Bis zu dem Zeitpunkt jedoch, in dem ein anrückender Zug die Fahrstraße erreicht hat, wäre unter diesen Umständen der Stellwerkwärter in der Lage, den Signalhebel jederzeit wieder vollständig zurückzulegen, somit die Fahrstraße wieder zu entriegeln. Da auch die halbselbsttätigen Signale um das Maß der Schutzstrecke hinter dem Trennstoß des Fahrstraßenabschnittes aufgestellt sind, könnte hiernach der Fall eintreten, daß das Signal aus Unachtsamkeit zu einem Zeitpunkt auf Halt gestellt würde, in dem es von der Zugspitze bereits überschritten, also der Beobachtung des Fahrers entzogen und ein Abbremsen durch Einwirkung der Fahrsperre nicht mehr möglich wäre. Legte der Wärter alsdann den Signalhebel in die Grundstellung zurück, so würde der Weichenhebel frei, und der Wärter wäre in der Lage, die Fahrstraße umzustellen, obwohl sich der Zug bereits in gefahrdrohender Nähe

der Weiche befände oder gar schon in diese eingefahren wäre. Um derartige Möglichkeiten auszuschließen, ist es erforderlich, die Fahrstraße schon festzulegen, während sich der anrückende Zug noch in angemessener Entfernung befindet. Zu diesem Zwecke ist die Fahrstraßensperre noch der Einwirkung eines z w e i t e n F a h r s t r a ß e n r e l a i s unterstellt, das bereits aussetzt, wenn der Gleisstrom des der Fahrstraße vorhergehenden Gleisabschnitts der freien Strecke durch die Achsen des anrückenden Zuges kurzgeschlossen wird. Unter dem Einfluß dieses zweiten Relais wird die Fahrstraßensperre gleichzeitig zur A n r ü c k - s p e r r e — approach lock. Es erscheint folgerichtig, den letztbezeichneten Gleisabschnitt nach seiner Beziehung zur Fahrstraße als A n r ü c k a b s c h n i t t , das zugehörige Relais als A n r ü c k - r e l a i s zu benennen.

Unbeschadet der Fahrstraßensperre kann, wie wir gesehen haben, dem anrückenden Zuge durch Zurücklegen des Signalhebels bis zur Zwischenstellung jederzeit Halt geboten werden. Die Fahrstraße bleibt hierbei verriegelt. Wäre dies nicht der Fall, so stände es dem Wärter frei, das Signal nach Vorbeifahrt der Zugspitze auf Halt zu stellen, dann die Fahrstraße umzustellen und ein widersprechendes Signal zu ziehen. Auf diese Weise wäre die Möglichkeit eines Zusammenstoßes oder eines Umstellens der Weiche unter dem Zuge gegeben.

Sollte ein Stellwerkwärter versehentlich Weiche und Signal für die Fahrt eines auf dem Hauptgleise einer Gleisvereinigung ankommenden Zuges eingestellt haben, während einem Zuge aus dem Nachbargleise hätte der Vorrang gegeben werden müssen, oder sollte er bei einer Gleisverzweigung den Zug in das falsche Gleis gelenkt haben, so hindert ihn die Fahrstraßensperre nicht, durch Zurücklegen des Hebels bis zur Zwischenstellung das Signal wieder auf Halt zu stellen und den Zug anzuhalten. Bei dieser Stellung des Signalhebels bleibt jedoch die Weiche verriegelt; der Wärter ist also nicht mehr in der Lage, die Weiche umzustellen, es sei denn, daß sie durch eine für diesen Zweck vorgesehene besondere Notauslösung oder von einem herbeigerufenen Signalbediensteten durch Handeingriff freigemacht wird.

Auch mit der Sicherung des anrückenden Zuges sind die Sicherheitsvorkehrungen noch nicht erschöpft. Es ist weiterhin zu fordern, daß das Signal selbsttätig in die Haltstellung zurückgeführt wird, sobald der Zug in die durch das Signal gedeckte Fahrstraße einfährt.

Das Weichenrelais erfüllt diese weitergehende Bedingung, indem es bei der Einfahrt des Zuges in die Fahrstraße auch den Stellstrom des Signals (Kuppelstrom) unterbricht, so daß dieses ohne Zutun des Stellwerkwärters sofort in die Haltstellung zurückgeht. Die Zurückführung des Signalhebels in die Zwischenstellung erfolgt darauf im Leergange. Solange alsdann das Signal den Zug deckt, ist der Stellwerkwärter wohl in der Lage, den Hebel aus der Zwischenstellung zu ziehen, er erhält aber kein Fahrsignal, weil der Gleisstrom das Signal verhindert, dem Hebelgange zu folgen. Auf diese Weise ist der Möglichkeit vor-

stande, das Signal auch bei besetzter Strecke jederzeit wieder auf Halt zu stellen. Beim Anrücken des Zuges ist der Wärter nicht mehr in der Lage, eine Fahrstraße zu ändern. Sie kann erst wieder umgestellt werden, nachdem sie vom Zuge geräumt ist.

Das Angeführte ist nachstehend an einfachen Gleisskizzen — Abb. 129 — näher erläutert.

Dem Stellbezirk zuzuzählen sind hier die im übrigen der freien Strecke angehörenden, in den Abbildungen mit Doppelstrich ausgezogenen Gleisabschnitte Ga und Ga₁ in ihrer Eigenschaft als Anrückabschnitte und ferner die über die eigentliche Weiche hinausreichenden, stark ausgezogenen (Weichen-)Gleisabschnitte Gb

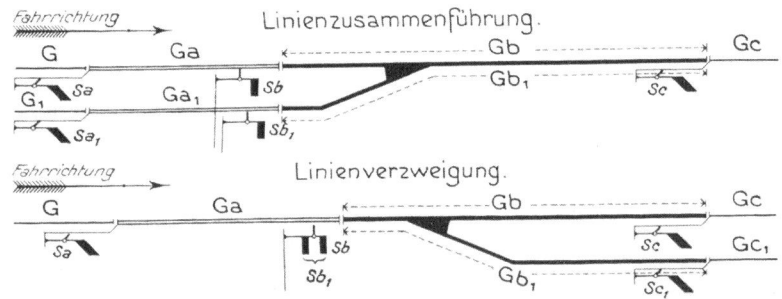

Abb. 129. Stellbezirk einer Zusammenführung und Verzweigung zweier Linien.

gebeugt, daß der Zug aus Unachtsamkeit des Wärters ungedeckt bliebe.

Aus dem Vorstehenden ergibt sich, kurz zusammengefaßt, folgendes:

Nach Einstellung der Fahrstraße ist der Stellwerkwärter in der Lage, das Signal zu ziehen, wenn die Fahrstraße unbesetzt ist. Bei gezogenem Signal ist die Fahrstraße verriegelt. Bei unbesetzter Strecke kann die Fahrstraße durch vollständiges Zurücklegen des Signalhebels wieder aufgelöst werden. Ist die Zugfahrt erfolgt, so stellt der Zug das Signal selbsttätig hinter sich auf Halt, das vom Stellwerkwärter dann nicht mehr gezogen werden kann, solange es den Zug deckt. Anderseits ist der Wärter im-

und Gb₁. Die Anrückabschnitte sind durch die selbsttätigen Signale Sa und Sa₁ gedeckt; zur Deckung der über die Weiche hinweggreifenden Gleisabschnitte Gb und Gb₁ dienen halbselbsttätige Signale, und zwar im Falle der Gleisvereinigung die beiden einflügligen Signale Sb und Sb₁, im Falle der Verzweigung ein zweiflügliges Signal, das mit dem oberen Flügel Sb für den geraden Strang und mit beiden Flügeln zusammen — Sb₁ — für den abzweigenden Strang Fahrt frei anzeigt, das Haltgebot aber nur mit dem oberen Flügel abgibt. Die weiter anschließenden Gleisabschnitte Gc und Gc₁ sind wieder durch selbsttätige Signale Sc und Sc₁ gedeckt. Wird nach Einstellung der Fahrstraße Signal Sb oder Sb₁ auf Fahrt frei gestellt, so wird durch den gezogenen Signalhebel der Weichenhebel im Verschlußregister verriegelt. Sobald die erste Achse des Zuges in den Anrückabschnitt Ga oder Ga₁ einfährt, ist der Stellwerkwärter durch die vom Anrückrelais betätigte Sperre gehindert, den Signalhebel weiter als bis zur Zwischenstellung zurückzulegen. Da dieser Spielraum aber nicht ausreicht, um den Weichenhebel zu entriegeln, so bleibt die Fahrstraße festgelegt. Während der Zug über den Gleisabschnitt Gb oder Gb₁ hinwegrollt, nimmt das Weichenrelais an der vom Anrückrelais begonnenen Sperrung des Signalhebels Anteil. Nach der Durchfahrt des Zuges kann der Signalhebel in die Ausgangstellung zurückgelegt werden. Durch Freigabe im Verschlußregister (Auflösung der Fahrstraße) kann nunmehr der Weichenhebel

nigung der Abfertigung ist es geboten, die Auflösung der Fahrstraße schon in dem Augenblick eintreten zu lassen, in dem der Zug die Endstöße der Weiche selbst überfahren hat. Voraussetzung bleibt dabei, daß nicht auch der Zeitpunkt für die Freigabe des Signals geändert wird. Diese Erwägungen führen dazu, von den Gleisabschnitten Gb und Gb₁ Hilfsgleisabschnitte Gβ und Gβ₁ — special sections — abzutrennen und dafür besondere Gleisstromkreise einzurichten — Abb. 130 und 131. Die zu diesem Zweck an den Endstößen der Weiche einzulegenden besonderen Trennstöße haben für die Zugfolge keine Bedeutung. Der Gleis-

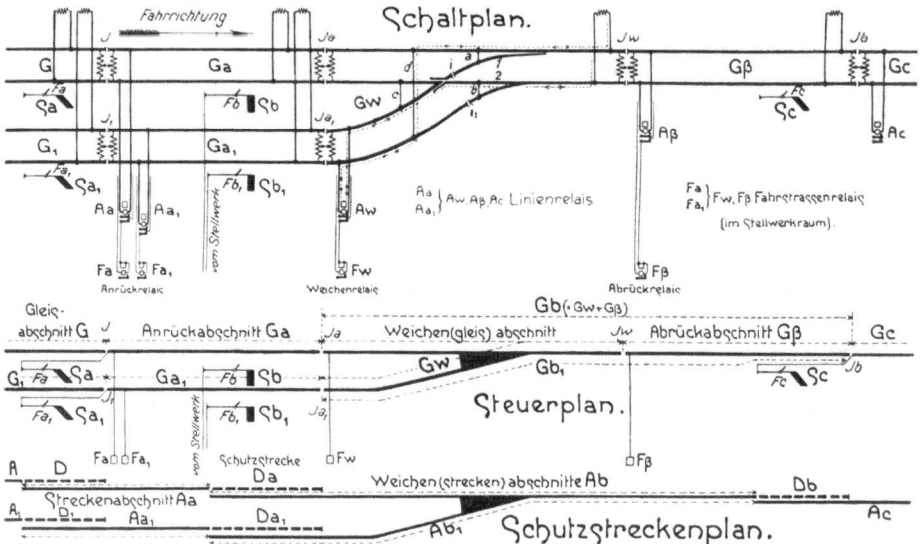

Abb. 130. Gleis- und Streckenabschnitte einer einfachen Linienzusammenführung.

wieder gestellt und danach auch der Signalhebel aufs neue gezogen werden.

Die Fahrstraße befindet sich also von der Einfahrt der ersten Zugachse in den Gleisabschnitt Ga oder Ga₁ an bis zu dem Zeitpunkt unter Verschluß, in dem die letzte Zugachse den Weichenabschnitt Gb oder Gb₁ verläßt; während dieser Zeit ist der Signalhebel durch die Fahrstraßensperre in der Zwischenlage festgelegt.

Im Falle der Abbildung 129 nun würde die Auflösung der Fahrstraße zugleich mit der Freigabe des Signals zu erneuter Fahrt frei-Anzeige erst in dem Zeitpunkt erfolgen, in dem die letzte Zugachse aus dem Gleisabschnitt Gb oder Gb₁ in den Abschnitt Gc oder Gc₁ übertritt. Damit ergibt sich für die Fahrstraßenbedienung ein unnötiger Zeitverlust. Zur Beschleu-

strom eines Hilfsabschnitts wirkt nun auf ein drittes Fahrstraßenrelais ein. Dieses unterscheidet sich nach den obigen Betrachtungen von dem Anrück- und Weichenrelais dadurch, daß es nicht mehr die Fahrstraßensperre beeinflußt, sondern nur noch die Aufgabe hat, den Stellwerkwärter der Möglichkeit zu berauben, das Signal erneut auf Fahrt frei zu stellen, ehe der Zug aus dem Hilfsabschnitt abgerückt ist. Indem die Fahrstraßensperre nunmehr schon in dem Augenblick ausgerückt wird, in dem die letzte Achse des Zuges den Weichenabschnitt Gw bei Jw verläßt, ist Zeit gewonnen, um den Signalhebel zeitiger in seine Endstellung zu bringen und damit den Weichenhebel früher zu entriegeln. Der Hilfsgleisabschnitt Gβ ist im folgenden als **A b r ü c k a b s c h n i t t**, das dazu gehörige Linien- und Fahrstraßenrelais als **A b r ü c k r e l a i s** bezeichnet. Die für die Zugfolge maßgebenden Gleisabschnitte Gb und Gb₁ setzen sich nunmehr aus dem eigentlichen Weichenabschnitt Gw und dem Hilfs- oder Abrückabschnitt Gβ oder Gβ₁ zusammen.

Die besprochenen Anordnungen sind in den Abb. 130 und 131 noch etwas weiter ausgeführt.

Die Gleisabschnitte — Anrückabschnitte Ga und Ga₁, Weichenabschnitte Gw, Abrückabschnitte Gβ und Gβ₁ — sind mit Drosselstößen aneinander geschlossen, durch die die Trennstöße J und J₁, Ja

Fahrstraßenrelais Feld und Anker in Hintereinanderschaltung und sind mit den Kontakten der zugehörigen Linienrelais in denselben Stromkreis gelegt.

Die Weichenabschnitte sind so eingerichtet, daß ihre Überwachung durch einen einzigen Gleisstrom erfolgen kann. Jeder Weichenabschnitt wird daher von einem einzigen Transformator gespeist, der bei Gleisverzweigungen ebensowohl an den durchgehenden als auch an den abzweigenden Gleisstrang angeschlossen sein kann. Ebenso kann bei Gleiszusammenführungen das zum Weichenabschnitt gehörende Linienrelais mit jedem der beiden Gleisstränge verbunden werden.

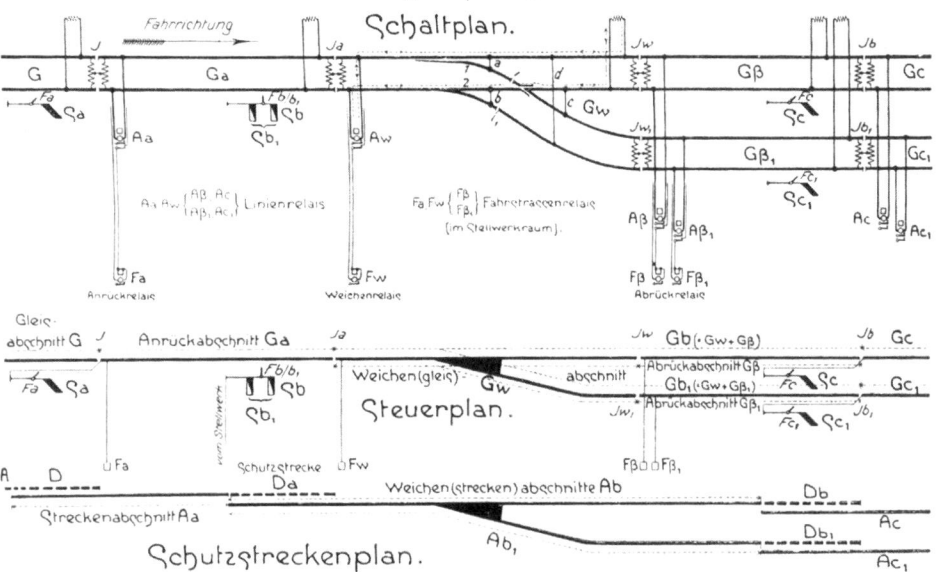

Abb. 131. Gleis- und Streckenabschnitte einer einfachen Linienverzweigung.

und Ja₁, Jw und Jw₁ überbrückt werden. In den Abbildungen sind die Gleisstromwege mit den dazu gehörigen Linienrelais Aa, Aa₁, Aw, Aβ, Aβ₁, sowie die Fahrstraßenrelais — Anrückrelais Fa, Fa₁, Weichenrelais Fw, Abrückrelais Fβ, Fβ₁ — angegeben[1]).

Die Fahrstraßenrelais sind mit Kontakten versehen, die sich mit denen der Linienrelais im Gleichschritt bewegen. Um dies zu erreichen, sind für die Deckung der Fahrstraße Relais von der gleichen Bauart wie für die Sicherung der Strecke verwendet; während jedoch bei den Linienrelais Feld und Anker von verschiedenen Stromkreisen gespeist werden, befinden sich bei den

Vorbedingung für die Auswirkung des Gleisstroms innerhalb des Weichenabschnitts Gw ist, daß die kurzschließende Wirkung der Schienenabschnitte 1 und 2 — Abbildungen 130 und 131 — außer Kraft gesetzt wird. Zu diesem Zweck sind in die Schienen des einen Stranges — des Nebenstranges in den Abbildungen — einander gegenüberliegende Trennstellen i und i₁ eingelegt. Durch die Trennstelle i ist die kurzschließende Wirkung des Schienenabschnitts 1 im Hauptgleis ohne weiteres beseitigt. Die Möglichkeit eines ständigen Kurzschlusses im Nebengleis durch den Schienenabschnitt 2 ist durch den weiteren Trennstoß i₁ ausgeschlossen, weil der Abschnitt in zwei verschiedene, voneinander elektrisch getrennte Gleisabschnitte einmündet, die von e i n e r Zugachse nicht zu-

¹) Von den amerikanischen Signalfachmännern werden die Linienrelais als track relays, die Fahrstraßenrelais als line relays bezeichnet.

gleich befahren werden können. Um unter allen Umständen den richtigen Lauf der Gleisströme sicher zu stellen, bedarf es der Einfügung von Schienenquerverbindern a, b, c, d, für die dünne Kupferseile Verwendung finden. Der Verlauf der Gleisströme bei unbesetzten Gleisen ist in den Abbildungen durch leicht punktierte Linien angedeutet; in Abb. 130 wechselt der Gleisstrom mittels des Verbinders d die Gleissträng. Im wesentlichen werden die Seilverbindungen für den Gleisstromlauf mit herangezogen, wenn der Weichenabschnitt von einem Zuge besetzt ist.

Für die Einrichtung der Stellwerke sind noch weitere Richtlinien aufzustellen. Hier ist anzuführen, daß zur Verminderung der Hebelzahl die Signale so zu schalten sind, daß die für die verschiedenen Stellungen der Weichen einer Fahrstraße nötigen verschiedenen Signale mit nur einem Signalhebel gestellt werden können. Hierzu gehört beispielsweise im Falle einer Gleisverzweigung, daß in der Grundstellung des Weichenhebels das einflüglige, in der gezogenen das zweiflüglige Signal selbsttätig mit demselben Signalhebel gekuppelt wird (selbsttätige Signalwahl). Daß die Stellwerkeinrichtungen gegen schädliche Wirkungen von Fremdströmen nach Möglichkeit zu sichern sind, versteht sich von selbst.

Die vorstehenden Ausführungen zeigen, daß die englisch-amerikanische Art der Sicherung von Stellbezirken von der deutschen in wesentlichen Punkten abweicht. Ohne auf die Abweichungen weiter einzugehen, soll doch auf den Unterschied hingewiesen werden, der darin besteht, daß bei den deutschen Stellwerken die Auflösung der Fahrstraße, deren Festlegung mit dem Ziehen des Signals mechanisch erfolgt, durch den Zug elektrisch infolge Bildung eines Arbeitsstromes stattfindet, der unter Umständen Eingriffe zulassen kann. Bei den englischen Stellwerken dagegen ist der Gleisstrom bei besetzter Strecke unterbrochen; es ist also ausgeschlossen, daß sich der durch den anrückenden Zug bereits unterbrochene Gleisstrom durch äußere Eingriffe praktisch wiederherstellen läßt.

### 2. Schaltweise für eine einfache Linienvereinigung und eine einfache Linienverzweigung.

Auf den Tafeln VIII bis XII ist gezeigt, wie die im Vorigen entwickelten Forderungen bei einer Linienzusammenführung und einer Linienverzweigung durch die Schaltweise ihre Erfüllung finden. Strecken- und Stellwerkschaltung sind auf den Tafeln VIII und IX sowie X und XI für die beiden Fälle getrennt dargestellt. Die Darstellungen sind für die Grundstellung der Weichen und Signale gezeichnet; auf Tafel XII ist die Stellwerkschaltung für eine einfache Gleisverzweigung durch Stromlaufbilder für verschiedene Hebelstellungen und Zugbesetzungen noch weiter erläutert.

In den Streckenschaltungen findet durchweg der Wechselstrom der Signalhauptleitungen, in den Stellwerkschaltungen, ferner für den Antrieb der Weichen, der zu den Stellbezirken gehörenden Signale, Fahrsperren und Signalrelais und für die Überwachung der halbselbsttätigen Signale durchweg Batteriegleichstrom Verwendung. Der Wechselstrom der Strecke ist durch die Fahrstraßenrelais in die Stellwerkschaltung eingebunden und dient ferner zur Betätigung der Fahrschautafel, auf der der Stellwerkwärter die Stellung der Signale ablesen und erkennen kann, welche Gleisabschnitte besetzt und unbesetzt sind (zu vgl. S. 126 und 164). Zur deutlicheren Unterscheidung ist in jedem Schaltbild die Hauptstromart mit durchlaufendem, die mitwirkende Stromart mit durchbrochenem dünnem Strich gezeichnet; stärkerer durchbrochener Strich ist zur besseren Kennzeichnung besonderer Stromkreise angewendet. In den Stellwerkschaltungen sind durch den stärkeren Strich stromführende Leitungen hervorgehoben. Die Schaltungen sind in der Hauptsache für Flügelsignale durchgezeichnet; die Schaltung der Lichtsignale ist durch Nebenfiguren erläutert.

#### a) Signalsteuerung für eine einfache Linienvereinigung.

##### α) Streckenschaltung; Tafel VIII.

Die zu den Anrückgleisabschnitten Ga und Ga₁ gehörenden Signale Sa und Sa₁ und das den Gleisabschnitt Gc deckende Signal Sc sind mit den zugehörigen Fahrsperren Fa, Fa₁ und Fc in der früher eingehend erörterten rein selbsttätigen Weise geschaltet. Die halbselbsttätigen Signale Sb und Sb₁ mit den Fahrsperren Fb und Fb₁ schützen die Gleisabschnitte Gb und Gb₁ (zu vergl. der Steuerplan auf Tafel VIII), die sich aus dem Weichengleisabschnitt Gw (gerechnet über den durchlaufenden oder über den abzweigenden Schienenstrang) und aus dem besonderen Abschnitt G β zusammensetzen. Ebenso wie die selbsttätigen sind auch die halbselbsttätigen Signale mittels Linienrelais Aa und Aa₁ durch Stromkreise 3—0 überwacht, die geschlossen sind, wenn sich Signal und Fahrsperre zugleich in der Haltstellung befinden, d. h. wenn der Kontakt IV des Signalflügels (bei Lichtsignalen der Kontakt IV a oder IV b der Signalrelais) und der Kontakt III des Fahrsperrenarmes zugleich geschlossen sind. Die Überwachungsströme fließen vom Transformator T₁ durch die Stromkreise 3—0 zu den Feldwicklungen der Relais Aa und Aa₁ und überprüfen so die Haltanzeige.

Die für den selbsttätigen Betrieb der Signale Sa und Sa₁ erforderlichen Antriebstromkreise 2—0, die an den Streckenrelais Aa und Aa₁ außer dem Selbstschlußkontakt k₁ noch den Antriebkontakt k₂ notwendig machen, sind für die halbselbsttätigen Signale durch Stellwerkleitungen ersetzt. Beim Linienrelais A β ist daher ein Antriebkontakt entbehrlich. Während der Selbstschlußkontakt k₁ die gleiche Bedeutung hat wie bei den Streckenrelais Aa und Aa₁, dient der zweite Kontakt k₂ einem anderen Zwecke, der später erläutert wird.

Tafel VIII zeigt auch die Schaltung der Fahrstraßenrelais. Entsprechend ihrer Zweckbestimmung ist die Forderung zu erfüllen, daß ihre Kontakte a, a₁, w und β bei unbesetzten Gleisabschnitten geschlossen, bei besetzten geöffnet sind, ihre Kontakte sich also mit denen der entsprechenden Linienrelais im Gleichschritt bewegen. Die Fahrstraßenrelais sind auf Tafel VIII so geschaltet, daß ihre von der 110 Volt-Wicklung der Streckentransformatoren gespeisten Stromkreise 5—0 durch Kontakte der Linienrelais geöffnet und geschlossen werden. Für die Anrückrelais Fa und Fa₁ werden hierzu die Kontakte k₂ der Linienrelais Aa und Aa₁ mitbenutzt; beim Linienrelais A β ist zu diesem Zweck ein besonderer Kontakt k₂ angebracht, während das Linienrelais Aw mit seinem einzigen Kontakt k₂ den Stromkreis 5—0 des Fahrstraßen- (Weichen-) Relais Fw öffnet und schließt. Das Feld des Linienrelais Aw ist durch eine in die Leitung 5—0 eingeschaltete Verbindung 3 a—0 dauernd erregt. Die Bauart der Fahrstraßenrelais stimmt mit derjenigen der Linienrelais, d a b e i d e W e c h s e l -

s t r o m r e l a i s  s i n d, im wesentlichen überein; während jedoch bei den Linienrelais der Anker durch einen besonderen Stromkreis erregt wird, sind, wie schon auf S. 123 ausgeführt, bei den Fahrstraßenrelais Feld- und Ankerwicklung hintereinander geschaltet. Wollte man die Fahrstraßenrelais mit den Linienrelais vereinigen, so müßten deren Kontakte entsprechend vermehrt und alle vom Stellwerk kommenden Leitungen bis zu den Linienrelais geführt werden. Dies würde, besonders in den größeren Stellbezirken, einen beträchtlichen Aufwand an Leitungen und damit eine Beeinträchtigung der Übersichtlichkeit der Anlage und eine Vermehrung der Unterhaltungsarbeiten herbeiführen. Daher sind die Fahrstraßenrelais mit den Kontakten a, a₁, w und β in den S t e l l w e r k r a u m verlegt.

Von den Stromkreisen der Fahrstraßenrelais sind die Leitungen 6—0 abgezweigt, mit denen auf der Fahrschautafel Glühlampengruppen der Gleisabschnitte — also Wechselstromlampen — gespeist werden! Die Stellung der Signale wird auf der Fahrschautafel durch rot und grün geblendete Glühlampen — ebenfalls Wechselstromlampen — nachgeahmt, deren Umschaltung in nachstehender Weise erfolgt.

Bei den halbselbsttätigen F l ü g e l -s i g n a l e n Sb und Sb₁ sind in der Haltlage vermittels der Kontakte V a und V b die Ströme 7—0 und 9—0 geschlossen, die vom 110 Volt-Abschnitt des Transformators T₂ zu den rot geblendeten Überwachungslampen der Fahrschautafel (Signalmelder) führen, diese zum Aufleuchten bringen und so dem Stellwärter anzeigen, daß die Signalflügel die Haltlage eingenommen haben. Wird das Signal Sb auf F a h r t f r e i gestellt, so legt sich der Schalter s selbsttätig um. Dadurch wird der Kontakt V a und damit der Rotlichtstrom 7—0 unterbrochen; der Kontakt VI a wird geschlossen, und der Überwachungsstrom gelangt vom Transformator über die Leitung 8—0 zur grün abgeblendeten oberen Überwachungslampe der Schautafel. Wird d a s S i g n a l Sb₁ g e -z o g e n, so legt sich der Schalter s₁ um, der Kontakt VI b wird geschlossen und durch den Stromkreis 10—0 die untere Grünlichtlampe der Fahrschautafel zum Aufleuchten gebracht.

Bei den L i c h t s i g n a l e n treten an die Stelle der Flügelschalter s und s₁ besondere Kontakte s und s₁ der Signalrelais Cb und Cb₁, durch welche die Strecken-

signale und zugleich die Überwachungslampen der Fahrschautafel gesteuert werden.
Die Leitungen 7—0, 8—0 und 9—0, 10—0
der Überwachungslampen sind zu diesem
Zweck zu den Leitungen 7*—0, 8*—0 und
9*—0, 10*—0 der Signallampen parallel
geschaltet. Je nachdem die Kontakte s)
(s₁) an den Polen $V_a$ ($V_b$) oder $VI_a$ ( $VI_b$
anliegen, erscheint am Streckensignal und
an der Überwachungslampe rotes oder
grünes Licht. Die Lampengruppen der Gleisabschnitte auf der Fahrschautafel leuchten
bei unbesetzter Strecke hell auf. Diejenigen Gruppen, deren Gleisabschnitte besetzt sind, werden dagegen infolge des
Kurzschlusses der Zugachsen ausgeschaltet;
die betreffenden Gruppen erscheinen auf
der Fahrschautafel dunkel. Der Stellwerkwärter kann hiernach die Bewegung des
Zuges genau verfolgen, ohne sich um den
letzteren selbst bekümmern zu müssen.

Der Weichenantrieb ist, wie vor-
ausgeschickt sei, für Vor- und Rückwärts-
lauf gebaut, besitzt demzufolge zwei Feldwicklungen $F_1$ und $F_2$ für Rechts- und
Linksdrehung des Ankers. Wie auf Tafel
VIII angedeutet, wird die Bewegung des
Motors durch ein Zahngetriebe und die
Stange Zu auf die Weiche übertragen. Mittels der Gestänge $Zk_1$ und $Zk_2$ werden von
den Weichenzungen zwei doppelpolige Umschalter $U_1$ und $U_2$ gesteuert. In der Plusstellung der Weiche — auf den geraden
Strang, wie in der Zeichnung dargestellt —
verbindet $U_1$ die Kontaktklemmen $k_3$ in
einem Überwachungsstromkreise für den
Zungenschluß. $U_2$ hat bei dieser Stellung
der Weiche in einem anderen Stromkreise
die Kontaktklemmen $k_2$ zur Vorbereitung für den Motorlauf von Plus nach
Minus geschlossen. Bewegen sich die
Weichenzungen aus der Plus- in die Minuslage, so schaltet bei Beginn des Motorlaufes der Schalter $U_1$ im Sprunge
um; $k_3$ wird augenblicklich unterbrochen
und $k_1$ geschlossen; der Schalter hat damit
einen Stromkreis geschlossen, der den
Motorrücklauf von Minus nach Plus vorbereitet. Bei beendeter Umstellung
der Weichenzungen springt $U_2$ von $k_2$
nach $k_4$ um, unterbricht damit den Motorlauf von Plus nach Minus und stellt $k_4$
auf den Überwachungsstrom für den
Zungenschluß der Weiche in der Minuslage ein. In die Triebstange Zu der
Weiche und in die Schaltergestänge $Zk_1$
und $Zk_2$ sind, wie in der Zeichnung
angedeutet, elektrische Trennstellen eingebaut, die kurzschließende Wirkungen

zwischen den Fahrschienen verhindern.
Die schon früher erläuterte elektrische
Verseilung der Weiche ist in der Zeich-
nung mit angedeutet.

Die zum Stellen der Weiche erforderliche Stromstärke beläuft sich auf
10 Amp. bei einer Batteriespannung von
120 Volt. Die Laufzeit des Antriebes beträgt 2½ Sekunde.

Näheres über Antrieb und Überwachung
der Weichen folgt später.

*β) Stellwerkschaltung; Tafel IX.*

Zur Bedienung der auf Tafel IX dargestellten Weichenanlage genügt ein Stellwerk mit einem Weichenhebel Hw und einem
Signalhebel Hs. Zum Stellen der beiden
Signale Sb und $Sb_1$ ist ein Hebel ausreichend, da durch die Endstellung des
Weichenhebels das dieser Stellung entsprechende Signal selbsttätig auf den
Signalhebel eingestellt wird (Signalwahl).
Die Hebelbewegungen übertragen sich auf
die Gestänge Kw und Ks, welche die für
den Stellwerkbetrieb erforderlichen mechanischen Verschlüsse, Sperren und Kontakte betätigen.

*1. Weichenschaltung; Tafel IX.*

Der Weichenhebel wird von den
Sperrelektromagneten Ws — und Ws + beeinflußt, die den Weichenhebel beim Umlegen von I nach III — von Plus nach
Minus — in der Zwischenstellung II, beim
Zurücklegen von III nach I — von Minus
nach Plus — in der Zwischenstellung IV
so lange festhalten, bis die Weiche ausgelaufen ist. Die Sperrung ist auf Tafel IX dadurch angedeutet, daß sich die
Anker der Elektromagnete von links oder
rechts gegen einen am Hebelgestänge befindlichen Knaggen setzen; der Hebel
wird frei, wenn die Sperrmagnete Strom
erhalten, die Anker also angezogen sind,
unter denen dann der Knaggen durch-
gleitet. Die Elektromagnete werden
durch die Weichenüberwachungsströme
1—0 und 1a—0 gesteuert, die durch den
Schalter w, die Weichenschalter $U_1$ und
$U_2$ und durch die der Überwachung des
Weichenlaufs und der Signalwahl dienenden Relais Sw/b+ und Sw/b₁ — eingestellt
werden. Der Schalter w bestimmt mit
dem Gange des Weichenhebels den Lauf
der Weiche von Plus nach Minus und umgekehrt (Fahrstraßenwahl). Die Schaltung
des Weichenantriebes ist so beschaffen, daß
in der Grundstellung der Weiche außer dem
Schalter w der Schalter $U_1$ auf den Strom-

kreis 1—0, dagegen in der umgelegten Stellung (Weichenhebel in Minusstellung) die Schalter w und U₂ auf den Stromkreis 1a—0 eingestellt sind. Ferner ist die Schaltung so eingerichtet, daß in der Grundstellung des Weichenhebels das Relais Sw/b₁—, in der umgelegten das Relais Sw/b+ stromlos ist, so daß in der Grundstellung des Hebels der Kontakt m₁ in den Stromkreis 1—0, bei umgelegtem Hebel der Kontakt p₁ in den Stromkreis 1a—0 gelegt ist. In der Grundstellung des Hebels verzweigt sich der Stromkreis 1—0 bei geschlossenem Relaiskontakt m₁ über den Punkt x zur Wicklung des Relais Sw/b + andererseits zum Sperrmagneten Ws +, mit dessen Spule wiederum die Prüflampe L₁ + parallel geschaltet ist. Der Stromkreis 1a—0 gabelt sich bei Schluß des Relaiskontaktes p₁ in ähnlicher Weise über den Punkt x₁ zur Wicklung des Relais Sw/b₁— und den Sperrmagneten Ws —; neben letzteren ist die Prüflampe L₂— geschaltet.

In der Grundstellung der Weiche ist die Leitung 1a mittels des Schalters U₂ auf die Leitung 5a—0 und damit auf das negative Feld F₂ und den Anker M des Antriebes eingestellt. Steht die Weiche auf Ablenkung, so weist der Schalter U₁ dem Strome der Leitung 1 den Weg über die Leitung 5—0 zum positiven Feld F₁ des Antriebes und dem dahinter geschalteten Anker.

Die Beschreibung wird durch eine Betrachtung über die beim Umstellen der Weiche eintretenden Vorgänge deutlicher.

In der Grundstellung der Weiche, wie auf Tafel IX dargestellt, fließt der Strom vom positiven Pol der Stellwerkbatterie in die Leitung 1, über den Kontakt w₃—w₅ in der Richtung zum Weichenantrieb und hier über den Kontakt k₃—k₃ zur Batterie zurück. Bedingung für den Stromschluß ist, daß der Schalter U₁ gut schließt, was nur möglich ist, wenn die Weichenzunge im graden Schienenstrange fest anliegt. Auf diese Weise wird die Endlage der Weiche überprüft. Über den abgefallenen Kontakt m₁ des Relais Sw/b₁ sich fortsetzend — das Aussetzen des Relais wird dadurch überprüft —, spaltet sich der Strom im Punkte x. Der eine Zweigstrom erregt das Relais Sw/b, das infolgedessen den Ankerkontakt p₁ angezogen hält und dadurch das Relais Sw/b₁, den Sperrmagneten Ws — und die Prüflampe L₂— von der Leitung 1 a abschaltet. Der andere Zweigstrom führt über den Sperrmagneten Ws +, so daß die Hebelsperre dieses

Magneten außer Kraft ist. Die neben den Sperrmagneten geschaltete Prüflampe L₁ ist dabei eingeschaltet, die durch ein erleuchtetes Pluszeichen anzeigt, daß die anliegende Weichenzunge fest schließt. Bei dem beschriebenen Stromlauf ist der obere Teil der Leitung 1a mit dem Kontakt w₄, der untere Teil der Leitung 1a mit dem unteren der beiden Kontakte k₄ des Weichenschalters U₂ an Erde gelegt. Würde in den oberen Teil der Leitung 1a Fremdstrom gelangen, so würde dieser über w₄ E zur Erde abgeleitet, ohne den Antrieb in Lauf zu setzen oder zu beschädigen. Dem unteren Teile der Leitung 1 a zugeführter Fremdstrom würde bei k₄ zur Erde abgeführt, so daß störende Einwirkungen auf die Relais und die Sperrmagnete nicht eintreten können.[1]

Beim Umstellen der Weiche aus der Grundstellung nach Minus kann der Weichenhebel zunächst nur bis zur Mittelstellung II umgelegt werden, da der Sperrmagnet Ws — stromlos ist, sein Anker sich also in Sperrstellung befindet. Die Teilbewegung des Hebels genügt indessen für die Umstellung der Weiche. Der Schalter w rückt von dem Kontakte w₃—w₅

---

[1] Wo von „Erde" und „Erdung" die Rede ist, handelt es sich für die Signalanlage stets um die sogenannte „Bahnerde" im Gegensatz zur wirklichen oder „Wassererde". Die Bahnerde ist für das Signalwesen der von der Wassererde isolierte Bahnkörper, der in seinen stromleitenden Teilen als eine im Querschnitt stark vergrößerte Verstärkungsleitung aus Sicherheitsgründen neben solche Signalleitungen geschaltet wird, die erheblichere Stromstärken führen oder an die solche Leitungsteile geschaltet werden, die von schädlichen Fremdströmen befallen werden können. Auf diese Weise werden die Leitungen bei ihrer Nebeneinanderschaltung — vornehmlich Rückleitungen — entlastet, so daß Stromunterbrechungen weniger leicht vorkommen können. Bei Einschaltung von Leitungsteilen in die Bahnerde werden etwa in eine Signalleitung gelangende Fremdströme von wichtigen Signalleitungen abgelenkt und für diese unwirksam gemacht. In dem angegebenen Sinne sind alle Erdungen aufzufassen, die bei den Stellwerkschaltungen erwähnt sind. Die Wassererde kommt für die Signalanlage der Hochbahn nicht in Betracht.
Der Bahnkörper der Hochbahn ist demzufolge von der Wassererde elektrisch getrennt. Wo diese Trennung nicht vorhanden war, ist sie besonders eingeführt, und wo sie nicht ausreichte, verstärkt worden. Bei den Viadukten bilden für diesen Zweck die aus Granit bestehenden Unterlagsquader, beim Tunnel die in den Rohbaukörper gegen Wasserdurchtritt eingelegte Dichtungsschicht eine ausreichende Isolierung. Wo in Viaduktstrecken Regenrohre, in Tunnelstrecken Gas- und Wasserrohre mit der „Wassererde" in Verbindung stehen, ist eine elektrische Trennung durch Isolierflansche vorgenommen.
Da der auf diese Weise isolierte Gesamtkörper der Bahn nicht überall volle Kontinuität für die Stromleitung gewährleistet, sind für die Erdung (Bahnerdung) der Signalströme diejenigen Bahnteile ausgewählt, die diese Kontinuität zweifellos besitzen, nämlich die Schienenstränge mit den Stromrückleitungskabeln. Diese Teile, in dem aus den baulichen Verhältnissen sich ergebenden Zusammenhang mit den Eisenteilen und sonstigen leitenden Teilen des Bahnkörpers bilden also die Bahnerde.

nach den Kontakten $w_2$ und $w_4$ über, so daß der Batteriestrom über die Leitung 1, die Kontakte $w_2$, $w_4$ und die Leitung 5a über $k_2$—$k_2$ zur Minusfeldwicklung $F_2$ des Motors M und von da zurück zur Batterie fließt. Der Motor läuft an und stellt mit der Zahnstange Z u die Weiche auf Ablenkung. Da der Weichenantrieb, wie schon erwähnt, zu Beginn des Motorlaufes den Springschalter $U_1$ von $k_3$ nach $k_1$ umschaltet, so wird die Schenkelwicklung $F_1$ über die Leitung 5 für den Pluslauf des Weichenmotors b e r e i t g e - s t e l l t. Durch die Umstellung des Schalters w wird das Relais Sw/b + stromlos, dessen Anker $p_1$ abfällt. Der Sperrmagnet Ws + wird ebenfalls stromlos und nimmt die Sperrstellung ein, die Prüflampe $L_1$ + erlischt. Das Relais Sw/b, der Sperrmagnet Ws + sowie die Prüflampe $L_1$ werden über den abgefallenen Kontakt $m_1$ und den unteren Teil der Leitung 1 über den mit dem unteren der beiden Kontakte $k_3$ in Berührung gekommenen Pol E an Erde gelegt, so daß Sw/b, Ws+ und $L_1$ gegen Fremdstrom gesichert sind.

Hat der Antrieb die Weichenzungen völlig in die Minusstellung gebracht, so schaltet zum Schluß der Springschalter $U_2$ um. Dadurch wird die untere Leitung 1a, die bisher über $k_4$ an Erde lag, von dieser abgeschaltet; der Überwachungsstrom wird über 1, $w_2$, $w_4$, 1 a, $k_4$, $U_2$, 1 a, über den abgefallenen Ankerkontakt $p_1$ des Relais Sw/b und über $x_1$ geschlossen, von wo er sich über die Wicklung des Relais Sw/$b_1$ einerseits, die Wicklung des Sperrmagneten Ws — und die Prüflampe $L_2$ — anderseits verzweigt. Das Relais Sw/$b_1$ zieht den Anker $m_1$ an. Da der Sperrmagnet Ws — Strom erhält, wird die Minussperre beseitigt; die Prüflampe leuchtet auf. Der Weichenhebel kann vollständig in seine Endlage gebracht werden, wobei der Schalter w, ohne den Pol $w_4$ zu verlassen, von $w_2$ nach $w_1$ übertritt und bei $w_5$E die Erdung herstellt.

Bei der Zurückstellung der Weiche von Minus nach Plus kann der Weichenhebel zunächst wiederum nur bis zur Zwischenstellung IV umgelegt werden. Dadurch wird der Schalter w von $w_1$—$w_4$ nach $w_2$—$w_5$ gebracht, $w_5$—E unterbrochen. Der Motorlaufstrom fließt über $w_2$—$w_5$, die Leitung 5 mit den Kontakten $k_1$ zur Plusfeldwicklung $F_1$ und durch die Ankerwicklung des Motors M über 5—0 zur Stromquelle zurück. Der Motor läuft an; bei Beginn seines Laufs springt der

Schalter $U_2$ von den Kontakten $k_4$ nach $k_2$ über. Der untere Teil der Leitung 1 a wird bei $k_4$ an Erde gelegt, so daß das Relais Sw/$b_1$, der Sperrmagnet Ws — nebst Prüflampe $L_2$ gegen Fremdstrom geschützt sind. Der Sperrmagnet W s — und das Relais Sw/$b_1$ sind stromlos, so daß der Kontakt $m_1$ abfällt, und in der Leitung 1—0 durch Schließen der Kontakte $w_2$, $w_5$, $m_1$ ($k_3$ noch offen) dem Strom der Weg über x zum Relais Sw/b einerseits, zum Sperrmagneten Ws + und zur Prüflampe $L_1$ anderseits vorbereitet ist. Nachdem die Weichenzungen ihre Endlage — also die Plusstellung — erreicht haben, springt auch der Schalter $U_1$ um, der dann bei $k_3$ vollends den Stromschluß in der Leitung 1—0 herstellt. Der Anker $p_1$ wird vom Relais Sw/b angezogen und damit sein Kontakt von der Leitung 1a getrennt. Die Prüflampe $L_1$ läßt das Pluszeichen aufleuchten. Der Hebel kann jetzt in die Grundstellung zurückgeführt werden, wobei w in die Stellung $w_3$—$w_5$ übergeht und $w_4$ über E mit der Erde verbunden wird. Während des Motorlaufs sind die Relais Sw/b und Sw/$b_1$ stromlos, ihre Kontakte also abgefallen. Da dann auch die Sperrmagnete stromlos sind, kann der Hebel weder nach der einen noch nach der anderen Seite in seine Endlage gebracht, aber innerhalb der Zwischenstellungen frei hin und her bewegt werden, damit die Weiche beliebig auf Minus oder Plus umgestellt werden. Während dieses Zustandes sind die Prüflampen dunkel.

Mit den Kontakten $p_1$ und $m_1$ der Relais Sw/b und Sw/$b_1$ bewegen sich noch weitere Kontakte $p_2$ und $m_2$ im Gleichschritt. Diese arbeiten als Signalwähler derart, daß sie mit dem Signalhebel dasjenige der beiden Signale kuppeln, welches der jeweiligen Endstellung der Weiche entsprechend gezogen werden muß. Falls von einem Hauptgleis mehr als e i n Zweiggleis abgelenkt ist, treten weitere Signalwähler hinzu. Da, wie oben bemerkt, die Relais Sw/b und Sw/$b_1$ während der Umstellung der Weiche stromlos sind, so fallen mit den Kontakten $p_1$, $m_1$ auch die Kontakte $p_2$, $m_2$ ab; während der Umstellung der Weiche können also keine Signale gezogen werden.

## 2. Signalschaltung.

Der untere Teil des Schaltplanes auf Tafel IX zeigt die Sperren Üs und Fs, denen die Aufgabe zufällt, den Signalhebel beim Zurückführen aus der gezogenen Stellung in die Grundstellung in der Zwischenstellung III festzuhalten, solange einer der Anrückabschnitte Ga oder Ga₁ oder der Weichenabschnitt Gw besetzt sind oder das Signal nicht in die Haltstellung gefallen ist. Der Sperre Üs dient der Signalüberwachung, Fs der Fahrstraßenfestlegung. Die Sperre Fs wird gesteuert von den in dem Stellwerkraum untergebrachten Fahrstraßenrelais Fa oder Fa₁ und Fw, indem deren Kontakte bestimmte Stromkreise schließen oder öffnen. Das Abrückrelais F β hat den Zweck, die Kupplung des Hebels mit dem Signal so lange zu unterbinden, bis die letzte Zugachse aus dem Gleisabschnitt G β abgerückt ist.

Die Wicklung des Sperrmagneten Üs ist in einen Stromkreis 4—0 gelegt, der durch die hintereinander geschalteten Signalflügelschalter s und s₁ oder bei Lichtsignalen (rechts unten auf Tafel IX) durch die Signalrelaisanker s und s₁ der beiden Signale Sb und Sb₁ geöffnet oder geschlossen wird. Der Stromkreis ist nur dann geschlossen, die Sperre Üs also nur dann vom Signalhebel Hs weggenommen, wenn sich beide Signale zugleich in Haltstellung befinden. Ist eins der Signale gezogen, so befindet sich die Sperre in Sperrstellung.

Die Wirkungsweise der Sperre Üs ist von der Streckenbesetzung unabhängig. Anders bei der Fahrstraßensperre Fs. Die Aufgabe dieser Sperre ist ja, den Hebel beim Zurücklegen in der Mittelstellung festzuhalten — so daß der Weichenhebel durch das Verschlußregister festgelegt bleibt —, wenn

a) der Anrückabschnitt Ga oder Ga₁ oder

b) der Weichenabschnitt Gw besetzt ist, um so mehr also, wenn beide Abschnitte gleichzeitig von Zugachsen besetzt sind. Dagegen muß der Signalhebel ungehemmt in die Grundstellung zurückgelegt werden können, wenn lediglich der Abschnitt G β besetzt, der Zug im Abrücken begriffen ist.

Die Erfüllung dieser Bedingungen ist durch ein mit den Kontakten c und d arbeitendes Sperrelais Sr gewährleistet, das durch einen Strom 2a—0 erregt wird, der über die beiden Kontakte w und β des Weichen- und Abrückrelais in Hintereinanderschaltung geführt ist. Dieser Strom spaltet sich im Punkte y, von dem aus er auf zwei verschiedenen Wegen, und zwar mit der Leitung 2 über den Kontakt c und mit der Leitung 2a über den vom Signalhebel gesteuerten Schal-

ter s zur Wicklung des Sperrelais geführt ist. Der Weg über 2a ist geschlossen, wenn sich der Signalhebel in der Grundstellung befindet; in dieser Stellung nimmt der Schalter s die auf Tafel IX dargestellte Lage ein, in der er den Stromkreis 2a—0 über s₃—s₁ schließt. Der andere Zweig ist nur geschlossen, wenn das Sperrrelais schon erregt, der Ankerkontakt c dieses Relais bereits angezogen ist. Des Stromkreises 2a—0 bedarf es, um das Relais jedesmal neu zu erregen, nachdem seine Kontakte abgefallen sind; die Erregung ist aber nur möglich, wenn der Signalhebel sich in der Grundstellung befindet. Hat die Erregung des Relais aber einmal stattgefunden und dieses die Kontakte c und d angezogen, so bleibt dieser Zustand bestehen, auch wenn der Hebel Hs gezogen und damit der Stromkreis 2a—0 bei s₃—s₁ unterbrochen wird. In diesem Falle ist es der Selbstschlußstromkreis 2—c—Sr—0, der die Stromzufuhr zum Relais aufrecht erhält.

Der Relaiskontakt d befindet sich in dem Stromkreis 3—0 der Fahrstraßensperre Fs. Der Kontakt d ist zweipolig: in erregtem Zustande des Sperrelais (d mit c angezogen) gelangt der Sperrstrom 3—0 oder 3b—3—0, unbesetzte Strecke vorausgesetzt, über den Kontakt a oder a₁ eines der beiden Anrückrelais Fa oder Fa₁ und über h₂—h₃ oder h₁—h₃ zur Fahrstraßensperre F. Ist das Sperrelais stromlos (d abgefallen), so gelangt Strom über den Kontakt w des Weichenrelais Fw und die Leitung 3a zur Fahrstraßensperre. Im ersten Falle hängt es von der Stellung des Weichenhebels ab, ob der Strom den Weg über den Kontakt a oder a₁ der Anrückrelais Fa oder Fa₁ nimmt. Bestimmend hierfür ist die Lage des von der Kontaktstange Kw des Weichenhebels gesteuerten Umschalters h, der bei Grundstellung des Weichenhebels den Stromkreis 3—0 über den Ankerkontakt a des Anrückrelais Fa, in der umgelegten den Stromkreis 3b—3—0 über den Ankerkontakt a₁ des Anrückrelais Fa₁ schließt. Der Schalter h dient demgemäß als Relaiswähler für die Anrück-Gleisabschnitte und gleichzeitig zur Überprüfung des Stromlaufes der Fahrstraßensperre.

Hiernach ergibt sich folgendes:

Nehmen Weichen- und Signalhebel bei unbesetzter Strecke die Grundstellung ein, so stehen beide Signale auf Halt. Die Anker a, a₁, w und β der Fahrstraßenrelais sind, da die Gleisstromkreise der zugehörigen Gleisabschnitte diese Wechselstromrelais erregt hälten, angezogen. Da der Hebelschalter s die Kontakte $s_2$ und $s_1$ schließt, ist der Stromkreis 2, w, ß, y, 2a, s, Sr, 0 für den Batteriestrom geschlossen. Das Sperrelais ist infolgedessen erregt und hält die Kontakte c und d angezogen. Demgemäß ist der Stromkreis gleichzeitig auch über den Zweig y, 2, c, Sr, 0 geschlossen. Unter diesen Umständen kann der Signalhebel gezogen und damit der Stromweg über 2a abgeschaltet werden, ohne daß das Sperrelais Sr stromlos wird, da dem Selbstschlußstrom der Weg über c offen bleibt. Der Ankerkontakt d des Sperrelais liegt in dem Sperrenstromkreis 3, d, 3, Fs, 0. In der Grundstellung des Weichenhebels wird der Strom 3—0 über den Kontakt a des Anrückrelais Fa (gerader Gleisstrang), bei gezogener über den Kontakt $a_1$ des Anrückrelais $Fa_1$ (Zweiggleisstrang) geleitet.

Wird nun — gleichviel in welcher Endstellung der Weichenhebel sich befindet — der Signalhebel gezogen, so bewegt sich, ohne im übrigen eine Zustandsänderung herbeizuführen, der Hebelschalter s nach links, unterbricht den Strom 2 a und stellt über $s_1$—$s_2$ die Stromverbindung 6—0 her, die zu einem Signale führt. Zu welchem, ist nach der Stellung des Weichenhebels durch Kontakte $m_2$ und $p_2$, die den Relais Swb und $Swb_1$ noch weiter zugeordnet sind, vorausbestimmt; in der Grundstellung des Weichenhebels — Kontakt $p_2$ geschlossen — gelangt der Stellstrom über die Leitung 6—0 zum Antrieb des Signals Sb mit Fahrsperre Fb oder bei Lichtsignalen zum entsprechenden Signalrelais mit Fahrsperre. In der gezogenen Stellung des Weichenhebels — $m_2$ geschlossen — fließt der Stellstrom über 6—6a—0 zum Antrieb (oder Signalrelais) des Signals $Sb_1$ und gleichzeitig zum Fahrsperrenantrieb $Fb_1$. Die Signalantriebe oder Signalrelais und die Fahrsperrenantriebe werden erst eingeschaltet, nachdem der Signalhebel vollständig umgelegt ist, da erst dann die Leitung 6—0 durch den Hebelschalter s geschlossen ist.

Die Relais Swb und $Swb_1$ sind im folgenden nach ihren wichtigsten Zweckbestimmungen als Signalwähler bezeichnet.

Bei gezogener Stellung des Signalhebels treten nun alsbald wesentliche Zustandsänderungen ein, sobald die Strecke von einem Zuge befahren wird. Befindet sich die Weiche in der Grundstellung (Plusstellung), so ist Fa

an den Vorgängen beteiligt, $Fa_1$ ausgeschaltet. Da eines der Signale, im angenommenen Fall Sb, auf Fahrt gestellt ist, hat die Überwachungssperre Üs die Sperrstellung eingenommen, so daß der Signalhebel nur noch bis zur Zwischenstellung III zurückgelegt werden kann. Die Sperre Fs ist noch ausgerückt. Fährt nun ein Zug in den Anrückabschnitt Ga ein, so fällt der Anker a des Anrückrelais Fa ab, und unterbricht den Strom 3—0. Damit nimmt auch Fs die Sperrstellung ein. Sobald die erste Zugachse in den Weichenabschnitt Gw einfährt, fällt der Anker w des Weichenrelais Fw ab und führt Stromunterbrechung in den Leitungen 2 und 3a herbei. Das Sperrelais wird stromlos, die Kontakte c und d fallen ab. Infolgedessen ist der Signalstrom 6—0 bei c unterbrochen, und das Signal Sb fällt selbsttätig auf Halt. Damit wird anderseits der Stromkreis 4—0 bei I a wieder hergestellt und, da Ib infolge Haltstellung des Signals $Sb_1$ geschlossen blieb, die Sperre Üs wieder ausgerückt. Die Sperre Fs bleibt dagegen in Sperrstellung, solange der Gleisabschnitt Gw besetzt ist — auch wenn der Gleisabschnitt Ga inzwischen wieder frei geworden sein sollte —, da der Strom in der Leitung 3 jetzt den Kontakt d in abgefallenem Zustand antrifft. Wenn nun auch Gleisabschnitt G ß besetzt, so tritt eine Zustandsänderung nicht ein, solange noch Gw besetzt bleibt. Rückt jedoch die letzte Zugachse aus Gw heraus, so schließt sich der Kontakt w des Weichenrelais und damit wird dem Strom der Weg über 3a, w, 3 a und den — abgefallenen — Kontakt d zur Fahrstraßensperre geöffnet, die nunmehr ebenfalls ausrückt, so daß der Signalhebel aus der Zwischenstellung III in seine Grundstellung zurückbewegt werden kann. Solange jedoch der Zug den Abrückabschnitt G ß noch besetzt hält, der Anker ß des Abrückrelais also noch abgefallen ist, bleibt dem Strom der Weg über 2 gesperrt. Er wird erst wieder geschlossen, wenn die letzte Zugachse den Gleisabschnitt G ß verlassen hat. Sobald alsdann ß wieder schließt, wird das Sperrelais durch den Stromkreis 2, y, 2a, s, 2a, 2, 0 wieder erregt und der Ausgangszustand wieder hergestellt. Der Signalhebel — wie auch die Weiche stehe, und wie auch die Strecke besetzt sei — kann nach früherem jederzeit bis zur Mittellage zurückgelegt werden. Das hat zur Folge, daß der Schalter s den Signalstrom 6—0 unterbricht; das Signal nimmt dann die Haltstellung ein (selbsttätiger Haltfall des Signals).

Die absichtlich etwas ausführlicher gehaltenen Darlegungen lassen sich kurz, wie folgt, zusammenfassen. In dem auf Tafel IX dargestellten Ruhezustande des unter Strom stehenden Stellwerks — Weichen- und Signalhebel in Grundstellung, Weiche in der Plusstellung, beide Signale in der Haltstellung — sind die sämtlichen Fahrstraßenrelais Fa, Fa$_1$, Fw und Fβ erregt, ihre Ankerkontakte a, a$_1$, w und β angezogen. Der Signalüberwachungsstromkreis 4—0 ist geschlossen, die Überwachungssperre Üs befindet sich in Freigabestellung. Das Sperrrelais ist erregt, die Kontakte c und d sind angezogen: Strom 3—0 fließt über den Relaiswähler h in der Plusstellung, Kontakt d ist geschlossen; die Fahrstraßensperre Fs befindet sich also ebenfalls in Freigabestellung.

Wird jetzt der Signalhebel gezogen, so geht, sobald er die Stellung II erreicht, das Signal Sb auf Fahrt, da der Schalter s sich von s$_1$—s$_3$ nach s$_1$—s$_2$ bewegt und den durch den Signalwähler Kontakt p$_2$ auf die Plusstellung der Weiche geschalteten Stellstromkreis 6—0 schließt. Der Stromkreis 4—0 wird bei Ia unterbrochen, die Überwachungssperre Üs geht in die Sperrstellung. Dies hat zur Folge, daß der Signalhebel jetzt nur bis zur Zwischenstellung zurückgelegt werden kann.

Das Sperrelais bleibt, wenn auch der Signalhebelschalter s den Erregerstromkreis 2 a unterbrochen hat, erregt, weil der Selbstschlußstrom 2 in Kraft bleibt.

Wird der Signalhebel bis zur Zwischenstellung III zurückgelegt, so wird der Stellstrom durch den Schalter s unterbrochen; das Signal Sb geht auf Halt, der Überwachungsstrom 4—0 schließt sich bei Ia wieder, und die Überwachungssperre nimmt infolgedessen wieder die Freigabestellung ein. Der Hebel kann jetzt in die Ausgangsstellung zurückgelegt werden.

Bei gezogenem Signalhebel — Signal Sb auf Fahrt frei — treten bei einer Zugfahrt die folgenden Vorgänge ein:

a) Der Zug hat den Anrückabschnitt Ga besetzt: der Anker a des Anrückrelais Fa fällt ab, der Sperrstromkreis 3—0 wird unterbrochen, die Fahrstraßensperre Fs nimmt die Sperrstellung ein und behält diese bei, bis sich keine Zugachse mehr im Anrückabschnitt befindet. Das Sperrelais Sr bleibt erregt.

b) Der Zug hat den Weichenabschnitt Gw besetzt: Der Anker w des Weichenrelais Fw fällt ab und unterbricht den Selbstschlußstromkreis 2 des Sperrelais, das außer Kraft tritt und seine beiden Kontakte c und d abfallen läßt. Der Sperrenstromkreis ist außer bei Kontakt a — solange der Anrückabschnitt besetzt ist —, noch bei w unterbrochen, die Fahrstraßensperre Fs bleibt infolge der Weichenbesetzung in Sperrstellung, auch wenn das Fahrstraßenrelais Fa infolge Räumung des Anrückabschnitts wieder Strom erhält.

c) Der Zug hat den Abrückabschnitt Gβ besetzt: das Abrückrelais Fβ ist stromlos und läßt den Anker β abfallen, das Sperrelais muß also stromlos bleiben, auch wenn sich im Weichenabschnitt keine Zugachse mehr befindet, der Anker w demzufolge wieder angezogen ist. Im letzteren Falle jedoch ist die Leitung 3 a geschlossen. Sobald also der Fall eintritt, daß nur noch der Abrückabschnitt besetzt ist, d. h. von dem Augenblick an, in dem die letzte Zugachse aus dem Weichenabschnitt in den Abrückabschnitt übergetreten ist, befindet sich die Fahrstraßensperre wieder in Freigabestellung. Der Signalhebel kann nunmehr in die Grundstellung zurückgelegt werden. Das Sperrelais jedoch bleibt stromlos, so lange der Abrückabschnitt noch besetzt ist. Der Signalstellstrom 6—0 kann also, auch wenn, was frei steht, der Signalhebel wieder gezogen würde, nicht geschlossen werden, weil die Leitung 6—0 durch den Anker β des Fahrstraßenrelais Fβ unterbrochen ist; das Signal folgt also dem Hebel nicht.

Das Sperrelais erhält wieder Strom, sobald die letzte Zugachse den Abrückabschnitt Gβ verlassen hat (außer w auch β geschlossen), vorausgesetzt, daß sich der Signalhebel in der Grundstellung befindet (s$_1$—s$_3$ durch den Signalhebelschalter geschlossen).

d) In dem Augenblick, in dem die erste Zugachse in den Weichenabschnitt Gw einfährt, der Anker des Fahrstraßenrelais Fw also abfällt, das Sperrelais demzufolge stromlos wird, wird der Signalstellstrom durch den Abfall des Kontaktes c unterbrochen. Das Signal Sb geht also selbsttätig auf Halt, sobald der Zug in den Weichenabschnitt einfährt.

b) Signalsteuerung für eine einfache Linienverzweigung.

α) *Streckenschaltung ; Tafel X.*

Die Schaltung weicht in ihrem äußeren Bilde von der auf Tafel VIII dargestellten dadurch ab, daß nicht mehr die Einfahrsignale und Anrückrelais, sondern die Ausfahrsignale und Abrückrelais verdoppelt erscheinen, während das Weichenrelais ungeändert bestehen bleibt. Ein weiterer Unterschied ergibt sich aus dem Umstande, daß die halbselbsttätigen Signale Sb bzw. Sb$_1$ nicht, wie auf Tafel VIII angegeben, örtlich voneinander getrennt sind; sie wurden, da sie eine Gleisverzweigung decken, zusammengelegt und gestatten entweder die grade oder die abzweigende Fahrt. Dies führt zur Form des Zweiflügelsignals bzw. dreier übereinander angeordneter Signallichter. Als Haltgebot genügt für das durchgehende wie abzweigende Gleis eine Anzeige; oberer Signalflügel in Haltstellung oder ein rotes Licht. Die Fahrtfrei-Anzeige für das durchgehende Gleis erfolgt, indem der obere Signalflügel auf Fahrt frei gestellt oder ein grünes Licht gezeigt wird. Soll dagegen der Zug in das abzweigende Gleis gelenkt werden, so werden beide Signalflügel oder zwei übereinander stehende grüne Lichter gleichzeitig auf Fahrt frei eingestellt.

Wie nur einer Haltanzeige, so bedarf es am halbselbsttätigen Signal auch nur einer einzigen Fahrsperre Fb/b$_1$, die zu dem oberen der beiden Signalflügel — Sb — oder dem diesem entsprechenden Signalrelais — Cb — parallel geschaltet wird. Auch die Überwachung der Haltstellung vollzieht sich durch das Linienrelais Aa mittels nur eines Stromkreises 3—0, der in der bekannten Weise bei Flügelsignalen über die Fahrsperren- und Flügelkontakte III und IV des Signals Sb und der Fahrsperre, bei Lichtsignalen über den Fahrsperrenkontakt III und die beiden hintereinander geschalteten Ankerkontakte IVa und IV b der Signalrelais geführt ist. Eine Überprüfung der Haltlage auch des unteren Signalflügels erübrigt sich, da der untere — bei zwei Gleisabzweigungen auch ein dritter — Flügel durch das Signalgestänge derart mit dem oberen Flügel verbunden ist, daß er von diesem zwangsweise mit in die Haltstellung gebracht wird.

Die bei einer Linienverzweigung auftretenden Forderungen machen einige Änderungen in der Schaltung notwendig. Während die Stellströme für

die halbselbsttätigen Signale im Falle der Gleisvereinigung — Tafel VIII — nur einzeln benutzt werden, ist die Schaltung im Falle der Linienverzweigung so einzurichten, daß beim Ziehen des Signals Sb einer der beiden Stellströme, beim Ziehen des Signals Sb$_1$ — beide Flügel oder zwei Grünlichter — dagegen beide Stellströme gleichzeitig tätig werden. Diese verschiedenartige Benutzungsweise kommt in der Streckenschaltung nicht zum Ausdruck, ist aber in später zu erörternder Weise bei der Stellwerkschaltung zu berücksichtigen.

Da auf der Fahrschautafel nur ein Rotlicht zu wiederholen ist, kommt die auf Tafel VIII mit 9—0 bezeichnete Rotlichtleitung in Wegfall; die Bezeichnungen der verbleibenden drei zur Fahrschautafel führenden Leitungen sind auf Tafel X geändert. In dem Schalter s$_1$ des unteren Signalflügels kommt der Kontakt Vb der Tafel VIII in Fortfall, beim Kontakt s$_1$ des Signalrelais Cb$_1$ wird der Kontakt Vb der Tafel VIII Leerkontakt. Über das Spiel der Signalrelais ist der linksseitigen Abbildung auf Tafel X zweckmäßigerweise noch eine kurze Erläuterung beizufügen.

Bei Haltanzeige der Lichtsignals sind die Elektromagnete der Signalrelais stromlos und ihre Ankerkontakte abgefallen. Bei Fahrtanzeige für das durchgehende Gleis ist der Elektromagnet des Signalrelais Cb erregt, sein Anker angezogen, Kontakt V und damit der Rotlichtstrom unterbrochen und Kontakt VIa geschlossen; der Überwachungsstrom fließt dann von T$_2$ über 8—8*—0 zu der einen grün geblendeten Lampe des Signals, parallel dazu über 8—0 zur grün geblendeten Lampe der Fahrschautafel. Soll das Signal für das abzweigende Gleis Fahrt frei anzeigen, so erhalten die Elektromagnete beider Signalrelais Cb und Cb$_1$ Strom; beide ziehen ihre Anker an, so daß sich außer Kontakt VIa auch der Kontakt VIb schließt. Durch letzteren wird über 9—9*—0 Strom zur zweiten grün geblendeten Signallampe geführt und parallel dazu über 9—0 zur zweiten grün geblendeten Überwachungslampe der Fahrschautafel.

β) *Stellwerkschaltung;*
*Tafel XI und XII.*

Innerhalb der Stellwerkschaltung für eine Linienverzweigung — Tafel XI — ergeben sich gegenüber derjenigen für eine Linienvereinigung folgende Abweichungen:

Da bei der Verzweigung nur e i n An-rückrelais vorhanden ist, erfährt die Zweck-bestimmung des Relaiswählers eine Ände-rung. Die Leitung 3—0 über den Anker des Anrückrelais Fa ist an den Kontakt d des Sperrelais unmittelbar heranzuführen. Der Weichenrelaiskontakt w ist zu jedem der Kontakte β und β₁ der beiden Abrück-relais Fβ und Fβ₁ hintereinander zu schal-ten; dies macht die Einschaltung des Re-laiswählers h in die Verbindungsleitungen dieser Kontakte notwendig. In der Grund-stellung des Weichenhebels sind die Relais-kontakte w und β über Leitung 2, in der umgelegten Stellung die Kontakte w und β₁ über Leitung 2—2b hintereinander ge-schaltet.

Der Umstand, daß für die Stellung Fahrt frei entweder nur der obere der beiden Flügel des halbselbsttätigen Signals oder beide Flügel zugleich zu ziehen sind oder daß — bei Lichtsignalen — entweder nur der eine Grünlichtstromkreis oder beide Grünlichtstromkreise gleichzeitig zu schlie-ßen sind, macht es nötig, entweder die Sig-nalleitung 6—0 für sich oder beide Leitun-gen 6—0 und 6a—0 gleichzeitig mit Strom zu beschicken. Je nach der Stellung des Signalwählers hat der Signalhebelschalter s also die Verbindung herzustellen entweder nur mit der Leitung 6—0 oder mit den Lei-tungen 6—0 und 6a—0 gleichzeitig. Ist der Wählerkontakt p₂ geschlossen, m₂ offen, so erhält beim Ziehen des Signalhebels der Stromkreis 6—0 Strom und Signal Sb geht auf Fahrt. Ist m₂ geschlossen, p₂ abge-fallen, so müssen beide Leitungen 6—0 und 6a—0 zugleich Strom erhalten. Dies macht für den Kontakt p₂ die Hinzufügung eines zweiten — in der Zeichnung unteren — Kontaktpols in der Leitung 6—0 erforder-lich. Danach erfolgt gleichzeitiger Schluß beider Stellströme, wenn der Anker p₂ ab-gefallen, der Anker m₂ angezogen ist.

———

Um die beim Stellen der Weichen- und Signalhebel infolge der Gleisbesetzungen eintretenden Änderungen in den Strom-läufen im einzelnen noch deutlicher vorzu-führen als es durch bloße Erklärungen möglich ist, sind auf Tafel XII eine Reihe von Schaltbildern für v e r s c h i e d e n e B e t r i e b s z u s t ä n d e d e s S t e l l - w e r k e s dargestellt, zu denen folgendes zu bemerken ist.

Solange das in Ruhe befindliche Stell-werk — beide Hebel in der Grundstellung vorausgesetzt — n o c h n i c h t a n d i e S t e l l w e r k b a t t e r i e geschaltet ist,

sind sämtliche Kontakte der Signalwähler und des Sperrelais abgefallen; die Anker der Hebelsperren ruhen mit Ausnahme des-jenigen der Sperre Ws —, der abgefallen ist, auf den Sperrknaggen der Hebelgestänge Kw und Ks. Die Fahrstraßenrelais mögen durch Einschaltung der Hauptspeiseleitung für die Streckensicherung bereits erregt, da-her ihre Anker angezogen sein. Die Hebel-schalter w, h und s sowie die Weichen-schalter U₁ und U₂ nehmen die auf Tafel XI gezeichnete Stellung ein. Der obere Teil der Leitung 1a liegt bei w₄, der untere bei k₄ an Erde.

B e i E i n s c h a l t u n g d e s B a t t e -r i e s t r o m e s kommen die auf Tafel XI mit starkem Strich gezeichneten Stromläufe zustande. Durch den Kontakt m₁ des Sig-nalwähler-Relais Sw/b₁ ist der Stromkreis 1—0 geschlossen. Demzufolge zieht das Relais Sw/b seine Kontakte p₁ und p₂ an; der Sperrmagnet Ws + erhält Strom und verhindert, daß sein Anker in die Sperrlage gelangen kann. Da die Signal-flügelkontakte I a und I b geschlossen sind, erhält der Stromkreis 4—0 Strom; der Sperrmagnet Üs wird erregt und verhin-dert, daß sein Anker abfällt. Da der Erregerstromkreis 2a—0 geschlossen ist, wird das Sperrelais erregt und zieht die Kontakte c und d an; damit schließt sich auch der Selbstschlußstromkreis 2—0. Der Sperrmagnet Fs wird durch den Strom-kreis 3—0 über den Kontakt d erregt und hält ebenfalls seinen Anker fest. Dieser Zustand ist als Bild 1 auf Tafel XI dar-gestellt, das für die Abbildungen 2 bis 7 auf Tafel XII zum Ausgang dient.

In den Bildern 1 auf Tafel XI und 2 bis 4 auf Tafel XII sind die Gleise u n -b e s e t z t angenommen.

Bild 2 auf Tafel XII zeigt die Weiche in Laufstellung, den Weichenhebel auf dem Wege zur Minusstellung in Stellung II fest-gehalten. Der Hebelschalter w ist auf den Kontakt w₂—w₄ und damit auf den Weichen-laufstrom 5—5a—0 (von Plus nach Minus) geschaltet; Schalter h ist unterbrochen. Der Springschalter U₁ hat sich bereits umge-legt, damit die Leitung 1—0 unterbrochen, dagegen im oberen Abschnitt der Leitung 1—0 den Weichenlauf für die nächste Um-stellung vorbereitet. Infolge Unterbrechung der Leitung 1—0 ist der Signalwähler Sw/b stromlos geworden und hat seine Kontakte losgelassen. Der Sperrmagnet Ws + ist stromlos geworden; auch dieser nimmt die Sperrstellung ein, und beide Prüflampen sind dunkel.

In diesem Zustande, wie ihn Bild 2 der Tafel XII darstellt, ist der untere Teil der Leitung 1 an Erde gelegt, so daß nunmehr die unteren Teile sowohl von 1—0 als auch von 1a—0 an Erde liegen. Würde in den unteren Teil von 1a eintretender Fremdstrom nicht bei $k_4$ zur Erde abgeleitet, so würde er über $p_1$ den Sperrmagneten Ws— erregen und dadurch die Sperre, die den Weichenhebel in der Zwischenlage II festhält, auslösen, so daß der Stellwerkwärter in der Lage wäre, den Hebel in die Endstellung zu bringen, während die Weiche noch nicht ausgelaufen ist. Der Laufstrom würde unterbrochen und die Weiche in halb umgelegter Stellung zum Stillstand kommen. Infolge des Umlegens des Weichenhebels würde durch das Verschlußregister der Signalhebel IIs frei und der Wärter in den Stand gesetzt, das Signal für eine nicht vorschriftsmäßig eingestellte Fahrstraße zu ziehen. In ähnlicher Weise würde Fremdstrom, der in den unteren Teil der Leitung 1—0 gelangt, mangels Erdung dieses Teiles den Sperrmagneten Ws + erregen, dadurch die Plussperre des Weichenhebels ausheben.

Ein in den o b e r e n Teil der Leitung 1a eintretender Fremdstrom würde unschädlich sein, da er in demselben Sinn wirkt, wie der vorher wirksam gewesene Betriebstrom, so daß eine Erdung unter diesen Umständen nicht erforderlich ist (Bild 2 auf Tafel XII).

Für die Signalschaltung ist von Einfluß, daß der Schalter h die Verbindung zwischen den Kontakten w und β der Fahrstraßenrelais und damit (zu vgl. Tafel XI) den Stromkreis 2—0, also sowohl den Selbstschlußstromkreis als auch den Erregerstromkreis 2a—0 des Sperrelais Sr unterbrochen hat, das die Kontakte c und d fallen läßt. Der Sperrmagnet Fs indessen erfährt keine Unterbrechung, da sich der Kontakt d in den Stromkreis 3a—0 eingeschaltet hat.

In dem Augenblick, in dem die Weiche ihren Lauf beendet, springt auch der Schalter $U_2$ um, den unteren Abschnitt der Leitung 1 a von Erde wegnehmend. Leitung 1 a ist nunmehr über $p_1$ geschlossen. Sw/$b_1$ und Ws— werden erregt und die Prüflampe $L_2$ leuchtet auf. Die Kontakte $m_1$ und $m_2$ werden angezogen und die Hebelsperre Ws — in die Freigabestellung gebracht. Der Weichenhebel kann aus der Lage II in die Endlage III gebracht werden, wobei der Schalter w von $w_2$—$w_4$ auf $w_1$—$w_4$ übergeht.

Die Zurückführung des Hebels in die Grundstellung vollzieht sich in entsprechender Weise.

Bild 3 auf Tafel XII zeigt die Schaltung b e i g e z o g e n e m S i g n a l h e b e l, unter der Voraussetzung, daß sich der W e i c h e n h e b e l i n d e r G r u n d s t e l l u n g befindet, der die Weichenstellung betreffende obere Teil der Schaltung also mit der im Bilde 1 übereinstimmt. Durch Ziehen des Signalhebels wird der Hebelschalter s von $s_1$—$s_3$ nach $s_1$—$s_2$ bewegt, also der Stellkreis 6—0 des Signals Sb mit Fahrsperre Fb/$b_1$ über den Kontakt des angezogenen Ankers $p_2$ geschlossen. Signal und Fahrsperre nehmen die Fahrstellung ein. Dadurch wird der Kontakt I a beim Flügelsignal oder beim Signalrelais unterbrochen, so daß Üs stromlos wird, den Anker fallen läßt und nunmehr der Signalhebel nur bis zur Zwischenstellung III zurückgelegt werden kann. Durch die Umstellung des Hebelschalters s ist der Erregerstromkreis 2a—0 des Sperrelais unterbrochen, das aber erregt bleibt, weil der Selbstschlußstrom 2—0 bestehen bleibt.

Bild 4 der Tafel XII zeigt die Schaltung b e i g e z o g e n e m S i g n a l h e b e l unter der Voraussetzung, daß zuvor die W e i c h e a u f M i n u s umgestellt worden ist. Bei dieser Stellung des Weichenhebels liegt der obere Teil der Leitung 1—0 bei $w_3$ an Erde. Träte Fremdstrom in diesen Teil, falls er nicht geerdet wäre, so würde dieser den Weichenmotor in entgegengesetztem Sinne in Bewegung setzen und den Rücklauf der Weiche herbeiführen. Tritt dieser ein, wenn der Zug sich noch vor dem Signal befindet, so fällt dieses auf Halt. Tritt der Rücklauf dagegen ein, wenn der Zug am Signal bereits vorübergefahren ist, so würde die Fahrt zweispurig erfolgen und der Zug entgleisen.

Im Falle des Bildes 4 ist Sw/b stromlos, Sw/$b_1$ erregt; $m_2$ und $p_2$ liegen so, daß der Signalstellstrom sowohl die zum Signal Sb nebst Fahrsperre Fb/$b_1$ als auch die zum Signal Sb$_1$ führende Antriebsleitung oder im Falle von Lichtsignalen die beiden Signalrelais nebst Fahrsperrenantrieb speist. Es erscheint also das Signal Fahrt frei für das abzweigende Gleis. In der Signalüberwachungsleitung 4—0 sind die beiden Kontakte I a und I b unterbrochen, so daß sich der Sperrmagnet Üs in der Sperrstellung befindet.

Bild 5 zeigt die Hebel in denselben Stellungen wie Bild 3, jedoch unter der Voraussetzung, daß der Anrück-Gleisab-schnitt Ga vom Zuge besetzt ist. Der Kontakt des Fahrstraßenrelais Fa ist abgefallen, demzufolge der Strom zum Kontakt d des Sperrelais und zum Sperrmagneten Fs unterbrochen. Dieser läßt seinen Anker fallen, so daß der Signalhebel durch beide Sperrmagnete gesperrt ist. Das Sperrelais bleibt durch den Selbstschluß 2—0 erregt.

In Bild 6 ist der Fall gezeigt, daß in der Pluslage der Weiche — W e i c h e n - h e b e l i n G r u n d s t e l l u n g — und bei gezogenem Signalhebel der G l e i s a b s c h n i t t G w vom Zuge besetzt ist. Diese Gleisbesetzung hat den Abfall des Kontaktes des Fahrstraßenrelais Fw bewirkt. Das Sperrelais ist dadurch stromlos geworden und hat die Kontakte c und d abfallen lassen. Dadurch ist der Signalstellstrom unterbrochen. Signal

abschnitt Gβ räumt. Das Sperrelais wird wieder erregt und das Stellwerk befindet sich wieder im Ruhezustand.

### γ. A u f s c h n e i d e n e i n e r W e i c h e.

Bei gewaltsamem Abdrücken der anliegenden Weichenzunge über das zulässige Maß von 3 mm — durch Auffahren, durch Einsetzen eines Arbeitsgerätes oder dergl. — wird der bei der eingestellten Weichenlage wirkende Überwachungsstromkreis 1—0 — Tafel XI am Überwachungskontakt $k_3$ unterbrochen. $U_1$ springt um, $k_3$ wird dadurch unterbrochen, $k_1$ geschlossen und die Leitung 1 an Erde gelegt. Signalwähler Sw/b und Sperrmagnet Ws+ werden stromlos; $p_1$ und die Hebelsperre fallen ab, die Prüflampe $L_1$ erlischt und zeigt an, daß sich der Weichenhebel und die Weiche nicht in übereinstimmender

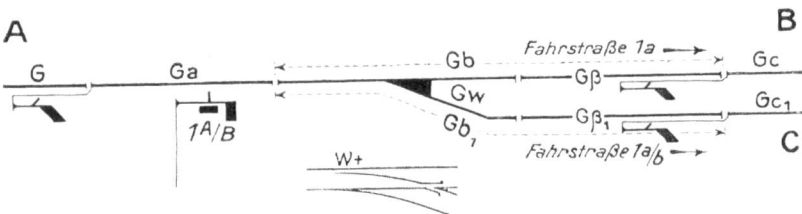

Abb. 132. Schema einer Gleisverzweigung.

Sb mit seiner Fahrsperre Fb/b₁ ist auf Halt gegangen. Der Kontakt I a ist infolgedessen geschlossen, so daß der Überwachungsstromkreis 4—0 wieder Strom erhält und den Sperrmagneten Üs ausgerückt hat. Der Sperrmagnet Fs dagegen bleibt stromlos und nimmt die Sperrstellung ein. Der Signalhebel kann daher nur bis zur Stellung III zurückgelegt werden, wie in der Zeichnung dargestellt ist.

Bild 7 ist eine Fortsetzung des Bildes 6. In dem Augenblick, in dem die erste Zugachse aus dem Weichenabschnitt Gw in den Abrückabschnitt Gβ einfährt, fällt auch der Kontakt des Fahrstraßenrelais Fβ ab. Alle Ströme des Sperrelais sind unterbrochen. Sobald der Zug den Weichenabschnitt räumt, wird das Fahrstraßenrelais Fw wieder erregt. Infolgedessen kommt der Strom 3 a über b zustande und bringt den Sperrmagneten in die Freigabestellung. Der Signalhebel kann jetzt, während Gβ noch besetzt bleibt, in die Grundstellung zurückgelegt werden, wie in Bild 7 gezeigt ist. Dadurch legt sich der Hebelschalter s in den Erregerkreis 2a—0, der durch Anziehen des Kontakts β geschlossen wird, sobald der Zug den Abrück-

Stellung befinden. Durch das Abfallen der Kontakte von Sw/b wird der über $p_2$ geführte Signalstrom unterbrochen. Damit fällt das zugehörige Signal, falls es gezogen war, auf Halt. Hat es auf Halt gestanden, so kann es nicht auf Fahrt gebracht werden.

Durch die Zahnstange Zu wird das Triebrad und eine mit diesem verbundene Steuerscheibe zurückgedreht.

Im Augenblick des Aufschneidens kommt folgender Stromkreis zustande:

a) 1, $w_3$, $w_5$, 1, $k_1$, 5, Feldwicklung $F_1$, Anker des Motors, Rückleitung;

b) in Nebenschaltung zum Anker: Feldwicklung $F_2$, 5 a, $k_2$, Leitung 1 a, $w_4$, Erde.

Durch die Nebeneinanderschaltung vermindert sich der Gesamtwiderstand der Feldwicklungen und des Ankers auf etwa 10 Ohm. Dies hat ein Anwachsen des Stromes auf etwa 13 Amp. zur Folge, so daß die auf etwa 0,7 Amp. bemessene Sicherung vor $w_3$ abschmilzt und die Stromzufuhr zur Weiche unterbrochen wird.

Um die Weiche wieder einzurücken, ist zunächst der Weichenhebel bis zur Zwischenstellung umzulegen. Es entsteht ein Stromlauf 1, $w_2$, $w_4$, 5a, $k_2$, 5a, $F_2$, M; der Antrieb läuft an und stellt die Weiche. Nachdem diese ausgelaufen ist, hat $U_2$ nach $k_4$ gewechselt, während $U_1$ über $k_1$ bereits geschlossen war. Der Strom nimmt den Weg $w_2$, $w_4$, 1a, $k_4$, 1a, $p_1$, $x_1$ nach Sw/$b_1$ einerseits, Ws — und $L_2$ anderseits. Anker $m_1$ und die Hebelsperre von Ws — werden angezogen, die Prüflampe leuchtet. Der Weichensteller legt den Hebel in die Endlage, worauf die Prüflampe wieder

mit angehängten Zahlen für die Flügel ($A_1$, $A_{1/2}$, $A_{1/2/3}$) und die Fahrstraßen durch Zahlen mit angehängten Buchstaben bezeichneten, die die Richtungen angeben (1a, 1 a/b, 1 a/b/c), verfahren die Engländer umgekehrt. Sie bezeichnen die S i g n a l e durch Zahlen, die F l ü g e l durch Buchstaben (1 A, 1 A/B, 1 A/B/C), die Fahrrichtungen durch Buchstaben (A B, A C).

Während also im folgenden, wie am Schema einer Gleisverzweigung in Abb. 132

| Signal | Zugrichtungen (nach Gleisabschnitten bezeichnet.) | Hebel 1 Signale 1A | Hebel 1 Signale 1A/B | Hebel W Weiche W | Signalüberwachung durch Weichenabschnitt | Signalüberwachung durch Abrückabschnitt | Fahrstrassenfestlegung durch Anrückabschnitt | Fahrstrassenfestlegung durch Weichenabschnitt |
|---|---|---|---|---|---|---|---|---|
| 1A | Von Ga über Gw nach Gß | | | + | Gw | Gß | Ga | Gw |
| 1A/B | " Ga " Gw " Gß₁ | | | — | Gw | Gß₁ | Ga | Gw |

Abb. 133. Verschlußtafel in preußischer Form.

| Sign. | Lauf des Signalstroms | Auflösungsstrom für die Fahrstrassensperre als Anrücksperre | Auflösungsstrom für die Fahrstrassensperre als Weichensperre |
|---|---|---|---|
| 1A | Gw. W. Gß. $\overline{T}$. ①. $\overline{Sw}$. → Sig. 1A | Ga | Gw |
| 1A/B | Gw. Ⓦ. $G\beta_1$. $\overline{T}$. ①. $\overline{Ⓢⓦ}$. { $\underline{Sw}$. → Sig. 1A / → " 1B | Ga | Gw |

Stromlauftafel.

| Hebel | Sperre |
|---|---|
| 1 | W. Ⓦ |
| W | |

Verschlußtafel.

Abb. 134. Verschlußtafel in englischer Form.

Zeichenerklärung zu Abb. 134.

W ... Weichenhebel } in Grundstellung (Plusstellung).
1 ... Signalhebel

Ⓦ ... Weichenhebel } in umgelegter Stellung (Minusstellung).
① ... Signalhebel

$\overline{T}$ ... Sperrelais mit angezogenem Anker.

$\overline{Sw}$ ... } Signalwähler für Signal 1 A mit { angezogenem / abgefallenem } Anker.
$\underline{Sw}$ ...

$\overline{Ⓢⓦ}$ ... } Signalwähler für Signal 1 B mit { angezogenem / abgefallenem } Anker.
$\underline{Ⓢⓦ}$ ...

erlischt, da die Sicherung durchgeschmolzen ist. Nachdem diese erneuert ist, tritt der Überwachungsstrom wieder ordnungsmäßig ein. Das Auswechseln der Sicherung ist nur nach Auswechseln eines Plombenverschlusses möglich.

c) V e r s c h l u ß t a f e l n f ü r e i n e e i n f a c h e L i n i e n v e r z w e i g u n g.

Die s e l b s t t ä t i g e n Signale einer Bahn werden nach englischem Vorbild über die ganze Strecke hinweg unter Auslassung der Stellbezirke mit fortlaufenden Nummern versehen. Die h a l b s e l b s t t ä t i g e n Signale werden innerhalb der Stellbezirke für sich bezeichnet und zwar ebenfalls nummeriert, da die Anwendung von Buchstabenbezeichnungen die Aufstellung der Sicherungstabellen erschweren würde. Während die preußische Staatsbahnverwaltung Signale für mehrere Richtungen nach Buchstaben

verdeutlicht, für die Signale die englische Bezeichnungsweise gewählt ist, ist für die Fahrstraßen der preußischen Bezeichnungsweise gefolgt; durch die Übernahme der englischen Signalbezeichnungen ist eine aus der preußischen Bezeichnungsweise sich ergebende Unstimmigkeit beim selbsttätigen Signalsystem beseitigt. Die b i l d l i c h e Darstellungsweise des zweiflügligen Signals entspricht im folgenden der in Deutschland üblichen Form, bei der der untere Flügel in der Haltlage aufrecht gestellt ist.

In Abb. 133 ist die preußische, in den beiden Abbildungen 134 die englische Form der Verschlußtafel für die unter b auf S. 132 u. f. eingehend besprochene Schaltweise dargestellt. Die preußische Verschlußtafel ist ergänzt durch die bei der Sicherung mitwirkenden Gleisstromkreise. Hierbei ist zu beachten, daß, wie sich aus den Beschreibungen der Stellwerkschaltung ergibt, die Fahrstraßensperre von zwei Gleisströmen beeinflußt wird, und zwar von den Gleisströmen des Anrück- und des Weichenabschnittes mittels des Anrück- und des Weichenrelais. In diesem Sinne ist die Fahrstraßensperre zugleich Anrück- und Weichensperre. Die in der Verschlußtafel der nebenstehenden Abb. 133 unter „Signalüberwachung" bezeichneten Gleisabschnitte haben keinen Einfluß auf die Signalüberwachungssperre. Die Signalüberwachung wird dadurch erreicht, daß die von den genannten Gleisabschnitten abhängigen Fahrstraßenrelais in den Signalstellstromkreis einbezogen werden. Es bedeuten demgemäß die Zeichen Gw und Gβ, daß das Signal 1 A nur gezogen werden kann, wenn sowohl der Weichenabschnitt als auch der Abrückabschnitt frei sind; gleiche Bedeutung haben Gw und Gβ₁ mit bezug auf das Signal 1A/B. Die beiden letzten Spalten deuten an, daß die Sicherheit der Zugfahrt die Festlegung

d) das Sperrelais $\overline{1}$, indem es durch den bei der Haltlage des Signalhebels zuvor eingeleiteten Selbstschluß seine Kontakte in angezogenem Zustande geschlossen hält;

e) der Schalter des Signalhebels 1 in der umgelegten Stellung ①;

f) der Signalwähler $\overline{Sw}$ (für Signal 1 A);

g) der Antrieb des Signals 1 A (→ Signal 1 A). Der Pfeil deutet an, daß sich die Teile, auf die er hinweist, außerhalb des Stellwerks befinden.

Die Anrücksperre in Spalte 3 und die Weichensperre in Spalte 4 der Stromlauftafel entsprechen den beiden letzten Spalten der preußischen Verschlußtafel.

Die zweite Zeile der Tafel kennzeichnet die Fahrstellung des Signals der abzweigenden Richtung (1A/B). In der Spalte 2 kommt zum Ausdruck, daß von den beiden Signalwählern $\overline{Sw}$ und ⓢ︁ⓦ der Wähler

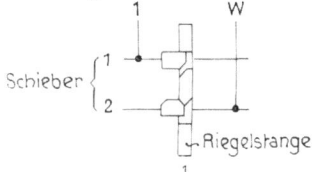

Abb. 135. Schieberkasten englischer Form.

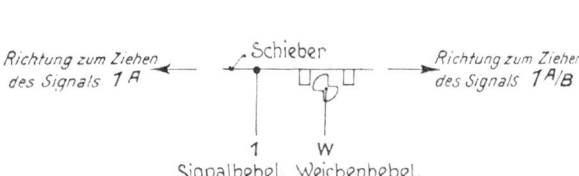

Abb. 136. Schieberkasten deutscher Form.

der Fahrstraße durch den Gleisstromkreis sowohl im Anrückabschnitt (Ga) als auch im Weichenabschnitt (Gw) erfordern.

Die englische Darstellung — Abb. 134 — zerlegt die preußische Tabelle in zwei Teile, und zwar in eine Stromlauftafel für die Überwachungsströme (rechtsseitiger Teil der preußischen Tafel) und eine Tafel der Verschlüsse (linksseitiger Teil der preußischen Tafel).

In der Stromlauftafel stimmt die erste Spalte mit Spalte 1 der preußischen Tafel überein. Wird Signal 1 A gezogen, so ist aus Zeile 1 der zweiten Spalte abzulesen, daß der Überwachungsstromkreis, der bei der Fahrstellung des Signals geschlossen wird, nur zustande kommen und aufrecht erhalten werden kann, wenn darin folgende Teile auf den Stromschluß eingestellt sind:

a) der Gleisabschnitt Gw, indem er unbesetzt sein muß;

b) der Kontakt des Weichenhebels W in der Grundstellung;

c) der Gleisabschnitt Gβ, indem er unbesetzt ist;

ⓢ︁ⓦ das Signal 1B (→ Sig. 1B) und der Wähler $\overline{Sw}$ im Zusammenhang mit ⓢ︁ⓦ das Signal 1A (→ Sig. 1A) wählt. Daher auch die Schleife am Ende der Spalte 2.

Der Verschlußteil der Tafel wird aus der in Abb. 135 dargestellten Schieberkastenskizze verständlich. In dieser bezeichnen die wagerechten Linien 1 und 2 die Schieber und die mit unterer Ziffer 1 versehene senkrechte Stange die mit den erforderlichen Verschlußteilen ausgerüstete Riegelstange, während die am oberen Ende beschrifteten senkrechten Linien 1 und W die Verbindungsstangen zwischen den Schieberstangen und den Stellhebeln darstellen, deren Angriffspunkte besonders markiert sind. Es wird also beim Bewegen eines Hebels die Schieberstange von links nach rechts oder umgekehrt bewegt. Diese bewegt dann wieder mit ihrem Verschlußstück durch Keilwirkung die Riegelstange und stellt auf diese Weise den gegenseitigen Ausschluß her. Wenn sich beispielsweise, wie in der Abbildung, der Signalhebel 1 in der Grundstellung befindet, ist der Weichenhebel W frei beweglich, da das Verschlußstück seines Schiebers durch die zweiseitig abgeschrägte (untere) Nut in der Riegelstange frei hin und her bewegt werden kann, wobei diese nach oben ausweicht. Die Bewegung wird dagegen unmöglich, sobald Signalhebel 1 umgelegt ist; in diesem Falle wandert das Verschlußstück des Schiebers 1 in die einseitig abgeschrägte (obere) Nut der Riegelstange und verhindert dadurch das vorhin beschriebene Ausweichen der letzteren und damit das Eindringen des Verschlußstücks des Schiebers 2 in die Riegelstange und damit ein Bewegen des Weichenhebels. Hierdurch wird eine Veränderung des Kontaktschlusses am Weichenhebel verhindert.

Ist also der Signalhebel 1 gezogen, so ist der Weichenhebel, wenn er vor dem Ziehen des Signals in der Grundstellung sich befand, in dieser Stellung, d. i. W., und wenn er sich in gezogener Stellung befand, in letzterer, nämlich (W), verschlossen, d. h. der Signalhebel kann gezogen werden, gleichviel, in welcher Stellung sich der Weichenhebel befindet — Zeile 1 der Verschlußtafel zu Abb. 135. Zeile 2 der Tafel besagt, daß der Weichenhebel bei Grundstellung des Signalhebels frei beweglich ist.

Im Verschlußregister der preußischen Stellwerke werden die Verschlüsse durch drehbare 8-förmige Verschlußstücke in Verbindung mit an den Schiebern befestigten Knaggen hergestellt, die sich gegenüber den Verschlußteilen der Westinghouse - Stellwerke dadurch kennzeichnen, daß sie keiner Abnutzung unterworfen sind. In Abb. 136 bezeichnet W wieder den Weichenhebel, 1 den Signalhebel. Im dargestellten Zustande ist die Weiche in der Plusstellung frei und kann nach Minus umgelegt werden. Wird jetzt der Signalhebel gestellt, so wandert der Schieber nach links und verhindert die Bewegung des Weichenhebels dadurch, daß sich der rechtsseitige Knaggen in die Einziehung des auf der Achse des Weichenhebels sitzenden Verschlußstücks legt. Die Fahrstraße ist alsdann durch den Signalhebel festgelegt. Zwecks Umlegung der Weiche ist es erforderlich, zuerst den Signalhebel auf Halt zurückzulegen; völliges Aufhaltlegen des Hebels ist aber erst möglich, wenn der Zug die Fahrstraße geräumt hat. Wird, nachdem dies geschehen und der Signalhebel vollständig zurückgelegt ist, der Weichenhebel umgelegt, so dreht sich das Verschlußstück nach der anderen Richtung. Wird jetzt der Signal-

hebel gezogen, so bewegt sich der Schieber in der umgekehrten Richtung und verriegelt den Weichenhebel in der Minusstellung.

## Antrieb und Überwachung einer Weiche.

Die Triebeinrichtung der bei der Hochbahn verwendeten Weichen erfüllt, was Einfachheit und Zuverlässigkeit der Arbeitsweise wie die Sicherheit der Überwachung betrifft, Ansprüche, die bei den früher behandelten amerikanischen und englischen Bauarten in gleichem Umfange nicht gestellt sind. Sie betreffen insbesondere die Aufschneidbarkeit der Weiche für den Fall, daß sie vom Herzstück aus auf dem falschen Gleise befahren wird, und die Sicherheit für den Fall eintretender Unregelmäßigkeiten und Beschädigungen.

Zunächst unterscheiden sich die Weichen von den amerikanischen und englischen dadurch, daß die Zungen nicht fest miteinander verbunden sind, sondern einzeln bewegt werden können, und daß die hierfür vorgesehenen Verbindungsglieder gleichzeitig die Verriegelung der Zunge in der jeweiligen Endlage übernehmen. Die Hochbahn hat von den zahlreichen Arten derartiger Verbindungen die bei den früheren preußischen Staatsbahnen gebräuchliche Form verwendet, bei der jede Zunge mit einem sogenannten Hakenschloß ausgerüstet ist.

Die Triebvorrichtungen der Weichen haben durchweg die von der Firma Siemens & Halske eingeführte bewährte Bauart.

### 1. Umstellung und Verriegelung der Weichenzungen.

Die Bewegungsvorrichtungen der Weiche, deren Spiel sich unterhalb der Weichenzungen und der Backenschiene vollzieht, bestehen aus den nachstehend beschriebenen Teilen; zu vgl. Abb. 137.

An die beiden Zungen sind in den durch Ansatzkloben seitlich vorgetragenen Gelenken g und $g_1$ die Verschlußhaken H und $H_1$ drehbar befestigt, die aus den Hebelarmen h und $h_1$ mit den in Gleitfüßen endigenden Verschlußklammern v und v, bestehen. Die letzteren bewirken durch Umgreifen der mit den Backenschienen fest verbundenen Kerne k und $k_1$ den Verschluß der Zungen. Die Endpunkte der Hebelarme h und $h_1$ sind durch die Verbindungsstange Zv gekuppelt und empfangen ihre Bewegung von der Zugstange Zu, auf die der zum Vor- und Rücklauf eingerichtete Weichenmotor mittels des Schneckengetriebes $R_3$—$R_4$ und des mit diesem zusammenhängenden Zahnstangengetriebes $R_5$—Z einwirkt. In die Verbindungsstange Zv ist ein isolierender Trennstoß i einzuschalten, der verhindert, daß der Gleisstrom durch die Stange von dem einen Schienenstrange zum anderen übertreten kann. Ein weiterer Trennstoß $i_1$ verhindert, daß Gleisstrom in die Teile des Antriebs und über diese, die geerdet sind, zur andern Schiene gelangt. Die Hebel h und $h_1$ sind über die Gelenkkloben hinaus zu kurzen klauenartigen Mitnehmern fortgesetzt; indem sich an der zu öffnenden Zunge der Mitnehmer gegen die Schulterfläche des Klobens und an der zu schließenden Zunge der Gleitfuß der Verschlußklammer gegen die Backe des Verschlußkerns stemmt, zieht die Zugstange Zu die beiden Zungen mittels der Hebel h und $h_1$ beim Umstellen der Weiche mit sich fort.

In den Abbildungen 137 a bis d ist die Umstellung einer Weiche aus der Grundstellung (Plusstellung; Abbildung 137 a) in die Minusstellung (Abbildung 137 d) erläutert. Sie erfolgt in drei ohne Unterbrechung aufeinanderfolgenden Arbeitsgängen, bei denen sich die Hebel h und $h_1$ der Verschlußhaken durch die in Abbildung 137 a punktiert angegebenen Stellungen in folgender Weise hindurchbewegen:

Erster Stellgang (Abb. 137 b): Der Hebel h dreht sich in dem Gelenk g um das Maß a aus der Lage 1—I/II in die Lage 2—I/II und entriegelt die anliegende Zunge. Die Mitnehmerklaue des Hebels h legt sich gegen die Schulter des Zungenklobens. Der Hebel $h_1$ wird parallel fortschreitend aus der Stellung 1'—I' um das Maß a' in die Stellung 2'—II' fortgeschoben, indem sich der Gleitfuß der Verschlußklammer $v_1$ mit kräftigem Andruck auf der Backe des Verschlußkerns $k_1$ entlang schiebt; die Weichenzunge wird der Backenschiene bis zur Halbstellung genähert. Der Weichenantrieb hat während dieses ersten Ganges die Kraft zu liefern zum Entriegeln der einen und zum Fortschieben der anderen Zunge.

Zweiter Stellgang (Abb. 137 c): Der Hebel h des Verschlußhakens H bewegt sich, parallel fortschreitend, um das Maß b aus der Stellung 2—II in die Stellung 3—III, indem er mittels der im ersten Gange gegen die Schulter des Zungenklobens gesetzten Mitnehmerklaue des Hebels h die Zunge von der Backenschiene bis zur Halbstellung wegzieht. Der Gleitfuß der Verschlußklammer v rutscht lose auf der Backe des Kerns k entlang und

kann sich, falls die Mitnehmerklaue durch Abnutzung am Gelenk und Ansatzkloben etwas Spiel gewonnen haben sollte, auch wohl — wie in der Zeichnung angedeutet — von der Gleitbacke etwas abheben. Der Hebel $h_1$ des Verschlußhakens $H_1$ bewegt sich, ebenfalls parallel fortschreitend, um das Maß b' aus der Lage 2'—II' in die Lage 3'—III' weiter, indem die Verschlußklammer $v_1$, die sich mit ihrem Fuß andauernd fest gegen den Kern $k_1$ stemmt, weitergeschoben wird, bis sie ihren Weg auf der Backe vollendet hat. Die Weichenzunge wird ganz an die Backenschiene herangeführt. Im zweiten Gange hat danach der Weichenantrieb beide Zungen gleichzeitig zu bewegen.

Dritter Stellgang (Abb. 137 d): Die Bewegung des Verschlußhakens H setzt sich wie im zweiten Gange um das Maß c weiter fort; der Hebel h gelangt aus der Lage 3—III in die Lage 4—IV und die Weichenzunge wird bis zur Endlage abgerückt. Der Hebel $h_1$ des Verschlußhakens $H_1$ dreht sich aus der Stellung 3'—III'/IV' um das Maß c' in die Lage 4'—III'/IV'; die Weichenzunge wird mittels der Verschlußklammer $v_1$ durch Umgreifen des Kerns $k_1$ verriegelt. Dem Weichenantrieb liegt im dritten Gange die Fortbewegung der einen und gleichzeitige Verriegelung der anderen Zunge ob.

Über die Größe der in jedem Gange ausgeführten Bewegungen ist zu bemerken, daß die Verschiebungsmaße a, b, c und a', b', c' in den Abbildungen 137 a bis d gleich groß und zwar je gleich 7 cm sind. Mit einer Angriffspunktbewegung der Hebel h oder $h_1$ von $3 \times 7 = 21$ cm wird also eine Zunge vollständig geöffnet oder geschlossen, während sich das Ende der Zunge selbst nur um $2 \times 7 = 14$ cm fortbewegt. Die Dauer einer Umstellung beträgt nach S. 126 etwa 2½ Sekunden.

Ein Teil der geschilderten Bewegungsvorgänge vollzieht sich auch beim Aufschneiden einer Weiche. Wird die Weiche durch einen aus der Richtung des Herzstückes auf dem falschen Gleise herankommenden Zug aufgefahren, so wirkt der unveränderliche Abstand der Spurkränze der Fahrzeuge gleichzeitig auf Schließen der abliegenden und Öffnen der anliegenden Zunge, und es vollziehen sich die durch die Abb. 137 b und c erläuterten Vorgänge. Zuerst wird von dem einen Spurkranz die abliegende Zunge nach der Backenschiene zu in Bewegung gesetzt,

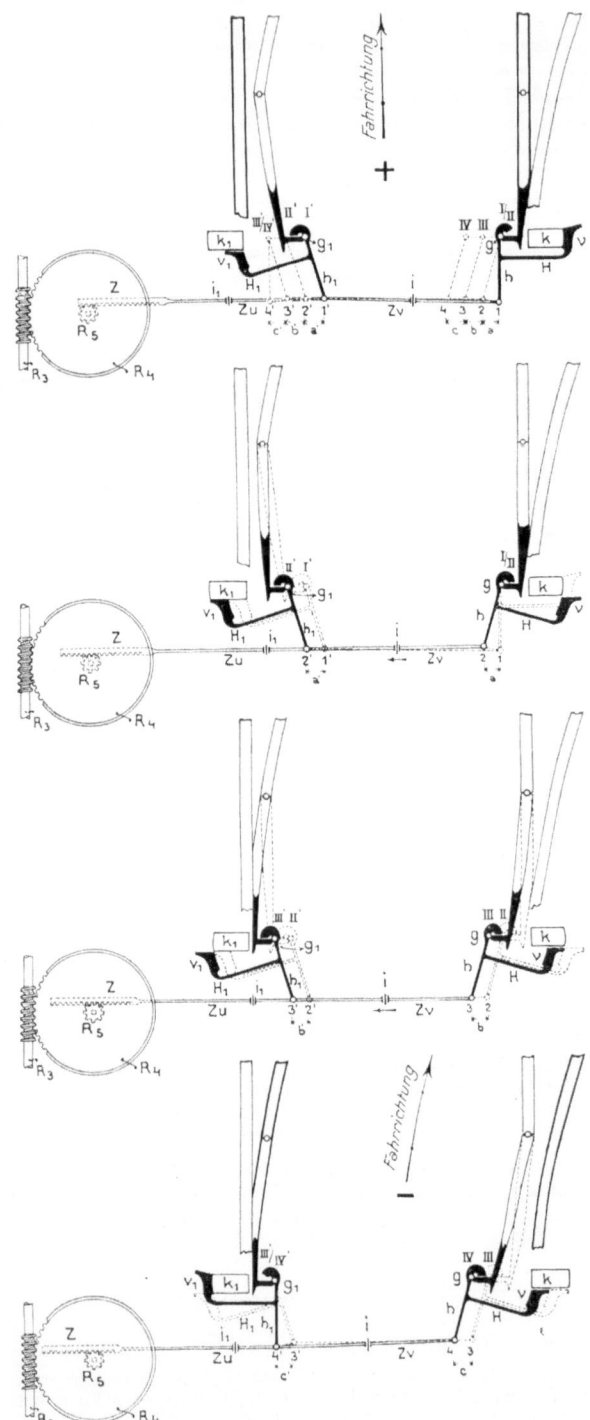

a) Weiche in Grund-
stellung.

Anliegende Zunge durch die
Klammer v des Verschlußhakens H
verriegelt. Verschlußklammer $v_1$ des
Hakens $H_1$ in Gleitstellung auf der
Backenfläche des Verschlußkerns $k_1$.

b) Erster Stellgang.

Anliegende Zunge durch die
Klammer v entriegelt. Mitnehmerklaue des Hebels h in Mitnehmer-
stellung. Abliegende Zunge bei
Gleitgang der Klammer $v_1$ auf der
Kernbacke bis zur Halbstellung mitgenommen.

c) Zweiter Stellgang.

Anliegend gewesene (rechtsseitige) Zunge von der Mitnehmerklaue des Hebels h zur Halbstellung
abgezogen. Abliegend gewesene
(linksseitige) Zunge bei fortge-
setztem Gleitgang der Klammer $v_1$
in die Schlußstellung mitgenommen.

d) Dritter Stellgang.

Rechtsseitige Zunge von der
Mitnehmerklaue des Hebels h bis
zur Endlage mitgenommen. Linksseitige Zunge in der Schlußstellung
verriegelt.

Weiche in abgelenkter
(Minus-) Stellung.

Abb. 137. Umstellung einer Weiche aus der Grundstellung (Plusstellung) in die abgelenkte (Minus-)Stellung.

und gleichzeitig löst sich bei der anliegenden Zunge der Verschluß (Abb. 137 b). Sodann werden unter der Wirkung der Spurkränze beide Zungen bewegt. Die eine kommt zum Anliegen, die andere wird bis

rad bleibt infolge der Nachgiebigkeit einer in das Triebwerk eingeschalteten Bremskupplung und infolge der selbstsperrenden Schnecke unbeweglich. Der Vorgang wird in der früher schon im

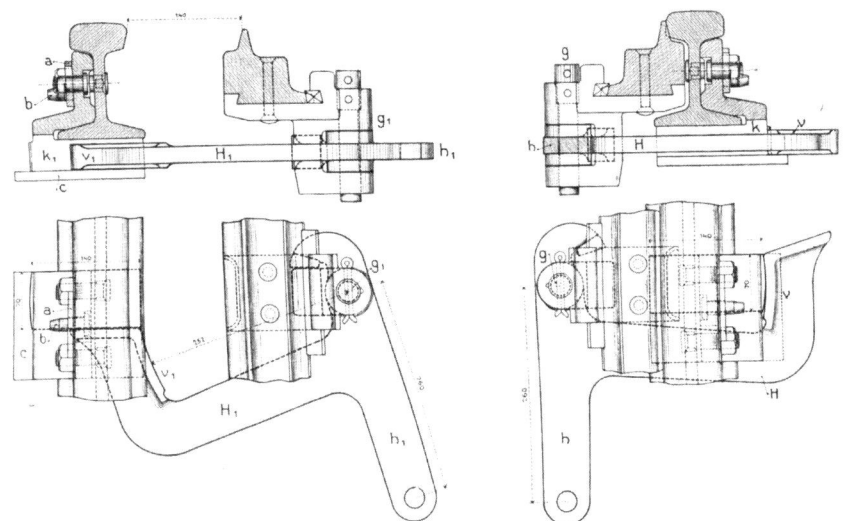

Abb. 138. Verschlußhaken mit Mitnehmerklaue für die beiden Weichenzungen in Abb. 137 a.

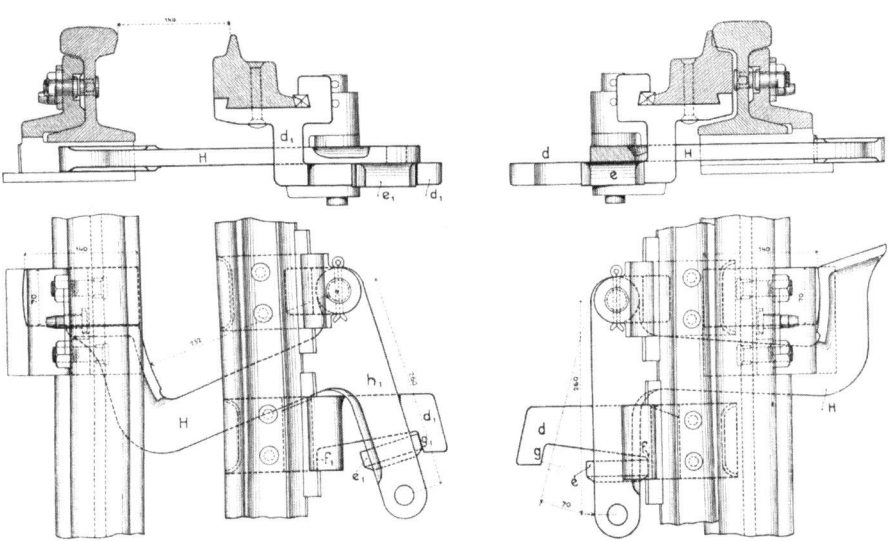

Abb. 139. Verschlußhaken mit Widerlager (verbesserte Form) für die beiden Weichenzungen in Abb. 137 a.

zur Halbstellung abgezogen (Abb. 137 c). Die Weiche bleibt dann stehen, ohne daß die anliegende Zunge verriegelt wird. Bei der Zahnstangenverschiebung dreht sich nur das Stirnrad $R_5$. Das Schnecken-

allgemeinen angegebenen, später in seinen Einzelheiten noch näher zu beschreibenden Weise dem Stellwerkwärter selbsttätig gemeldet, der dann unter Beachtung der ihm gegebenen Vorschriften durch Umlegen des

Weichenhebels die aufgeschnittene Weiche wieder in die richtige Stellung zurückführt.

Die bauliche Durchführung der Verschlußteile ist in den Abb. 138 und 139 in der in Abb. 137a skizzierten Lage maßstäblich dargestellt. Die Verschlußflächen der Kerne k, $k_1$ und der Klammern v, $v_1$ sind nahezu nach Kreisbögen abgedreht, die um die Gelenkpunkte g, $g_1$ bei geschlossener Zunge beschrieben sind; am Anlauf sind die Flächen etwas eingezogen, damit die Klammern beim Aufrücken auf die Kernflächen fester anziehen. Wie die Abbildungen erkennen lassen, sind die Zungenkloben durch Klammer und Keil unter den Weichenzungen festgelegt, außerdem noch doppelt damit vernietet; die Drehbolzen sind in den Kloben mit Splint befestigt. Die Verschlußkerne tragen laschenartige Ansätze, mit denen sie am Schienensteg mittels zweier Schrauben befestigt sind, die durch Ansätze gegen Drehung in den Bolzenlöchern gesichert sind. Ein Eisenstreifen a setzt sich mit gabelartigen Ausschnitten gegen die Muttern und verhindert deren Lockerung. Der Streifen ist auf der Lasche durch einen kurbelartig geformten Bolzen b verriegelt; bei aufwärts gedrehter Kurbel kann der Streifen abgenommen werden, indem er den Kurbelzapfen durch ein aufrecht stehendes Langloch hindurchläßt. Die Kerne k, $k_1$ tragen Fußplatten c, auf denen die Verschlußklammern geführt und gleichzeitig entlastet sind. Der Abstand der gebogenen Verschlußflächen der Kerne von den Backenschienen kann durch Einlegen von Futterstücken zwischen Lasche und Schienensteg eingeregelt werden.

Bei der Größenbemessung der Verschlußteile ist vorausgesetzt, daß bei der abliegenden Zunge der Gleitfuß an der Backe des Kerns $k_1$ anliegt, wenn die Entriegelung der anliegenden Zunge beendet ist, da erst dann die Bewegung der letzteren beginnen kann. Jeder Spielraum zwischen dem Gleitfuß und dem Kern $k_1$ geht für die Bewegung der Zunge verloren und ist als schädlich tunlichst zu beschränken. Mit der Entriegelung der anliegenden Zunge soll ebenso auch die Mitnehmerklaue des Hebels h möglichst sofort zum Anliegen kommen.

In der bisher gezeigten Ausführung läßt sich gegen die Einrichtung, so einfach sie ist, anführen, daß das Weichengestänge mit dem Verschlußhaken die Zungenkloben einseitig belastet und daher zu stärkerer Abnutzung der Gelenke g und $g_1$ und zur Bildung von Spielräumen Anlaß gibt, die vermieden werden sollten. Bei den neuesten Ausführungen ist dieser Nachteil dadurch behoben, daß die Mitnehmerklauen der Verschlußhebel h und $h_1$ gemäß Abb. 139 durch die Anschläge d und $d_1$ ersetzt sind. Die Hebelbewegung findet an diesen Ansätzen ihre Begrenzung, indem sich die mit den Hebeln verbundenen Ansätze e oder $e_1$ gegen die Flächen f, g oder $f_1$, $g_1$ setzen; auch finden die Verschlußhaken auf den Ansätzen ein sicheres Auflager. Zur Aufnahme des Gewichts der Gestänge werden neuerdings für diese noch besondere Auflager zwischen den Schienen geschaffen.

## 2. Einrichtungen zur Überwachung der Weichenzungen.

Aus dem vorigen Abschnitt wissen wir, daß bei der Umstellung einer Weiche aus der Grund- (Plus-) Stellung in die Minusstellung zunächst die abliegende Zunge der Backenschiene zur Hälfte, d. i. um 7 cm genähert wird. Dann wird die anliegende Zunge um das gleiche Maß an der weiteren Bewegung bis zum Schluß der abliegenden Zunge beteiligt und schließlich mit einem weiteren Verschub von 7 cm ganz geöffnet. Auf diese Weise gelangen die Zungen aus der Lage a in die Lage c der Abb. 140, die den Zungenlagen unter a und d der Abb. 137 entsprechen. Unter b ist in Abb. 140 eine der Zwischenstellungen der Weichenzungen angegeben, in der sich die zu schließende Zunge der Backenschiene bereits um ein Maß x genähert hat, das mehr als die Hälfte ihres Weges, beispielsweise 10 cm beträgt; die anliegende Zunge hat sich alsdann um $x - 7 = 3$ cm geöffnet. Von den Gestängen $Zk_1$ und $Zk_2$, die nach früherem durch Trennstellen von den Fahrschienensträngen elektrisch geschieden sind, werden die in Führungen unmittelbar übereinander liegenden Überwachungsschieber $s_1$ und $s_2$ vor- und zurückbewegt. Die Arbeitsweise der Überwachungsschieber mit der dazugehörigen Steuereinrichtung gestaltet sich nach Abb. 140 wie folgt.

Die Schieber $s_1$ und $s_2$ regieren die Überwachungskontakte nicht unmittelbar, wie dies in den früheren Schaltskizzen der Einfachheit wegen angenommen war, sondern beeinflussen sie mit Hilfe zweiarmiger schwingenartiger Zwischenglieder, die außer mit den Schiebern noch mit einer Steuerscheibe zusammenarbeiten, die in Wirklichkeit das Hauptorgan für die Regelung der Schaltvorgänge darstellt.

Durch das Zusammenarbeiten mit den Gestängen jedoch ist in noch zu erörternder Weise besondere Vorkehrung gegen Störungsfälle getroffen.

Die Schwingen sind aus Steuer- und Schaltarmen zusammengesetzte winkelhebelartige Gebilde, die sich um die in Abb. 140 als schwarze Punkte gezeichneten aufrechten Achsen r und s drehen können. Die Steuerarme laufen mit Rollen p und q auf der Randfläche der Steuerscheibe; damit sie an dieser jederzeit fest anliegen, werden die Schaltarme durch Schraubenfedern in der in den Abbildungen durch kleine Pfeile angedeuteten Weise kräftig gegeneinander gezogen. Die Schaltarme tragen an ihren oberen Enden die Überwachungsschalter U₁ und U₂ (vgl. auch Abb. 141) und an den unteren Enden die Klinken N₁ und N₂, die je nach der Zungenlage der Weiche mit den Schiebern s₁ oder s₂ in Eingriff stehen. Die Steuerscheibe ist mit dem Zahntriebrade R₅ für das Weichengestänge (Abb. 137) durch Verschraubung zu einem einheitlichen Umdrehungskörper fest verkuppelt. Am Umfange trägt sie einen Einschnitt, in den in dem Augenblick, in dem die anliegende Weichenzunge (Abb. 140 a) ihre neue Endstellung erreicht hat, die Steuerrolle der einen oder anderen Schwinge — je nach der Richtung der Weichenumstellung — einfällt und dadurch sowohl den am Gegenhebel der Schwinge befindlichen Schalter umlegt als auch den Schieber der anliegenden Zunge und damit diese selbst verriegelt. Zu der Verriegelung durch das mit der Zahnstange zusammenarbeitende Hakenschloß tritt also noch die zweite mittels der Klinken an den Überwachungsschiebern, die mit dem Schaltgestänge zusammenarbeiten. Solange beide Weichenzungen in Bewegung sind (Abb. 140 b), laufen beide Rollen r und s auf dem äußeren Rande der Steuerscheibe; dann sind beide Klinken N₁ und N₂ außer Eingriff mit den Schiebern.

Abb. 140 a stellt die Schieber mit der Steuereinrichtung in der Grundstellung dar. Die Steuerscheibe hatte durch die bei der vorigen Weichenumstellung vollführte Rechtsdrehung eine solche Lage erhalten, daß sie sich von oben her mit der Stufe v unter die Rolle p schob, die daher in den Einschnitt eingefallen ist, während die Rolle q auf dem Rand der Scheibe liegen blieb. Die Nut 1 des (unteren) Überwachungsschiebers s₁ befand sich der Klinke N₁ gegenüber, die durch Eingriff

in diese Nut den Überwachungsschieber s₁ verriegelte, indem ihr eine entsprechende Hilfsnut 2 im Schieber s₂ den Weg dazu freigab. Die Klinke N₂, für die in den Schiebern ähnliche Nuten 3 und 4 angebracht sind, steht außer Eingriff. Die Verriegelung der Klinke N₁ ist gegen die anliegende Zunge, also im Falle a der Abbildung nach rechts gerichtet, jedoch mit einem kleinen Spiel von etwa 2½ mm. Die Nut des (oberen) Schiebers s₂ muß dagegen um etwa 2 cm nach rechts überstehen. Da nämlich die Rolle p beim Umstellen der Weiche eine, wenn auch sehr geringe Zeit braucht, ehe sie über die Stufe v auf den Rand der Steuerscheibe gehoben ist, hat die abliegende Zunge, die sich zuerst bewegt, den Schieber s₂ über s₁ hinweg bereits etwas nach links verschoben, ehe die Klinke N₁ außer Eingriff kommt. Nachdem die abliegende Zunge mit ihrem Schieber s₂ den Weg von 7 cm zurückgelegt hat, beginnt auch die anliegende mit ihrem Schieber s₁ sich zu bewegen, und von nun an bewegen sich beide Schieber, s₂ immer um 7 cm vorauf, gemeinsam weiter (Abb. 140 b). Die Klinken sind dabei, da beide Rollen auf dem Rande der Steuerscheibe laufen, außer Eingriff mit den Schiebern. Sobald die abliegende Zunge ihren Weg von 14 cm vollendet hat, bleibt der Schieber s₂ stehen, während die andere mit dem Schieber s₁ noch um 7 cm weiterrückt, bis die Nuten 3 und 4 ebenso um 1 und 2 wieder übereinanderstehen. Jetzt schiebt sich die Steuerscheibe von der anderen Seite mit der Stufe w unter die Laufrolle q. Diese fällt in den Einschnitt der Steuerscheibe, gleichzeitig die Klinke N₂ in die Ausschnitte 3 und 4 der Überwachungsschieber, indem sie den oberen Schieber s₂ verriegelt. Die Verriegelung ist jetzt in der Nut 3 — wieder mit etwa 2½ mm Spiel — gegen die nunmehr anliegende Zunge nach links gerichtet und die Nut 4 des unteren Schiebers s₁ muß jetzt um etwa 2 cm nach links überstehen, damit sich dieser bei der nächsten Weichenumstellung bereits etwas bewegen kann, ehe die Klinke N₂ durch die Steuerscheibe aus den Nuten 3 und 4 ganz herausgehoben ist. Da die Verriegelungen in einer Kreisbewegung erfolgen, sind die Riegelflächen der Klinken wie der Schieber tangential zu den Drehungshalbmessern gestellt.

Nach den Abbildungen stehen die Ausschnitte der Überwachungsschieber nur in den Endlagen der Weichenzungen den Klinken gegenüber, so daß nur in d i e s e n Lagen die Schaltarme der Schwingen mit vollem Ausschlag die Überwachungskontakte schließen können. Auf diese Weise wird die Lage jeder Weichenzunge besonders geprüft und ihre richtige Lage durch den Überwachungsstrom im Stellwerk angezeigt.

die Überwachung der Weichenzungen trägt. Um die Schwingen mit allen Zubehörteilen in der Abbildung möglichst klar hervortreten zu lassen, ist der obere Teil des Jochgestells von dem unteren abgehoben dargestellt. Aus dem gleichen Grunde sind die Schwingen, die im übrigen die gleiche Lage einnehmen wie in Abb. 140 a, nur

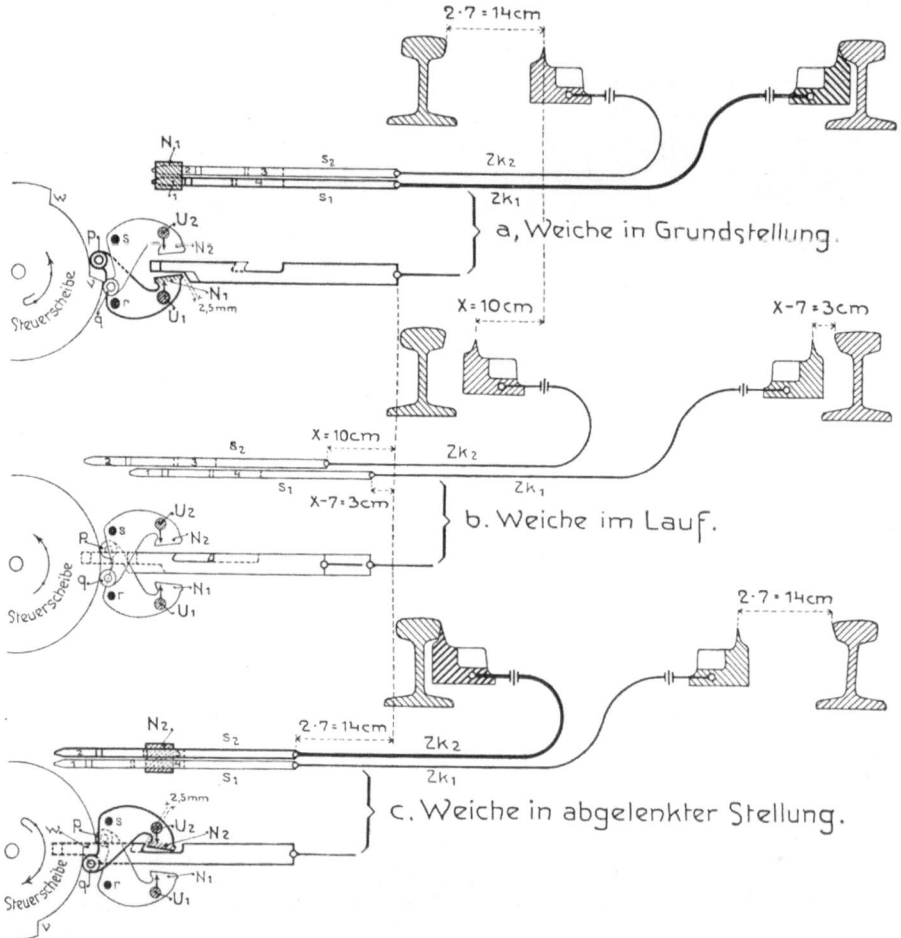

Abb. 140. Zungenüberwachung bei Umstellung einer einfachen Weiche aus der Grund- (Plus-) Stellung zur Minusstellung
(Die Bauteile sind maßstäblich, die Gestänge verkürzt gezeichnet.)

Die Schwingen sind innerhalb eines jochartigen Gestelles gelagert. Die unteren Zapfen der Drehachsen r und s — Abb. 141 — laufen in einem brückenartigen Steg a, unter dem die Stell-Zahnstange Zu der Weiche und die beiden Überwachungsschieber $s_1$ und $s_2$ untergebracht sind. Die oberen Drehzapfen r und s bewegen sich in der Scheitelplatte des Jochgestells, die einen Ebonitkörper mit den Kontaktfedern für den Motorlauf und für

im Skelett gezeichnet. Unter der Zugkraft der Schraubenfeder t — deren Befestigungsweise in einer Nebenfigur gezeigt ist — liegt die Laufrolle p in dem E i n s c h n i t t der Steuerscheibe, die Rolle q auf ihrem äußeren Rande, und die Klinke $N_1$ verriegelt den Schieber $s_1$. Der Ausschlag der Schwinge findet an einer mit dem Brückenstege a verbundenen Anschlagleiste b seine Begrenzung.

Die Federn der Motorlauf- und Überwachungskontakte erstrecken sich aus Bohrungen des auf dem Jochgestell befestigten Ebonitisolierkörpers fingerartig in den Bereich der walzenförmigen Umschalter $U_1$ und $U_2$. Deren Kontaktstücke sind gemäß Abb. 144 a stulpartig auf Isolierhülsen aus Ebonit gesteckt, die, mit kragenartigen

wird, erkennen wir ohne weiteres einen Ausschnitt aus den Bildern 6, 2 und 4 der Tafel XII, danach stellt der Schalter $U_1$ zwischen den Federpaaren $k_1$ oder $k_3$, der Schalter $U_2$ zwischen den Federpaaren $k_2$ oder $k_4$ Kontakt her. $k_1$ und $k_2$ sind die Motorlaufkontakte für die Umstellung der

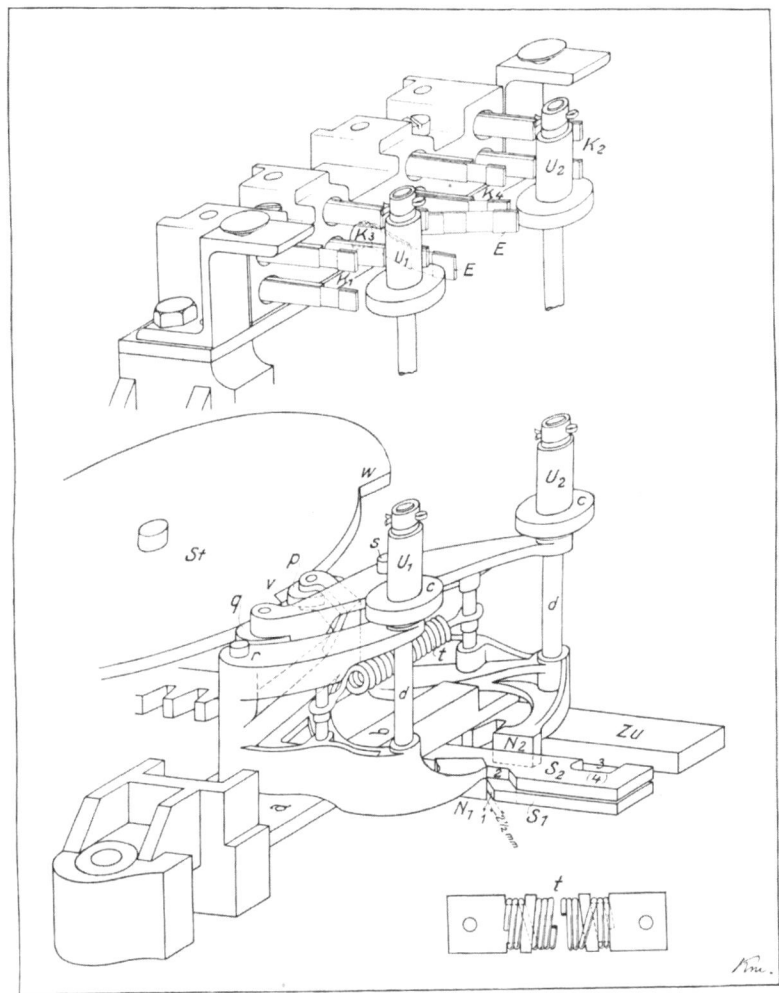

Abb. 141. Schwingen mit allen Zubehörteilen im Weichentriebwerk.

Erweiterungen c versehen, auf die Spindeln d geschoben sind. Die Bedeutung der Federpaare $k_1$, $k_3$ und $k_2$, $k_4$, sowie der Erdfedern E E ist in den Schaltskizzen auf den Tafeln IX, XI, XII und den dazu gegebenen Beschreibungen auf S. 126 u. f. klargestellt.

In den Schaltskizzen der Abbildungen 142 a, b, c, in denen nochmals der Stromlauf beim Umstellen einer Weiche gezeigt

Weiche aus der Minus- in die Plus- (Grund-)Stellung und umgekehrt, $k_3$ und $k_4$ die Überwachungskontakte für die Minus- oder Plusstellung der Weiche. Liegt ein Schalter an den Außenfedern $k_1$ oder $k_2$, so liegt die untere der zugehörigen Innenfedern $k_3$ oder $k_4$ an Erde. Liegt ein Schalter — wie $U_1$ in Abb. 144 a — innen, so hebt der Kragen c (Abb. 141) den Erdpol E an dieser Stelle von der unteren

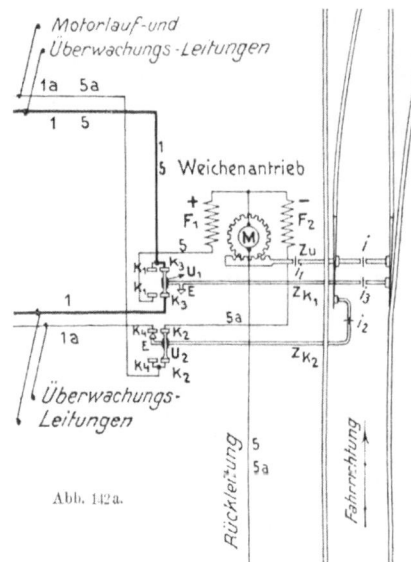

Motorlauf- und
Überwachungs-Leitungen

1a  5a

1  5

Weichenantrieb

$F_1$  +  —  $F_2$

(M)

5  Zu

$K_3$  $U_1$  i
$K$  E  $i_1$
$K_3$  $Z_{K_1}$  $i_3$
1  5a  $i_2$
$K_4$  $K_2$  $Z_{K_2}$
E  $U_2$
$K_4$  $K_2$

Überwachungs-
Leitungen

Rückleitung  Fahrrichtung

5
5a

Abb. 142a.

Anmerkung zu den Abb. 142a, b, c, 144a, b, c
und 145a, b c.

In den Darstellungen 142, 144 und 145 beziehen
sich die Abbildungen a auf die Grundstellung (Plusstellung) der Weiche, die Abbildungen c auf die umgelegte (Minus-) Stellung, die Abbildungen b auf den
Lauf der Zungen von Plus nach Minus.

Abb. 145a.

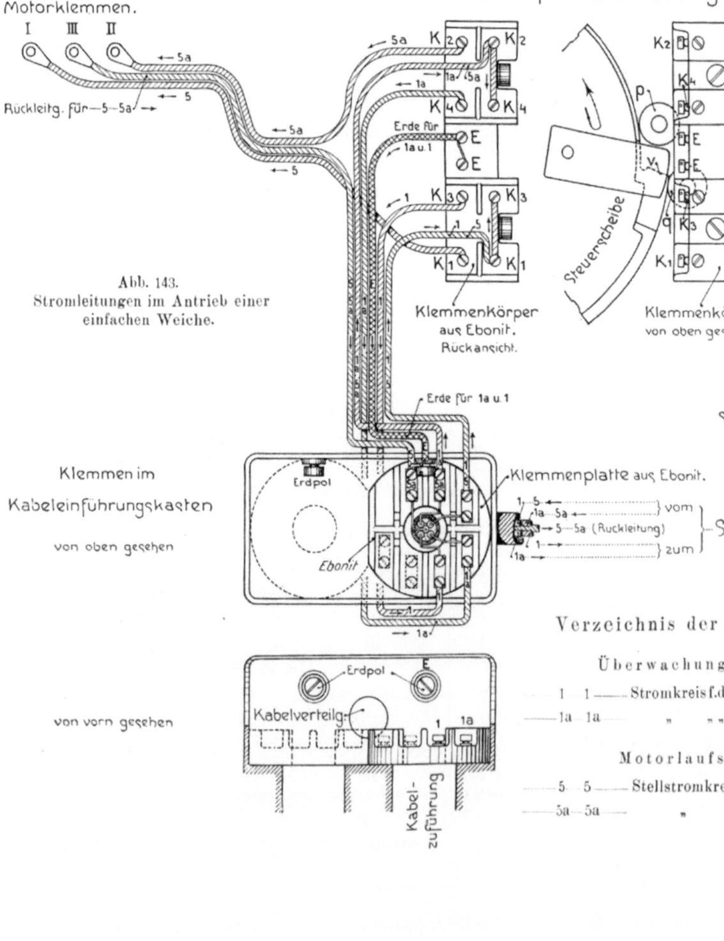

Motorlauf- und Überwachungskontakte

Motorklemmen.
I  III  II

5a

Rückleitg. für—5-5a'

5a

1a

5

Erde für
1 u.1

$K_2$  $K_2$        $K_2$        $K_2$
                                (U₂)
$K_4$  $K_4$      $K_4$          $K_4$
                                        Erde
E  E          E                 E
$K_3$  $K_3$    $K_3$             $K_3$
                                (U₁)
$K_1$  $K_1$    $K_1$             $K_1$

Steuerscheibe

Abb. 143.
Stromleitungen im Antrieb einer
einfachen Weiche.

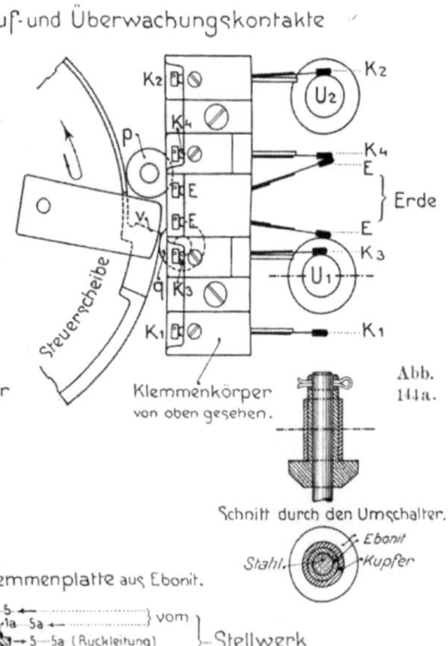

Klemmenkörper
aus Ebonit.
Rückansicht.

Klemmenkörper
von oben gesehen.

Abb.
144a.

Schnitt durch den Umschalter.
Ebonit
Stahl.  Kupfer

Erde für 1a u. 1

Klemmen im
Kabeleinführungskasten

von oben gesehen

Erdpol

Ebonit

Klemmenplatte aus Ebonit.

1—5            } vom
1a—5a —————     } Stellwerk
5—5a (Rückleitung)
1a             } zum

Verzeichnis der Stromkreise.

Überwachungsströme:
1  1———— Stromkreis f.d.Plusstellung d. Weiche
1a  1a      „    „  „ Minusstellung.

Motorlaufströme:
5  5———— Stellstromkreis von Minus nach Plus
5a  5a      „      von Plus nach Minus.

von vorn gesehen

Erdpol  E

Kabelverteilg.

1a

Kabel-
zuführung

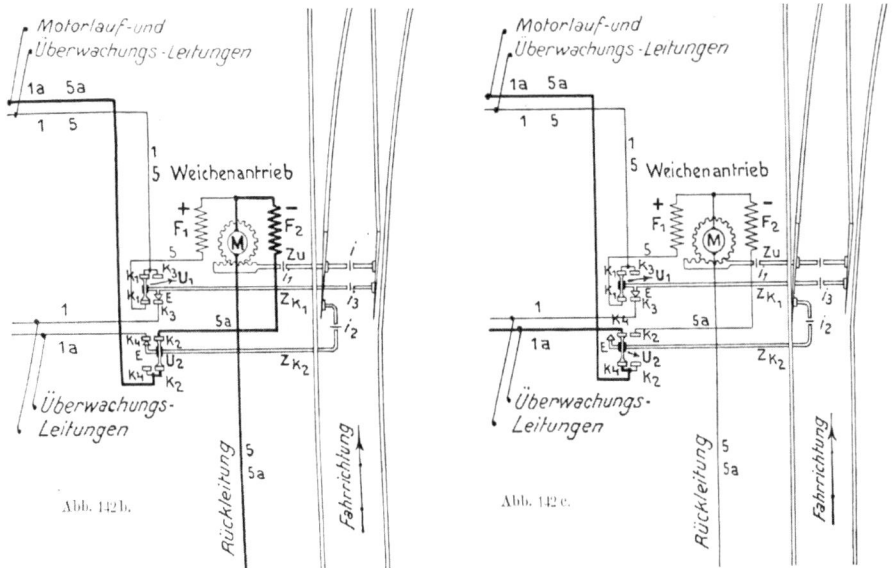

Abb. 142 a, b, c. Stromlauf beim Umstellen einer Weiche aus der Grundstellung (Plusstellung) in die abgelenkte (Minus-) Stellung.
(Zu vgl. die Bilder 6, 2 und 4 der Tafel XII.)

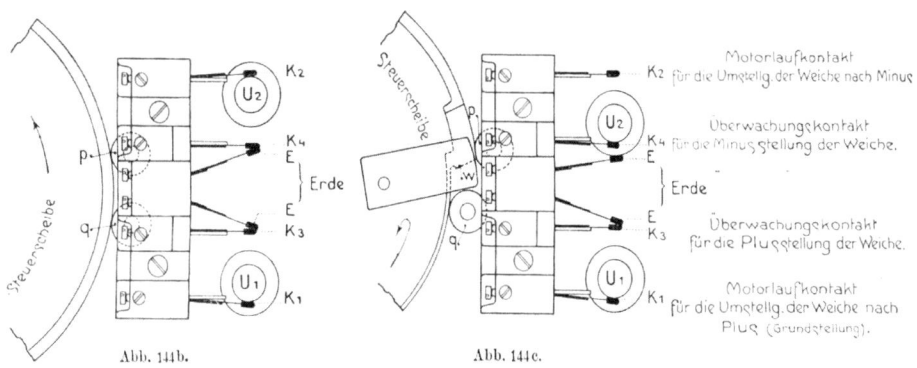

Abb. 144 a, b, c und 145 a, b, c. Kontaktstellungen im Antriebe einer einfachen Weiche.

Abb. 145 b.                    Abb. 145 c.

Innenfeder — hier k₃ — ab. Die Erdfedern sind so gebaut, daß sich ihre obere Hälfte im Bereiche der unteren Innenfedern k₃ oder k₄, die untere Hälfte im Bereiche des Schalterkragens befindet (vgl. Abb. 145 a bis c). Die Kontaktfedern sind wie Messerklingen in walzenförmigen Fassungen befestigt, die, wie bereits erwähnt, in die Bohrungen des Ebonitkörpers eingelassen und darin von der Ober- und Unterseite aus durch Schrauben festgelegt sind. Die Motorlauf- und Überwachungskontaktfedern legen sich gegen feste Stahlstreifen, die bei der Umschaltung verhindern, daß jene den Schaltern nachfedern. Um beim Abheben der Schalter von den Motorlaufkontakten, die nach früherem 10 Amp. Strom führen, schädliche Funkenbildungen zu vermeiden, ist es wichtig, die Schalter als Springschalter auszubilden. Dies wird durch eine Vorrichtung erreicht, die bewirkt, daß die Führungsrollen mit einem Ruck in den Steuerscheibenausschnitt einfallen. Zu dem Zweck sind den Einfallstufen v und w der Scheibe (Abb. 144 a bis c) drehbar bewegliche Stützglieder vorgesetzt, auf deren Stirnkante die Rollen ihren Lauf über die Nut fortsetzen, die aber bei beendeter Weichenumstellung gegen leichten Widerstand einer Drahtfeder von der Rolle zurückgedrückt werden, die dann mit kurzem Ruck in die Nut einfällt. Das Herausheben der Rolle aus dem Einschnitt darf allmählich erfolgen, da die Überwachungskontaktfedern k₃ oder k₄, von denen sich die Umschalter bei der Rückbewegung abheben, durch den Weichenschalter im Stellwerk in dem Augenblick stromlos werden, in dem die Umstellung der Weiche beginnt. Die Leitung über den Kontakt k₂ ist beim Pluslauf, die über k₁ beim Minuslauf im Stellwerk zu dieser Zeit nicht geschlossen, da durch das Schließen dieser Kontakte jeweils nur der Rücklauf des Weichenantriebes vorbereitet wird. Die Rollen treten dann unter Ausweichen der Stützglieder über die Stufen auf den Scheibenrand über. Die Abbildungen lassen erkennen, daß die Berührungsflächen der Umschalter bei jedem Schließen und Öffnen an den Kontaktfedern ein geringes Maß von Reibung erfahren, die hinreicht, um dauernd guten Kontakt zu sichern.

An der Rückseite des Ebonitkörpers befinden sich, wie aus Abb. 144 ersichtlich, innerhalb durch Schutzrippen abgeteilter Felder die Klemmen für die Kabelanschlüsse, die in die Befestigungskörper der Kontaktfedern eingeschraubt sind.

Abb. 143 zeigt innerhalb eines Antriebes für eine einfache Rechtsweiche die Kabelführung, die mit den Schaltbildern der Abb. 142 übereinstimmt. Die zu einem Kabel vereinigten Leitungen 1—5, 1 a—5 a, 1, 1 a und 5—5 a werden in dem mit dem Weichenantriebe verbundenen Kabeleinführungskasten auf einer Klemmenplatte auseinandergenommen und in gesonderten Strängen in das Antriebgehäuse eingeführt, in dem sie durch eine Umwicklung zusammengehalten werden. Die Leitung 1—5 ist an die beiden oberen Kontaktfedern k₁ und k₃, die Leitung 1a—5a an die oberen Federn k₂ und k₄ gelegt. Je nach der Lage der Schalter U₁ und U₂ sind die Stromwege über die Kontakte k₁ und k₂ auf eines der Motortriebkabel 5 oder 5a — Pluslauf oder Minuslauf des Motors — oder über k₃ und k₄ auf die Überwachungsleitungen 1 und 1a geschaltet. Die Triebkabel führen zu den Klemmen I und II des Motors, das Rückleitungskabel 5—5a ist an die dritte Motorklemme III angeschlossen und von dieser nach der Klemmenplatte geführt. Die Erdung der Leitungen 1 und 1a erfolgt, indem sich die unteren Federn k₃ und k₄ abwechselnd an die Erdfedern E legen, über die durch Kreuzschraffur gekennzeichnete Leitung an einer im Kabeleinführungskasten befindlichen Erdpolklemme, mit der auch die Rückleitung 5—5a Verbindung erhält; die Eisenteile des Weichentriebwerkes stehen mit der Erde in leitender Verbindung[1]). Die Art, wie in Abb. 143 die Verteilungskabel von der Klemmenplatte ab voneinander gesondert sind, entspricht nicht der Wirklichkeit; sie treten vielmehr durch eine an der Rückseite des Einführungskastens befindliche Öffnung in das Triebgehäuse.

Die Abbildungen 144 a, b, c und 145 a, b, c mögen dazu dienen, das Spiel der Schalter bei der Umstellung der Weiche von Plus nach Minus nochmals kurz zu erläutern. Die Schaltung der Federn k₁—k₄ und E in Abb. 144 a — Grundstellung der Weiche — entspricht der Stellung der Teile in Abb. 142 a. Schalter U₁ schließt

---

[1]) In Abb. 146 ist an der Verbindung einer Stellwerkanlage mit der „Bahnerde" gezeigt, wie die Motorrückleitung in Wirklichkeit „geerdet" ist. Die durch eine gestrichelte Linie innerhalb des Kabels angedeutete Rückleitung ist verstärkt durch die Eisenbandbewehrung des Kabels, die am Kabeleinführungskasten des Antriebs zwischen einer Flanschenverschraubung (zu vgl. auch Tafel XIII) gefaßt, im Stellwerk mit einer Erdungsschiene leitend verbunden ist, an die auch die eigentliche Rückleitung gelegt ist, von der alsdann die Rückleitung zur Batterie unter Einbeziehung der Verstärkungsleitung für den Bahnstrom gesondert abgeht.

den Überwachungskontakt $k_3$ und hebt die Erdfeder E von $k_3$ ab, so daß die Leitung 1 ungeerdet ist. Der Schalter $U_2$ dagegen schließt den Motorstromkreis 5a, wodurch der Motorlauf nach Minus vorbereitet ist. $k_4$ ist bei E geerdet. Diese in Abb. 144 a gezeichnete Lage der Schalter $U_1$ und $U_2$ ist dadurch herbeigeführt, daß die Steuerscheibe des Antriebs eine Stellung einnimmt, bei der die Führungsrolle p in den Einschnitt der Steuerscheibe eingefallen ist, während die Rolle q auf ihrem Rande ruht.

Abb. 144 b zeigt die Schaltung während des Ganges der Weichenzungen von Plus nach Minus. Die Steuerscheibe ist

von unten her unter die Rolle q, die in den Einschnitt einfällt, während p auf dem Außenrande stehen bleibt. Dadurch wird $U_2$ von $k_2$ nach $k_4$ bewegt, dadurch der Überwachungsstromkreis 1a geschlossen, die Erdfeder E aber von 1a abgehoben. Leitung 5 ist über $k_1$ zur Vorbereitung des Weichenlaufs von Minus nach Plus geschlossen.

Bei der Wiederumstellung der Weiche zur Grundstellung kehrt sich die Drehung der Steuerscheibe wieder in die der Uhrzeigerrichtung um. Rolle q ist jetzt an der Reihe, aus dem Einschnitt der Steuerscheibe herausgehoben zu werden, und

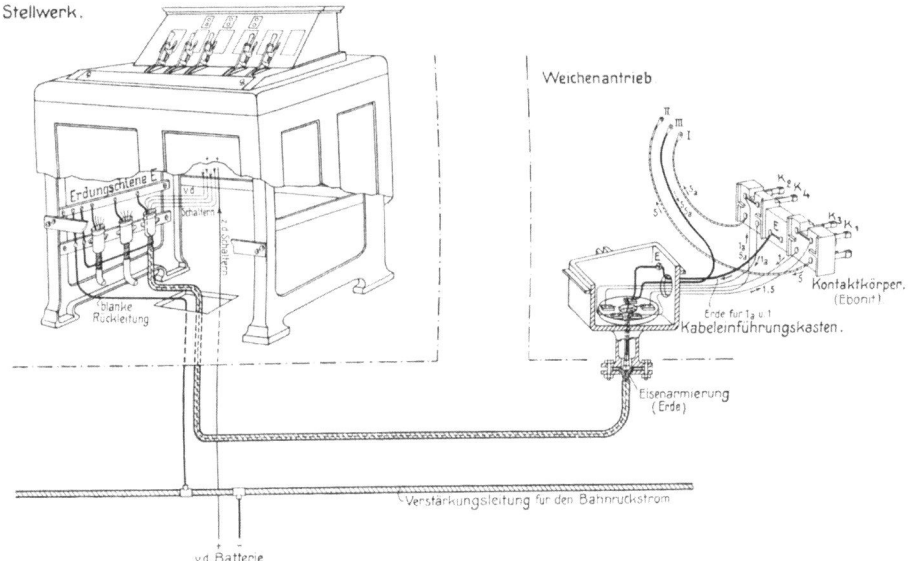

Abb. 146. Verstärkung der Motorrückleitung durch die „Bahnerde"

in der Richtung des der Abbildung beigeschriebenen Pfeiles — entgegen der Uhrzeigerrichtung — in Drehung versetzt, so daß die Rolle p sogleich aus dem Einschnitt der Steuerscheibe auf deren Rand übergeführt wird und damit den Schalter $U_1$ von $k_3$ nach $k_1$ umstellt. Beide Rollen wälzen sich auf dem Rande ab, die beiden Schalter $U_1$ und $U_2$ gegen die Außenklemmen drückend und somit die Laufstromkreise zum Motor schließend. Während auf diese Weise $U_2$, auf 5a geschaltet, den Umstellstrom von Plus nach Minus schließt, bereitet $U_1$ über $k_1$ die nächste Umstellung der Weiche — von Minus wieder nach Plus — vor. Die Leitungen 1 und 1a liegen während der Umstellbewegung über E, E an Erde. Bei Beendigung der Umstellung schiebt sich der Einschnitt der Steuerscheibe

beide Rollen laufen auf dem Rande weiter. Die Schaltung ist schließlich wieder die nämliche wie in Abb. 144 a.

### 3. Weichenantrieb der Bauart Siemens u. Halske.

Auf Tafel XIII ist die Bauweise des Antriebes mit dem Weichengestänge gezeigt. Aus dem links dargestellten Gesamtbild einer einfachen Rechtsweiche mit ihren Verschluß-, Antrieb- und Überwachungsvorrichtungen ist ersichtlich, wie die Bewegungen der zwischen geeigneten Apparatteilen geführten Zahnstange Zu durch ein Gelenk gu auf die Anschlußstange $Zu_1$, sodann von dieser auf die von der Triebstange $Zu_2$ regierten Verschlußeinrichtungen der Weiche übertragen wird, und ferner, wie durch die beiden Gestänge $Zk_1$ und $Zk_2$ die Zungen überwacht werden. Die Bewegung dieser Gestänge überträgt sich mittels der Gelenkverbindungen $gs_1$ und $gs_2$ auf die in einem Stulp f geführten Überwachungsschieber $s_1$ und $s_2$. i und $i_1$ sind die nach früherem in das Triebgestänge einzubauenden Trennstellen, die den Übergang des Gleisstromes von einem Schienenstrange zum anderen oder über den Antrieb zur Bahnerde verhindern; mit $i_2$ und $i_3$ sind die Trennstellen in den Überwachungsgestängen bezeichnet, die dem Gleisstrom den Weg von Schienenstrang zu Schienenstrang über den Antrieb sowie die Verbindung mit der Bahnerde abschneiden.

Das Antriebgehäuse ist mit den Weichenschwellen gelenkig verbunden, damit es an den Erschütterungen durch das Befahren der Weiche nicht teilnehme. Dies erfordert, daß auch die Gelenke gu, $gs_1$ und $gs_2$ nach Art der Universalgelenke doppelt beweglich gemacht werden. Das Antriebgehäuse besteht aus einer gußeisernen Schale mit einem Deckel aus Eisenblech, der zur Freilegung des Inneren leicht abgenommen werden kann. An den Boden des Gehäuses sind die erforderlichen Lagersockel und Anschlagteile angegossen; seine Fläche ist mit Neigungen und einer tellerartigen Vertiefung T zur Aufsammlung etwaigen Niederschlagwassers und abtropfenden Öls ausgestattet, das mit einer Handpumpe herausgenommen werden kann; beide Seiten des Gehäuses sind zur Aufnahme des Kabeleinführungskastens eingerichtet.

Der Antrieb ist so berechnet, daß er, falls nicht außergewöhnliche Verhältnisse vorliegen, zwei Zungenpaare mit allem Zubehör sicher bewegen kann. Der Motor leistet ½ PS. Um für Rechts- und Linksweichen gleichmäßig verwendet werden zu können, ist der Antrieb so eingerichtet, daß die Zahnstange und die Überwachungsschieber in später zu beschreibender Weise umgelegt werden können. Zum gleichen Zweck, wie auch für den Fall gleichzeitiger Bedienung zweier Weichen, ist die Triebstange $Zu_2$ an beiden Enden mit Aufnahmegabeln für die Anschlußstangen versehen.

Machen ausnahmsweise — wie in Störungsfällen — die Verhältnisse notwendig, die maschinelle Antriebweise der Weiche auszuschalten und diese vorübergehend mit der Hand zu bedienen, so wird von außen durch eine der in der Tafelzeichnung mit H bezeichneten Öffnungen des Gehäuses eine Handkurbel auf eines der Enden der Schneckenradwelle aufgesteckt und damit die Weiche umgestellt. Die Zungen müssen dann in den Endlagen mit besonderen von Hand anzubringenden Vorrichtungen festgelegt werden.

Was die innere Einrichtung des Antriebes betrifft, so zeigen die Mittel, die die Stellbewegung vom Motor auf die Zungen übertragen, nämlich das Stirn- und Schneckenradgetriebe $R_1$-$R_2$-$R_3$-$R_4$, keine besonderen Züge. Der Umstand dagegen, daß das Triebrad $R_5$ der Zahnstange Zu nur eine bestimmte Bewegung von $3 \times 7$ cm Wegelänge erteilen darf, während dem Motor die Möglichkeit gegeben sein muß, sich auszulaufen, hat dazu geführt, zwischen dem Schneckenrad $R_4$ und dem Triebrad $R_5$ die schon früher erwähnte Reibungskupplung einzuschalten. Diese erfüllt gleichzeitig auch die Forderung, daß beim Aufschneiden einer Weiche wohl das Zahnstangengetriebe Zu—$R_5$ bewegt, die Bewegung aber nicht nach rückwärts auf das Triebwerk $R_4$-$R_3$-$R_2$-$R_1$ übertragen werden darf, das durch die Schnecke $R_3$ gegen Bewegungen von der Weiche aus gesperrt ist.

Die Steuerscheibe St, das Schneckenrad $R_4$ und die Zahntriebscheibe $R_5$ werden durch eine Platte a zusammengepreßt. Diese steht unter dem zentralen Druck eines Flachringes b, der durch die Platte c mittels der Schrauben d und e auf die Platte a niedergedrückt wird. Die Steuerscheibe und der Körper des Zahnrades $R_5$ sind durch die beiden Schrauben d und e zu einem einheitlichen Umdrehungskörper $R_5$-St-a-b-c verkuppelt, in dem das Schneckenrad lediglich durch Reibung festgehalten ist. Die Köpfe der Schrauben sind in viereckigen Ausschnitten des Rades $R_5$ gegen Drehung gesichert; die Muttern werden gerade so stark angezogen, daß die Reibung beim Auslaufen des Motors und beim Auffahren der Weiche überwunden wird. Der Reibungsdruck kann um Sechsteldrehungen der Muttern geregelt werden; nach erfolgter Einstellung werden diese in ihrer Lage dadurch gesichert, daß sich ein um den Niet f drehbarer Eisenstreifen l, der in den Stift g eingehakt ist und von diesem durch ein in die Unterschneidung m gesetztes Werkzeug abgehoben werden kann, gegen eine der Seitenflächen der Muttern legt.

Die Drehung der Zahntriebscheibe $R_5$ ist dadurch begrenzt, daß sie mit einem Ansatz n von links oder rechts gegen einen aus dem Gehäuseboden vorstehenden festen Anschlag o anläuft. Der Motor dreht dann unter Überwindung der Reibung in dem Kuppelkörper das Schneckenrad $R_4$ allein weiter, bis er durch Abstellung des Stellstroms stillgelegt wird.

Die zur Überwachung der Weichenzungen dienende Einrichtung ist aus der Tafel XIII nach dem darüber bereits Ausgeführten ohne weiteres verständlich; die Buchstabenbezeichnungen sind die gleichen, wie in den Textabbildungen.

kante die Rollen ihren Lauf über die Einfallstufen v und w hinaus bis zum Einfall in den Scheibenausschnitt fortsetzen, sind auf der Tafel mit x und y bezeichnet.

Die Tafelabbildungen und das Schaubild in Abb. 147 lassen von den weiteren Einzelheiten des Antriebs auch die Einrichtung des Kabeleinführungskastens und die Art seiner Befestigung am Gehäuse, an der Gegenseite des Gehäuses ferner die Durchbrechung ersehen, die je nach Umständen gleichfalls zur Aufnahme des Kastens ver-

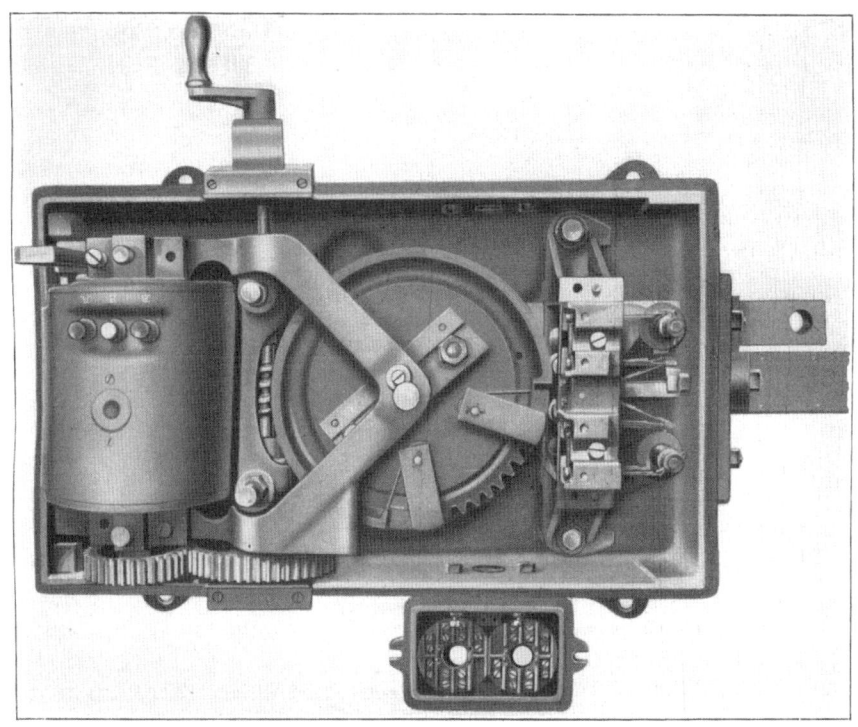

Abb. 147. Weichenantrieb mit Kabeleinführungskasten.

Über dem Schaltgerüst befindet sich eine Schutzverdachung, die mittels Z-Eisen, wie sie aus Abb. 141 ersichtlich sind, auf der Deckplatte des Gerüstes befestigt ist. Die Lage der Schaltteile entspricht der auf der Tafel angenommenen Grundstellung der Weiche; die Stellzahnstange und die beiden Überwachungsschieber sind aus dem Triebgehäuse um $3 \times 7$ bzw. $2 \times 7$ cm ausgezogen. Die Lage der Rollen p und q ist die in den Abb. 140a und 144a dargestellte. Die den Einfallstufen v und w der Steuerscheibe vorgesetzten Stützglieder, auf deren Stirn-

wendet werden kann; endlich auch die Art, wie in besonderen Fällen die Weiche durch eine Handkurbel zu bedienen ist.

Die Isolierungen an den Trennstellen i und $i_1$ in dem Stellgestänge, $i_2$ und $i_3$ in den Schaltgestängen sind aus Ebonit hergestellt. Die Triebstange besteht aus zwei durch Flanschenverschraubung verbundenen Teilen. Die Flanschen haben eine Zwischenlage aus Ebonit; die Verbindungsschrauben sind durch Ebonitringe unter Kopf und Mutter und Ebonitummantelungen der Bolzen von den Eisenteilen getrennt. In den Trennstellen $i_1$, $i_2$ und $i_3$

liegen die flach ausgeschmiedeten Gestänge-
enden zwischen Laschen, die mit fest an-
haftenden Ebonitschichten umkleidet sind.
Die Befestigungsschrauben stecken innerhalb der Laschen in Ebonithülsen, so daß
die Schrauben von dem Metall der Laschen
vollständig getrennt sind.

Der auf Tafel XIII dargestellte Antrieb
wirkt auf die gegen die Spitze gesehene
Weiche von links ein. Ist dieselbe Weiche
nach Lage der Verhältnisse von der rechten Seite anzutreiben, so nötigt die Lage
der Weichengestänge, die Zahnstange und
die Überwachungsschieber in der in
Abb. 148 angedeuteten Weise umzulegen.
Der Fassungskörper a mit der Zahnstange

$2 \times 7$ cm. Der Führungsstulp der Überwachungsschieber ist zweiteilig; die obere
und untere Hälfte sind durch ein Messing-
blech geschieden, so daß die Schieber in
getrennten Führungen laufen. Gegen Herausziehen sind kleine Sperrstücke auf die
Schieber geschraubt.

#### 4. Sicherung gegen Weichenstörungen.

Die Zungenüberwachung würde an-
scheinend überflüssig sein, und sie wäre
es in der Tat, wenn sich beim Umstellen
einer Weiche alle Vorgänge stets vorschriftsmäßig abwickelten, der Hakenver-
schluß der Weiche und die Steuerscheibe
so arbeiteten, daß Unregelmäßigkeiten aus-

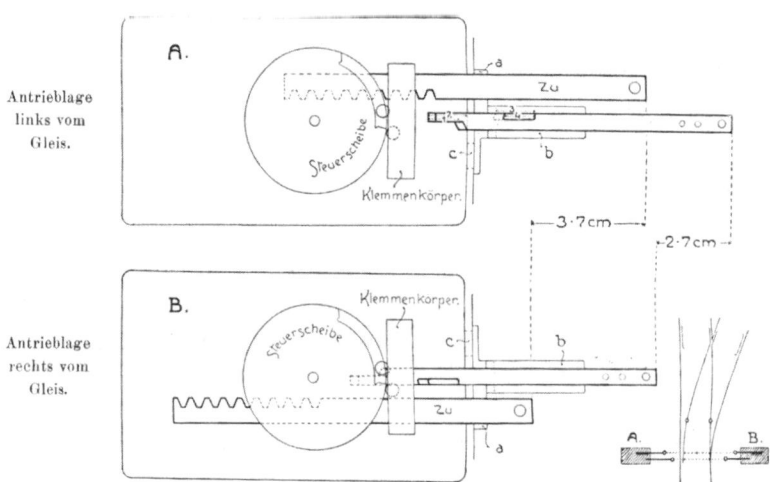

Abb. 148. Lage der Zahnstange und der Überwachungsschieber im Antrieb einer einfachen Weiche
bei Verlegung des Antriebs von der linken nach der rechten Seite des Gleises.

$Z_u$ und den in einem auf den Körper a befestigten Stulp b geführten Überwachungsschiebern wird vom Gehäuse losgenommen
und zur Spiegelbildlage umgewendet. Die
Überwachungsschieber werden — der früher
untere zu oberst — durch die gleiche Öffnung des Gehäuses, die Zahnstange durch
eine zuvor vom Körper a verdeckt ge-
haltene zweite Öffnung c wieder in das
Gehäuse eingeführt und mit dem Körper a
wieder befestigt. Dabei müssen, um beispielsweise den Antrieb bei unverändert in
der Grundstellung liegen bleibender Weiche
von A (links vom Gleis) nach B (rechts
vom Gleis) zu verlegen, die umgewendeten
Gestängeteile für gleichbleibende Lage der
Steuerscheibe im Antriebe zurückverlegt
werden, und zwar die Zahnstange um
$3 \times 7$ cm, die Überwachungsschieber um

geschlossen wären. Denn dann wäre kein
Grund zu der Annahme vorhanden, daß
die Plus- oder Minus-Meldezeichen im
Stellwerk Fehlmeldungen lieferten. Aber
selbst bei ungenügendem Zungenschluß
bedürfte es der Überwachungsschieber
nicht, da auch ohne sie das Meldezeichen
im Stellwerk für diesen Fall ausbliebe.
Die Überwachungsschieber würden lediglich eine doppelte Sicherheit gewähren.

Falls sich nämlich beim Umstellen
einer Weiche ein Fremdkörper zwischen
Zunge und Backenschiene einklemmen
sollte, können auch die Zahnstange und
die Steuerscheibe ihren Lauf nicht voll-
enden. Es bleiben dann (Abb. 144 b) beide
Führungsrollen p und q auf dem Rande der
Scheibe liegen, beide Motorlaufkontakte
(Außenkontakte) bleiben geschlossen und

beide Überwachungskontakte (Innenkontakte) geöffnet; die Erdungen bleiben bestehen. Der Motor läuft unter Überwindung der Bremsreibung weiter. Dieser Zustand macht sich am Stellwerk durch Nichterscheinen des Überwachungszeichens der Weiche (+ oder —) bemerkbar. Die Steuerschieber verdoppeln alsdann die Sicherheit, indem auch sie in diesem Falle nicht regelmäßig arbeiten, so daß die Klinken der Kontaktschwinge die Schiebernuten nicht an den richtigen Stellen vorfinden (Abb. 140 b) um einfallen zu können. Mindestens eine der beiden Vorrichtungen muß auf die Stellung des Signals derart einwirken, daß dieses, wenn es sich in der Haltlage befand, darin verbleibt, und wenn es vorher auf Fahrt frei stand, in die Haltlage zurückkehrt.

Ähnlich, wenn die Weiche aufgefahren wird. Dann wird die Zahnstange durch die Weichenzungen nur um 2 × 7 statt 3 × 7 cm bewegt, da zwar die abliegende Zunge geschlossen, die anliegende aber nur bis zur Halbstellung geöffnet wird (Bild c der Abb. 137). Die Steuerscheibe vollendet auch in diesem Falle ihren Lauf nicht, so daß auch hier die Motorlaufkontakte geschlossen und die Erdungen bestehen bleiben. Der mit der abliegenden Zunge verbundene Überwachungsschieber beendet seinen Gang, der mit der anliegenden Zunge verbundene bleibt auf halbem Wege stehen, so daß auch hier die Klinken nicht zum Eingriff gelangen könnten. Das Überwachungszeichen (+ oder —) im Stellwerk ist verschwunden, ohne daß jedoch ein neues erscheint. Die Unregelmäßigkeit ist damit auch in diesem Falle dem Stellwerkwärter gemeldet.

Falls etwa bei Arbeiten am Gleise durch unachtsame Handhabung der Geräte oder aus Böswilligkeit der Zungenschluß gelöst oder beeinträchtigt werden sollte, tritt Ähnliches ein. Auch hier geht oder bleibt das Signal auf Halt, weil der Schalter nicht zum Schluß kommen kann, oder, falls er schon Schluß gehabt hätte, durch die Lösung des Zungenschlusses wieder zurückbewegt und damit der Überwachungsstromkreis wieder geöffnet wird.

Die doppelte Sicherheit gegen die Anzeige einer falschen Weichenstellung als einer richtigen, die in den genannten Unregelmäßigkeitsfällen dadurch vorhanden ist, daß sich die Steuerscheibe nicht voll umdreht — also die Führungsrollen eine Umschaltung nicht bewirken können —,

sodann auch die Steuerklinken die Nuten der Überwachungsschieber nicht an der richtigen Stelle vorfinden, ist aber in einer Anzahl besonderer Fälle zur Verhütung von Störungen von großer Bedeutung. Tritt beispielsweise im Stellgestänge durch Beschädigung, Bruch oder Lösung des Zusammenhanges eine Unterbrechung ein, so bleiben die Zungen stehen, während der Motor richtig umläuft. Die Steuerscheibe beendet ihre Umdrehung, ihr Ausschnitt schiebt sich also ordnungsmäßig unter die Führungsrolle. Aber die Überwachungsschieber werden nicht bewegt; ihre Nuten können daher nicht unter die Überwachungsklinken gelangen. Der Umschalter bleibt infolgedessen, indem sich die für den Eingriff in Betracht kommende Klinke nur gegen die Seitenkante der Schieber legt, und somit auch die Führungsrolle in den Ausschnitt der Steuerscheibe nur halb einsinkt, in der Halbstellung stehen. Dem Wärter erscheint kein Überwachungszeichen, weil die Umschaltung nicht stattgefunden hat. Das Gleiche tritt ein, falls ein Überwachungsschieber sich aus dem Verbande der Weiche lösen sollte — eine Vermehrung der Apparatteile schafft ja auch wieder neue Fehlerquellen —, da auch in diesem Falle, in dem der gestörte Schieber der Bewegung nicht folgt, die Überwachungsklinken dessen Nut nicht an der richtigen Stelle vorfinden, also ebenfalls nur eine Halbstellung des Umschalters zulassen, so daß der Überwachungs- — Kuppel — Stromkreis unterbrochen gehalten wird.

Da die Verschlußhaken der Weichenzungen unterhalb der Schienen liegen, ist es, um trotz richtig vollzogenen Hakenverschlusses einen einwandfreien Zungenschluß zu gewährleisten, von Bedeutung, daß die Überwachungsgestänge an höher liegenden Punkten der Zungen angreifen und daß die Zungen an diesen höher liegenden Stellen durch den Schieber auf 2½ bis 3 mm genau verriegelt werden.

Die Bedeutung der Überwachungsschieber beruht also in einer gesteigerten Feinfühligkeit der Sicherungen. Aus den angeführten Gründen werden die Zungenüberwachungen bei Spitzweichen regelmäßig angebracht, während sie für stumpf befahrene Weichen, bei denen die Radkränze auf Schluß der Weiche wirken, nicht vorgeschrieben sind.

Bei Störungen im Weichenbetriebe, die zur Handbedienung unter

Benutzung der auf Tafel XIII und in Abb. 147 eingetragenen Handkurbel nötigen, ist bei sämtlichen Spitzweichen, die von Personenzügen befahren werden, die Festlegung der Zungen durch eine Sperre vorgeschrieben. Vor dem Umkurbeln der Weiche werden die Zungensperren abgenommen und nach der Umstellung wieder angebracht.

Die Abbildungen 149 und 150 zeigen die bei der Staatsbahn gebräuchliche Zungensperre, die auch von der Hochbahn

e-köffnungen durchgreift, die zu diesem Zwecke in dem Handrade angebracht sind. Der Schubriegel wird durch ein bei e einzuhängendes Schloß oder durch ein mit dem Bügel fest verbundenes Schloß f, dessen Riegel in die Öffnung g greift, festgelegt. Auf diese Weise läßt sich die Schraube auf Sechsteldrehungen genau einstellen. Ansätze hh des Bügels, die beim Anlegen den Schienenfuß untergreifen, erleichtern die Handhabung.

Ist das Hakenschloß und das Weichen-

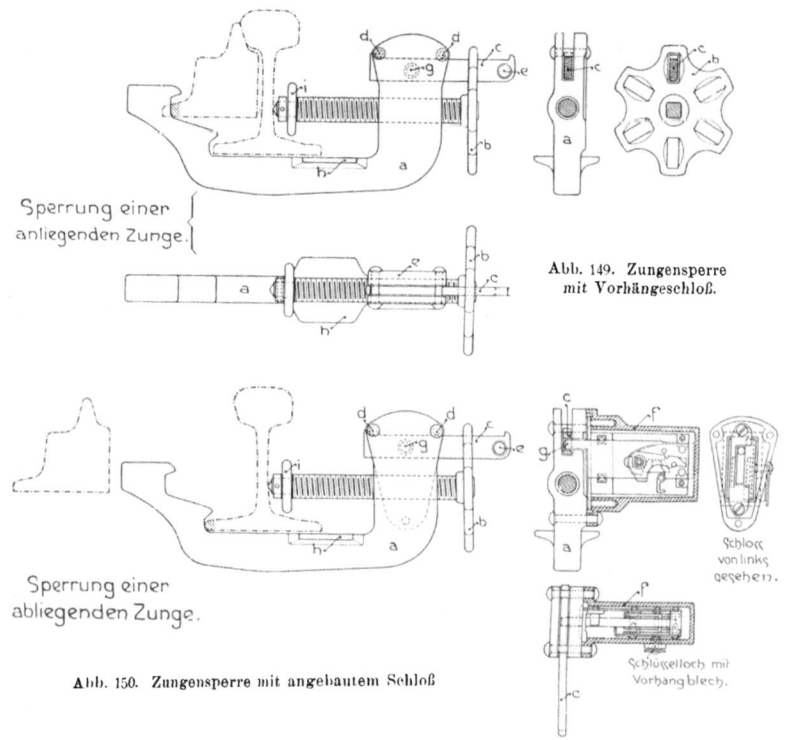

Sperrung einer anliegenden Zunge.

Abb. 149. Zungensperre mit Vorhängeschloß.

Sperrung einer abliegenden Zunge.

Schloß von links gesehen.

Schlüsselloch mit Vorhangblech.

Abb. 150. Zungensperre mit angebautem Schloß

übernommen ist. Der Stahlbügel a wird mit einem durch Handrad b verstellbaren Gewindebolzen — der gegen Herausdrehen durch einen Ringansatz i gesichert ist —, so gegen die Backenschiene geschraubt, daß entweder die anliegende Weichenzunge gegen die Backenschiene gepreßt oder die abliegende Zunge in genügendem Abstande gehalten wird. Der Bügel setzt sich mit hakenförmigen Ausschnitten entweder gegen den — etwas ausgeklinkten — Fuß der Zunge oder den Fuß der Schiene. Die Schraube kann mittels eines im Bügel unter Stiften dd geführten Schubriegels c festgelegt werden, der durch eine der radial gestellten Recht-

gestänge in Ordnung, so ist mit der Zungensperre stets die abliegende Zunge festzulegen; die anliegende ist dann durch das Hakenschloß festgelegt. Ist dieses nicht in Ordnung, so ist mit einer Zungensperre die abliegende und mit einer zweiten die anliegende Zunge festzulegen.

Die Abbildungen 151 bis 153 zeigen, wie die Sperren bei einfachen Weichen sowie bei einfachen und doppelten Kreuzungsweichen angebracht werden.

### 5. Hintereinanderschaltung zweier Weichenantriebe.

Wenn zur Ersparung von Hebeln und Bedienungszeit zwei Weichen vom Stellwerk mit einem Hebel gestellt werden sollen, wie bei Weichenkreuzen, doppelten Kreuzungsweichen, so sind die Antriebe hintereinander zu schalten. Nebeneinanderschaltung der Weichen, die zwar auch die Stellzeit vermindern würde, wird nicht mehr angewendet, weil der dabei auftretende hohe Anlaufstrom eine zu

bei der Umstellung nach Minus zuerst die entferntere Weiche b, dann die näher liegende a, bei der Umstellung aus der Minus- in die Plusstellung in umgekehrter Reihenfolge gestellt werden. Rechts in Abb. 154 ist die Schaltung nach der in Abb. 142 gegebenen Darstellungsweise, links in der Darstellung der Abb. 143 ge-

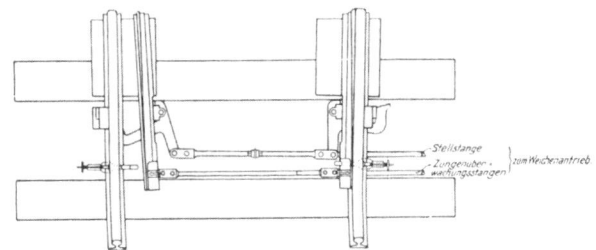

Abb. 151. Zungensperren an einer einfachen Weiche.

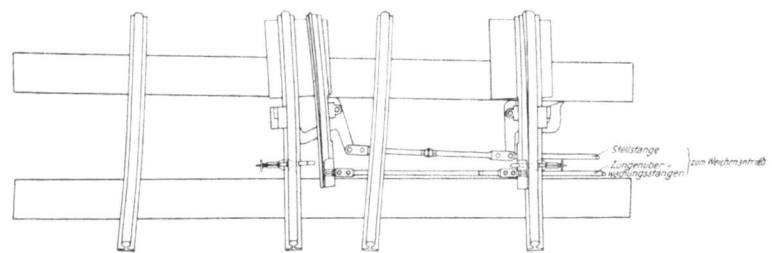

Abb. 152. Zungensperren an einer einfachen Kreuzungsweiche.

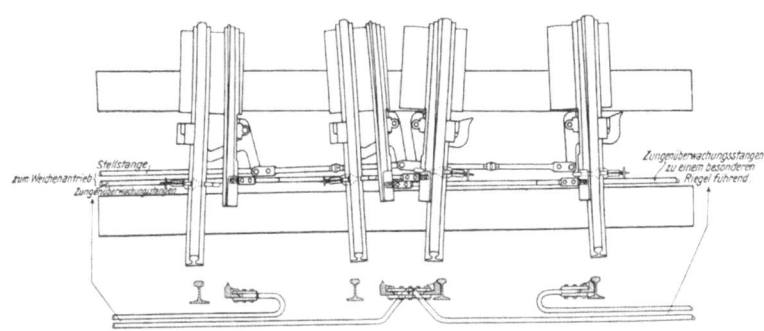

Abb. 153. Zungensperren an einer doppelten Kreuzungsweiche.

schnelle Abnutzung der Kontakte herbeiführt. Einfache Weichen werden bei dichter Zugfolge je mit besonderem Hebel gestellt, da andernfalls jede Störung einer Weiche auch jede von demselben Hebel bediente andere Weiche für die Zeit der Störung außer Gebrauch setzt. Bei weniger dichter Zugfolge hat die Bedienung zweier einfacher Weichen mit nur einem Hebel keine Bedenken. Für diesen Fall hat die Hochbahn die Schaltung nach Abb. 154 so gestaltet, daß die beiden Weichen nacheinander, und zwar

zeichnet; von den Antrieben sind indessen nur die Kabeleinführungskästen mit den kreisförmigen Klemmenplatten und die Klemmenanordnung selbst dargestellt. In dem Einführungskasten der Weiche b ist nur eine Klemmenplatte, in dem der Weiche a sind beide Platten mit Anschlüssen belegt. Die Schaltung ist für die Grundstellung beider Weichen gezeichnet, in der die Motorlaufkontakte $k_2$ durch die Schalter $U_2$ und die Überwachungskontakte $k_3$ durch die Schalter $U_1$ geschlossen sind. Im folgenden sind Apparatteile, die zu den Weichen a oder b gehören, durch die in Klammern gesetzten Beibuchstaben (a) oder (b) unterschieden. Die Leitungsführung ist die folgende.

Leitung 1—5 ist vom Stellwerk an die beiden Kontakte $k_1$ (a) und $k_3$ (a) geführt, wo sie über $k_1$ (a) als Leitung 5 zur Plusseite $F_1$ + des Antriebmotors M der

führt. Von $k_4$ (b) geht sie als Überwachungsleitung 1a über $k_4$ (a) zum Stellwerk zurück und über $k_2$ (a) als Triebleitung 5a über die Minusseite $F_2$ —, des Motors M (a) zum Stellwerk zurück.

Für die Überwachung der Weiche in der Grundstellung sind die Kontakte $k_3$ (a) und $k_3$ (b), für die Überwachung in der Minusstellung die Kontakte $k_4$ (b) und

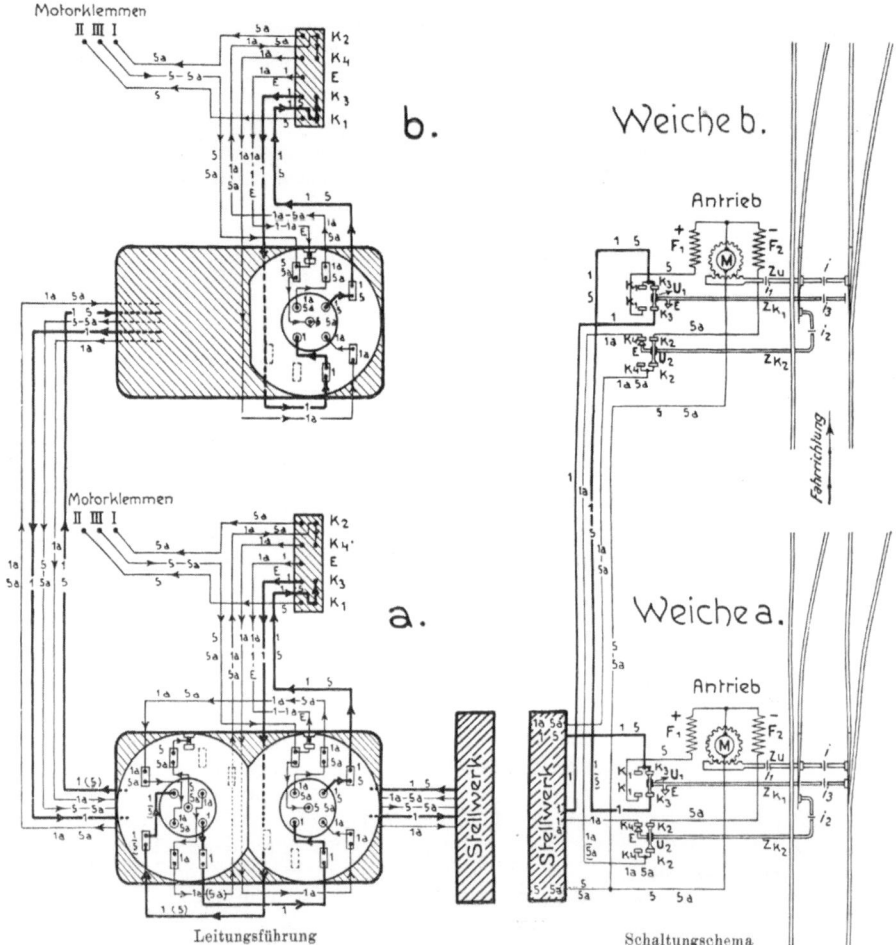

Abb. 154. **Hintereinanderschaltung zweier Weichenantriebe.** (Bedienung durch einen einzigen Hebel.)

Weiche a und dann zum Stellwerk zurückführt. Von $k_3$ (a) führt sie als Überwachungsleitung 1 über $k_3$ (b) und als Triebleitung 5 über $k_1$ (b) über die Plusseite $F_1$ + des Motors M (b) zum Stellwerk zurück.

Leitung 1a—5a ist vom Stellwerk an die Kontakte $k_2$ (b) und $k_4$ (b) geführt, wo sie über $k_2$ (b) als Leitung 5a zur Minusseite $F_2$ — des Antriebmotors M der Weiche b und dann zum Stellwerk zurück-

$k_4$ (a) hintereinander geschaltet. Der Weichenlauf nach Minus ist durch die Leitung 1a—5a über $k_2$ (b), 5a, Minusseite des Motors b, M, 5, 5a, der Lauf nach Plus durch die Leitung 1—5 über $k_1$ (a), 5, Plusseite des Motors a, 5—5a vorbereitet.

In der in der Abbildung gezeichneten Grundstellung der beiden Weichen sind diese durch die mit starkem Strich ausgezogenen Leitungen 1—5, $k_3$ (a), 1—5 $k_3$ (b), 1 überwacht und der Motorlauf im Antrieb b durch 1a—5a, $k_2$ (b), 5a—0 vorbereitet. Beim Ziehen des Weichenhebels im Stellwerk — wobei das Meldezeichen (+) verschwindet — läuft zuerst der Motor in b an und legt sofort den Schalter $U_1$ (b) von $k_3$ nach $k_1$. Nach erfolgter Umstellung der Weiche b legt sich der Schalter $U_2$ (b) von $k_2$ (b) nach $k_4$ (b) um und

Überwachungsleitung für die Minusstellung, die schon bei $k_4$ (b) geschlossen war, nunmehr auch über $k_4$ (a) zum Schluß gebracht. Dem Stellwerkwärter erscheint jetzt das Minuszeichen als Bestätigung der erfolgten ordnungsmäßigen Umstellung beider Weichen. Die Umstellung von der Minus- in die Plusstellung erfolgt

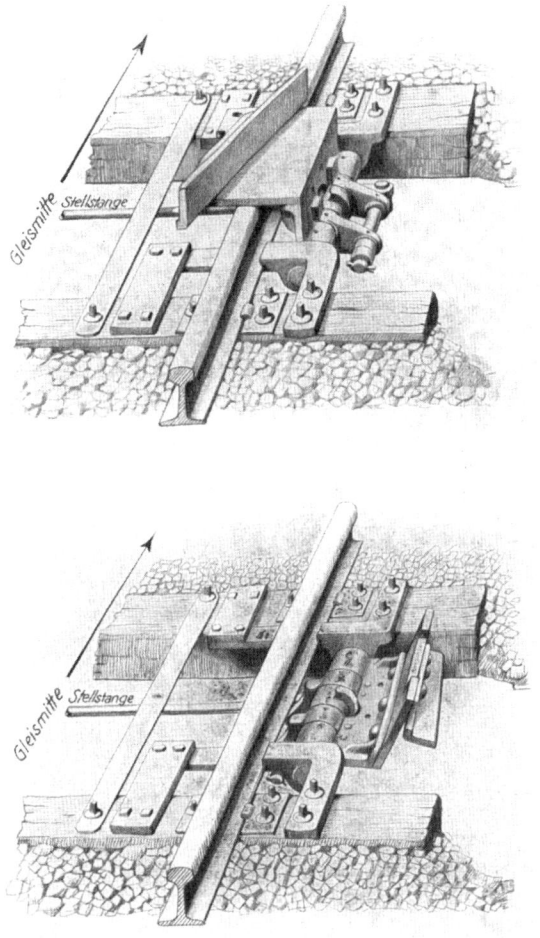

Abb. 155. Gleissperre, oben in Sperrstellung, unten in Freistellung.

schließt damit die Leitung für den Lauf des Antriebmotors in a, der durch Schluß von $k_2$ in a schon vorbereitet ist. Beim Anlauf dieses Motors wird der Umschalter $U_1$ (a) von $k_3$ (a) nach $k_1$ (a) umgestellt und damit der Lauf des Motors M (a) für die nächste Umstellung vorbereitet. Bei Beendigung des Weichenlaufs wird $U_2$ von $k_2$ (a) nach $k_4$ (a) bewegt und damit die

jetzt aus der Schlußstellung der Umschalter an den beiden Kontaktpaaren $k_1$ und $k_4$. Die Erdungen vollziehen sich bei den beschriebenen Vorgängen ebenfalls ordnungsmäßig. Störungen haben die unter 4 auf S. 152 beschriebenen Folgen.

Ähnlich gestaltet sich die Schaltung, wenn an die Stelle einer oder auch beider Weichen andere Sicherungsmittel, Entgleisungsweichen oder Entgleisungs-schuhe treten. Bei der Hochbahn finden beispielsweise Entgleisungsschuhe der in Abb. 155 gezeigten Art Verwendung, die nach der Norm der Staatsbahnverwaltung hergestellt werden.

### Einzelteile der Stellwerkanlage (Bauart Westinghouse).

Die im folgenden besprochenen Einzel-teile kehren bei allen Stellwerken der Bau-art Westinghouse wieder. Insoweit sie in dem gemeinhin als Stellwerk bezeichneten Stellpult — englisch frame — vereinigt sind, sind sie auf Tafel XIV zu Registern zusammengestellt, deren Betätigungsweise durch die Stellwerkhebel aus den Tafel-abbildungen klar hervorgeht. Diese Abbil-dungen beziehen sich auf die Sicherung der Übergangsstelle von einer zweigleisigen zu einer eingleisigen Bahnstrecke, wie sie in dem auf Tafel XIV skizzierten Gleis-plan dargestellt ist. Während bei den bisherigen Beispielen einer einfachen Linienvereinigung (Tafel IX) und einer einfachen Linienverzweigung (Tafel XI) das Stellwerk nur e i n e s Weichen-hebels und e i n e s Signalhebels bedurfte, sind bei dem neuen Beispiel d r e i Hebel erforderlich, und zwar je ein Signal-hebel Hs$_1$ und Hs$_2$ für die Signale S$_1$ und S$_2$ und ein Weichenhebel Hw für die Weiche w, dem im Stellwerk der Platz zwischen den Signalhebeln angewiesen ist. Die Stellwerkschaltung für das neue Bei-spiel würde nach den auf den Tafeln IX und XI gegebenen Richtlinien zu entwerfen sein; für den dritten Hebel träten noch zwei weitere Hebelsperren und ein Sperr-relais hinzu; die Signalhebelkontakte wür-den gleichfalls eine Vermehrung erfahren.

Wie aus früherem bekannt, und wie auch Tafel XIV zeigt, ist bei den Westinghouse-stellwerken das Verschlußregister aufrecht an der vorderen Seite des Stellwerks, das Sperren- und Kontaktregister — kurzweg Kontaktregister — wagerecht hinter den Stellhebeln angebracht. Das Kontaktregister ist auf der Tafel der Deutlichkeit wegen von dem Hebelwerk losgelöst dargestellt.

#### 1. Das Hebelwerk.

Die Hebel sind mit Handfallen ver-sehen, deren Sperrstücke sich auf gebo-genen Gleitbacken bewegen und in den End-lagen der Hebel durch Zahneinschnitte festgehalten werden. Wie schon bei der Besprechung der Tafeln IX und XI aus-

geführt, werden sie in Mittellagen durch Anschlagstufen gehemmt, die bei den Weichen- und Signalhebeln verschieden an-geordnet sind. Der S i g n a l h e b e l — zu vgl. die Abbildung links oben auf Tafel XIV — trifft beim Zurücklegen in die Grundstellung (Haltstellung) auf eine Stufe der Gleitbacken in demselben Augen-blick, in dem die Kontaktstange von den Hebelsperrmagneten — Signalüber-wachungs- und Fahrstraßenfestlegungsmag-neten — aufgehalten wird. wenn diese strom-los, ihre Anker also abgefallen sind. Der W e i c h e n h e b e l — Tafel XIV rechts oben — wird in beiden Bewegungsrichtun-gen durch Anschlagstufen gehemmt in dem-selben Augenblick, in dem auch an dem Plus- oder Minussperrmagnet der Weiche die Hemmung eintritt. Erst wenn die Sperre durch Erregung des Sperrmagneten ausge-löst wird, kann der Weichenhebel in seine Endlage gebracht werden. Die Hebel be-wegen sich zwischen den Gleitbacken um eine feste Achse, und ihre Bewegung wird auf die Register nicht, wie auf den Tafeln IX und XI lediglich schematisch angedeu-tet, als Verschubbewegung, sondern mittels Kurbeltriebe als Drehbewegung an auf-rechte Wellen des Verschlußregisters und an wagerechte Wellen des Kontakt-registers übertragen.

#### 2. Das Verschlußregister.

Die Drehung der aufrechten Wellen des Verschlußregisters wird durch segment-artige Zahntriebe auf wagerechte Ver-schlußschieber übergeleitet, die zu je zweien — 1—2, 3—4 und 5—6 auf Tafel XIV — zwischen Leitersprossen gelagert sind. Die Zwillingsanordnung ist getroffen, um auch bei größerer Hebelzahl an der der Höhe nach beschränkten Vorderseite des Stell-werks eine möglichst große Zahl von Schiebern anbringen zu können. In die Sprossenköpfe jeder Leiter ist eine Riegel-stange eingelassen — I bis IV, Tafel XIV —, die in senkrechter Richtung bewegt wird, sobald ein an einem der Schieber sitzender Knaggen in eine Nut der Stange eingreift. Die Anordnung der Knaggen und Nuten, durch welche die für den hier vor-liegenden Fall der Übergangsweiche er-forderlichen Hebelverschlüsse erzielt wer-den, ist in einer Nebenfigur der Tafel XIV gezeigt, die unter Hinweis auf die Aus-führungen auf S. 137 und 138 weiterer Erläuterungen nicht bedarf. Von den in unserem Beispiel vorhandenen sechs Schie-bern sind nur drei mit Verschlußknaggen besetzt; die drei anderen sind Leerschieber, die im vorliegenden Falle, lose auf den Sprossen liegend, den oberen Schiebern zur Unterlage dienen. Wird beispielsweise der Signalhebel Hs₂ umgelegt, so dreht sich die dazu gehörige aufrechte Welle des Verschlußregisters, die ihrerseits durch Zahneingriff den Schieber 1 nach links bewegt. Das hat zur Folge, daß sich der Knaggen a in die obere Nut der Riegelstange II einschiebt. Durch Schrägflächen an Knagge und Nut wird die Stange nach

Das Verschlußregister enthält zahlreiche Leerplätze für weitere Schieber. Das Stellwerk ist als Normalie ausgebildet; durch Aneinanderbauen gleichartiger Rahmengestelle kann das Stellwerk beliebig verlängert werden. An den Schieberstangen, deren Länge nach der des Stellwerks verschieden ist, können die Verschlußknaggen an jeder Stelle leicht angebracht werden. Die Riegelstangen unterscheiden sich nur durch die Verschiedenheit der Verschlußnuten.

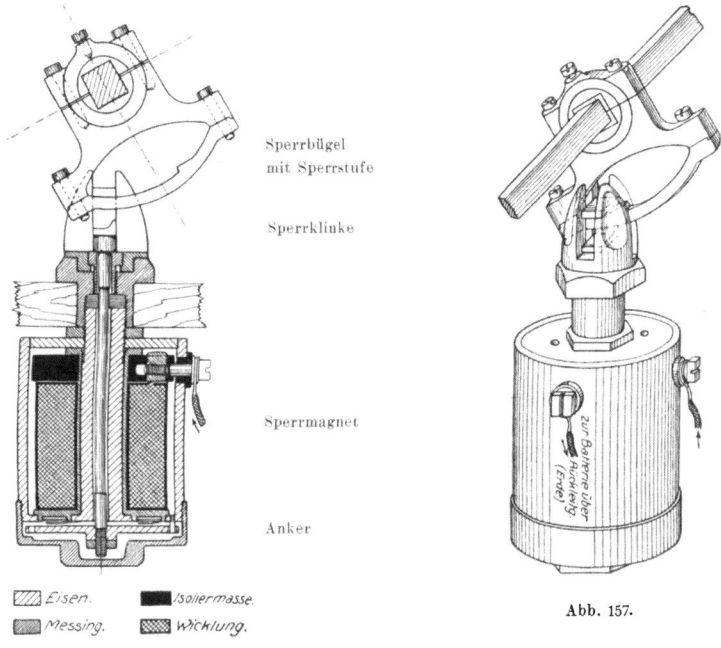

Sperrbügel mit Sperrstufe

Sperrklinke

Sperrmagnet

Anker

zur Batterie über Rückleitg (Ende)

Abb. 157.

▨ Eisen.  ■ Isoliermasse.
▨ Messing.  ▨ Wicklung.

Abb. 156.

Abbildungen 156 und 157. Sperrmagnete.
In Verwendung (zu vgl. die Tafeln IX, XI und XII) für
1. die Signalüberwachung (Üs auf den Tafeln),
2. „ Fahrstraßenfestlegung (Fs auf den Tafeln),
3. den Weichenlauf von Minus nach Plus (Ws + Plussperre),
4. den Weichenlauf von Plus nach Minus (Ws — Minussperre).
Für 1., 2. und 3. wird der Sperrbügel nach Abb. 157 (Sperrstufe links), für 4. nach Abb. 156 (Sperrstufe rechts) benutzt.

unten gedrückt. Diese Abwärtsbewegung ist aber nur möglich, wenn ein am Schieber 5 sitzender gleichartiger Knaggen b aus einer am unteren Ende der Riegelstange II befindlichen anderen Nut entfernt ist. Das wieder setzt voraus, daß der Schieber 5 vorher nach links bewegt wird, was durch Umlegen des Weichenhebels Hw zu erreichen ist. Der Signalhebel Hs₂ kann also erst gezogen werden, wenn vorher der Weichenhebel umgelegt wurde.

### 3. Das Sperren- und Kontaktregister.

Dadurch, daß die Bewegung der Sperren- und Kontaktgestänge durch Kurbeltriebe zu einer drehenden gestaltet wird, erhalten die von den Gestängen betätigten Sperr- und Kontakteinrichtungen, die auf den Tafeln IX und XI nur schematisch angegeben sind, besondere Formen. Die Sperrstufen müssen quer zur Richtung der Wellen auf kreisförmig gebogenen Flächen angebracht werden; die Kontaktschalter sind als Drehschalter auszubilden.

### a) Die Sperrmagnete.

Die Sperrmagnete sind, abweichend von der schematischen Darstellung auf den Tafeln IX, XI und XII, unterhalb der Registerwellen angeordnet. Die Sperrstufen befinden sich auf schwingenden Bügeln — Sperrbügeln —, die durch sektorartige Verbindungsstücke mit den Wellen fest verbunden sind; die Sperrmagnete wirken nicht, wie auf den Tafeln IX, XI und XII angedeutet, auf die Bewegung der Sperrstufen mittels des Ankers unmittelbar ein, sondern durch mit den Ankern fest verbundene Sperrklinken, die die Bewegung der Sperrstufen und damit der Sperrbügel hemmen oder freigeben. In dem Augenblick, in dem ein Bügel durch Stufenanschlag gehemmt, die Welle also an der Drehung verhindert wird, ist auch der Stellhebel durch den Anschlag im Bügel festgelegt. Der einzige Unterschied bei allen Registersperren — gleichviel ob Weichen- oder Signalhebelsperren — besteht in der Anordnung der Stufen in den Sperrbügeln. Bei der Signalüberwachungs- und der Fahrstraßensperre (Üs und Fs auf den Tafeln IX, XI und XII) sind die Sperrstufen in den Bügeln an derselben Seite (links) angeordnet (zu vgl. die Erklärungen unter den Abbildungen 156 und 157); beim Auffahrtstellen des Signalhebels gleiten die Sperrstufen unter den Klinken hindurch, während die Klinken beim Zurückstellen des Hebels auf Halt bei stromlosem Zustande des Sperrmagneten, d. i. bei abgefallenem Anker, die Sperrbügel hemmen. In den beiden Sperrbügeln eines Weichenhebels sind die Stufen gegeneinander versetzt; bei Stromlosigkeit des Magneten der Plussperre macht deren Sperrklinke die Umlegung des Weichenhebels in die Plus - Endstellung unmöglich, während bei Stromlosigkeit des Magneten der Minussperre die Sperrklinke der letzteren die Hebelumlegung in die Minus - Endstellung ausschließt. Plus- oder Minussperre erhalten, wie wir wissen, erst dann Strom, wenn die Weichenzungen vorschriftsmäßig die Plus- oder Minuslage erreicht haben; der Weichenhebel kann also erst in die Endlage gebracht werden, wenn die Weiche die der Hebelstellung entsprechende Lage eingenommen hat und mittels des durch die Weichenzunge eingeschalteten Überwachungsstromes die Sperrung aufgehoben worden ist.

Der Sperrmagnet — Abb. 156 und Abb. 157 — besitzt eine einzige Spule; sie ist mit Ölpapier umwickelt und mit einer Messinghülse auf einen Eisenkern geschoben, der zu einem zylindrischen Gehäuse geschlossen ist, unter dem der scheibenförmige Anker spielt. Der Widerstand der Spule beträgt 3640 Ohm.

Da die Sperren unterhalb der Wellen des Sperren- und Kontaktregisters angeordnet sind, ist die Bewegung des Elektromagnetankers mittels einer durch den Elektromagneten aufwärts geführten Spindel auf die Sperrklinke übertragen. Diese hakt sich in den Sperrbügel ein. Richtiges Ineinandergreifen von Sperrklinke und Bügel sind durch einen kreuzgeschlitzten kronenartigen Messingkopf gesichert, der mit dem Magneten durch ein Sechskanthalsstück fest verbunden ist. Mit dem Halsstück ist der Sperrmagnet in eine hölzerne Trageplatte eingebaut.

Die Ankerscheibe ist durch einen an dem Magnetzylinder befestigten Stift gegen Drehung und durch eine auf die Spindel aufgeschraubte Messingmutter gegen zufällige Lösung gesichert. Damit der Anker beim Stromloswerden des Magneten nicht kleben bleibt, ist die als Spulenträger verwendete Messinghülse unten zu einem Ring ausgearbeitet, der Blattfedern trägt, welche sich dem Anker entgegensetzen. Unten ist der Gehäusemagnet durch eine Messingkapsel verschlossen. Zu- und Ableitung des Stromes erfolgen mittels zweier Klemmschrauben, die das Spulengehäuse mit Hartgummibuchsen durchbrechen und die im Inneren in messingene Anschlußkloben für die Spulenden eingeschraubt sind; die Kloben sind in einen Scheibenkörper aus Isoliermasse eingelassen. Bezüglich der Erregerströme ist unter Bezugnahme auf die Tafeln IX, XI und XII ins Gedächtnis zurückzurufen, daß die Stromzuführung der Sperrmagnete für den Weichenlauf vom Weichenantrieb aus durch die Überwachungsleitungen über die Relais SW/b und Sw/b₁ erfolgt, und zwar bei der Plussperre (Ws +) durch die Überwachungsleitung 1 für die Pluslage der Weichenzungen, bei der Minussperre (Ws —) durch die Überwachungsleitung 1a für die Minuslage; zu vgl. auch die Abbildungen 142a, b und c auf den Seiten 146 und 147. Die Batterierückleitungen der Sperrmagnete sind sämtlich über Erde-Nulleitungen auf den Tafeln IX, XI und XII, in die die „Bahnerde" einbezogen ist, (s. Fußnoten auf S. 127 und 148) — zur Batterie zurückgeführt.

Bei den Hebelsperren für die Signalüberwachung erfolgt die Zuleitung vom Signal, bei denen für die Fahrstraßenfestlegung über den Fahrstraßenkontakt und das Sperrelais (Tafel IX, XI und XII); die Rückleitungen zur Batterie führen ebenfalls über die Bahnerde.

b) Die Weichen- und Signalhebelkontakte.

Aus den Darstellungen auf den Tafeln IX, XI und XII ist abzulesen, daß auf der Welle jedes Weichenhebels anzuordnen sind:

1. zwei Prüf- oder Überwachungskontakte
   a) für die Pluslage der Weiche ($w_3$—$w_5$),
   b) für die Minuslage der Weiche ($w_1$—$w_4$);

$h_3$, $h_2$—$h_3$ auf Tafel IX, bzw. $h_1$—$h_2$, $h_1$—$h_3$ auf Tafel XI), die eingeschaltet sind in die Stromläufe über die Sperrelais für die in Betracht kommenden Signalhebelsperren.

Aus den Tafeln ergibt sich, daß die Überwachungs- und Erdungskontakte nur in den Endlagen I und III des Weichenhebels, die Motorlaufkontakte nur in Zwischenlagen, und zwar bei Erreichung der Stufe II beim Umstellen des Hebels von Plus nach Minus oder der Stufe IV beim Umstellen von Minus nach Plus geschlossen sind.

Für jeden Signalhebel sind nach Maßgabe der Tafeln IX, XI und XII erforderlich:

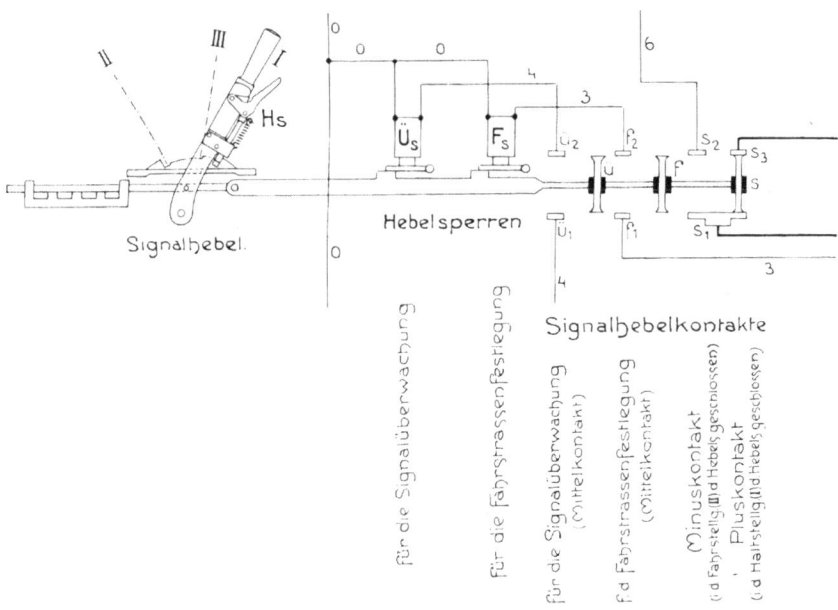

Abb. 158. Signalhebelkontakte (Mittelkontakte, Plus- und Minuskontakt).

2. zwei Motorlaufkontakte
   a) für die Umstellung von Plus nach Minus ($w_2$—$w_4$),
   b) für die Umstellung von Minus nach Plus ($w_2$—$w_5$);
3. zwei Erdungskontakte
   a) für die Pluslage der Weiche (E—$w_4$);
   b) für die Minuslage der Weiche (E—$w_5$),
4. Kontakte für die Festlegung und Überwachung der Fahrstraße ($h_1$—

1. zwei Kontakte für die den beiden Signalstellungen entsprechenden Hebelendlagen, und zwar
   a) für die der Haltstellung des Signals entsprechende Hebelstellung I (Pluskontakt; $s_1$—$s_3$),
   b) für die der gezogenen Stellung des Signals entsprechende Hebellage II (Minuskontakt; $s_1$—$s_2$).

Ferner befinden sich auf den Kontaktwellen der Signalhebel

2. zwei weitere Kontakte, die Zwecken der Signalüberwachung und Fahrstraßenfestlegung dienen.

Die unter 2 bezeichneten Kontakte sind in den Schaltzeichnungen der Tafeln IX, XI und XII der Einfachheit wegen noch nicht zur Darstellung gelangt, da sie im wesentlichen nur der Stromersparnis dienen. Es sind Kontakte, die nur in der Zwischenlage III des Signalhebels geschlossen, in den beiden Endlagen aber geöffnet sind, daher als Mittelkontakte bezeichnet werden. Anordnung und Wirkungsweise dieser Kontakte sind in der Abb. 158 an einer Schaltskizze gezeigt, die sich den Schaltzeichnungen auf den bezeichneten Tafeln anpaßt. Durch den Schalter f wird in der Mittelstellung III des Signalhebels über die Kontakte $f_1$—$f_2$ der Stromkreis 3 für den Fahrstraßen-Festlegungsmagneten Fs, über $ü_1$—$ü_2$ der Stromkreis 4 für den Signalüberwachungsmagneten Üs geschlossen. Dadurch wird die Zurücklegung des Signalhebels in die Grundstellung ermöglicht. Der Hebel wird also, den früher ausgeführten Anforderungen entsprechend, so lange festgehalten, bis sowohl das Signal die Haltlage eingenommen, als auch der Zug die Fahrstraße geräumt hat.

Die Kontakte sind verschieden geformt, je nachdem sie nur in bestimmten Hebellagen, seien es End- oder Zwischenlagen, oder während der Hebelbewegung, also in den Mittellagen geschlossen sein sollen. Im letzten Fall sind die Kontakte mit Schleifflächen auszustatten, die für den ersten Fall zu Berührungskanten zusammenschrumpfen. Über die Bauart der Kontakte ist vorweg anzuführen, daß die von den Vierkantwellen des Kontaktregisters durch ⊏-förmige Isolierstücke elektrisch getrennten Kontaktstücke zwischen Kontaktfedern spielen, die auf isolierenden Haltern befestigt sind, an deren Unterseite die Klemmschrauben sitzen; zu vgl. Tafel XIV. Die sämtlichen Halter einer Hebelwelle sind auf einem durchgehenden Längsträger befestigt. Die Kontaktstücke können an beliebigen Punkten der Wellen angebracht werden, in einer Reihenfolge, die ganz nach Bequemlichkeit oder Zweckmäßigkeit gewählt werden kann. Die Kontakte sind aus Phosphorbronze hergestellt. Zur Vermeidung von Kurzschlüssen durch zufällige leitende Überbrückungen beim Hantieren an den Kontakten ist um diese ein wabenartiges hölzernes Rahmenwerk gelegt.

Die zur Anwendung kommenden Kontakformen sind aus den Kontaktzusammenstellungen auf Tafel XIV zu ersehen.

Links oben sind die in Verbindung mit einem Signalhebel vorkommenden Formen dargestellt. Die in senkrechter Reihe stehenden Bezeichnungen 1, 2, 3, 4 besagen, daß die Kontaktstücke in dieser Reihenfolge auf der Hebelwelle hintereinander sitzend angenommen sind. In der Reihenfolge von rechts nach links ist in den Zusammenstellungen dem Hebelgange von der Grundstellung in die gezogene gefolgt. Den in der Hebelstellung mit römischen Zahlen bezeichneten Hebelstellungen entsprechen die mit gleichen Zahlen bezeichneten Kontaktstellungen der Welle. In den Querschnitt der Kontaktwelle ist ein Plus- oder Minuszeichen einzutragen, wie sie in den englischen Schaltübersichten allgemein gebräuchlich sind, um die Bedeutung der Kontakte unmittelbar ablesen zu können. Diese zweckmäßige Art der Bezeichnung wird auch von der Berliner Hochbahn angewendet. Der Punkt im Plus- oder Minuszeichen besagt, daß der Kontakt Strom führt, also geschlossen ist. Damit sich geschlossene Kontakte für das Auge besser herausheben, sind diese durch stärkeren Strich noch besonders kenntlich gemacht. Die in den Reihen 1 und 2 dargestellten Kontakte sind die früher als Mittelkontakte bezeichneten Stromschließer. Reihe 3 zeigt einen Pluskontakt in den verschiedenen Hebelstellungen. Dieser kann nur in der Grundstellung des Hebels geschlossen sein; in jeder anderen ist er geöffnet. Der Minuskontakt hat das gleiche Kontaktstück wie der Pluskontakt; nur ist es umgekehrt auf die Kontaktwelle aufgesetzt. Der Minuskontakt schließt nur in der Minuslage des Hebels und ist in allen anderen Lagen geöffnet. Weitere Kontaktformen treten am Signalhebel nicht auf.

Die Abbildung rechts unten auf Tafel XIV zeigt die Reihe der Kontakte auf der Welle eines Weichenhebels, nach ihrer Wichtigkeit geordnet. Die Nullage der Kontakte ist mit zur Darstellung gebracht, um zu zeigen, daß hier eine Scheidung zwischen den Halbgängen des Hebels zu schaffen war, in der sämtliche Kontakte stromfrei sind, um die Möglichkeit auszuschließen, daß gegenläufige Ströme in einem Stromkreis zustande kommen

(Weichenumstellung). Auf die Laufkontakte für den Weichenmotor folgen in der Zeichnung die Prüfkontakte
für die Endlage der Weichenzungen, auf
diese die Erdungskontakte. In Wirklichkeit pflegt man die Laufkontakte für den
Weichenmotor, die sich infolge der größeren Stromstärke schneller abnutzen und
häufiger ausgewechselt werden müssen,
hinten auf der Kontaktachse anzuordnen,
wo sie leichter zugänglich sind. Die in
schattierten Kreisen bezifferten Kontakte 3, 4, 5, 6 haben die gleiche Form

Die auf den Tafeln IX, XI und XII gezeigten Kontakte $h_1$—$h_2$ und $h_1$—$h_3$ haben
die gleiche Ausführung wie die Kontakte
3 bis 6.

Abb. 159 zeigt die allgemeine Anordnung eines Stellpultes der Westing-
house-Bauart in einem vereinfachten
Schnitte. Die äußere Erscheinung eines
Stellpultes ist in den Abbildungen 160
und 161 an den Beispielen der Stellwerke im Alexanderplatzbahnhofe und im
Kreuzungsbahnhofe Gleisdreieck gezeigt.
Das Stellpult im Bahnhof Alexanderplatz

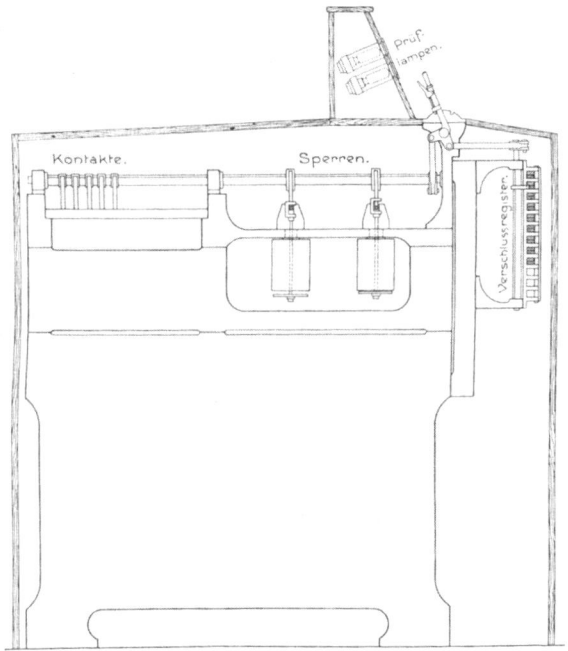

Abb. 159. Querschnittskizze eines Westinghouse-Stellwerks.

wie die Kontakte 3 und 4 für die Signalhebel. Sie schließen nur in der Endlage
des Hebels entweder in der Plus- oder in
der Minusstellung. Die Kontakte 1 und 2
— in Schattenkreisen beziffert —
schließen in einer Zwischenlage den
Strom für den Minus- oder Pluslauf der
Weiche und sind in der Endstellung geöffnet. Durch die in Schattenkreisen bezeichneten Kontakte 5 und 6 wird je eine
der beiden Zuführungsleitungen zum
Weichenantrieb geerdet. Nach Auslauf
der Weiche und Umstellung des Hebels
schließen die in Schattenkreisen bezifferten Kontakte 3 und 4 den Überwachungsstrom für die Plus- oder Minusstellung,
der die Plus- oder Minussperre betätigt.

ist mit Plätzen für 6 Signalhebel und
6 Weichenhebel, im Bahnhof Gleisdreieck
mit Plätzen für 11 Signalhebel und 9
Weichenhebel ausgerüstet; die Weichenhebel stehen in der Mitte und sind an
den darüber befindlichen Schauöffnungen,
die die richtigen Zungenendlagen der
Weichen durch leuchtende Plus- oder
Minuszeichen angeben, ohne weiteres erkennbar. Die Hebel des Stellwerks
Alexanderplatz sind in der Grundstellung,
die des Gleisdreieck-Stellwerks teilweise
gezogen dargestellt. An der Vorderseite
der Pulte sind hinter Glasscheiben die
Verschlußregister zu sehen. Die Kontaktregister befinden sich — ebenfalls durch
Glasscheiben sichtbar — an der Rückseite

der hinter den Hebeln befindlichen Aufsätze, die auf den Schildern die Bezeichnungen der Weichen- und Signalhebel tragen.

### 4. Die Fahrschautafel.

In Sichthöhe befindet sich hinter dem Stellpult die Fahrschautafel, auf der durch

Gleis), und daß das Kehrgleis 3 besetzt ist (Gleisabschnitt E dunkel). Das Einfahrsignal 15, die Ausfahrsignale 14 A und 2 A haben ebenso wie das Verschubsignal 3 A grünes Licht (Fahrt frei); die übrigen Signale zeigen rotes Licht (Halt). Der auf dem Kehrgleis 3 befindliche Zug darf nach vorstehendem für eine Fahrt

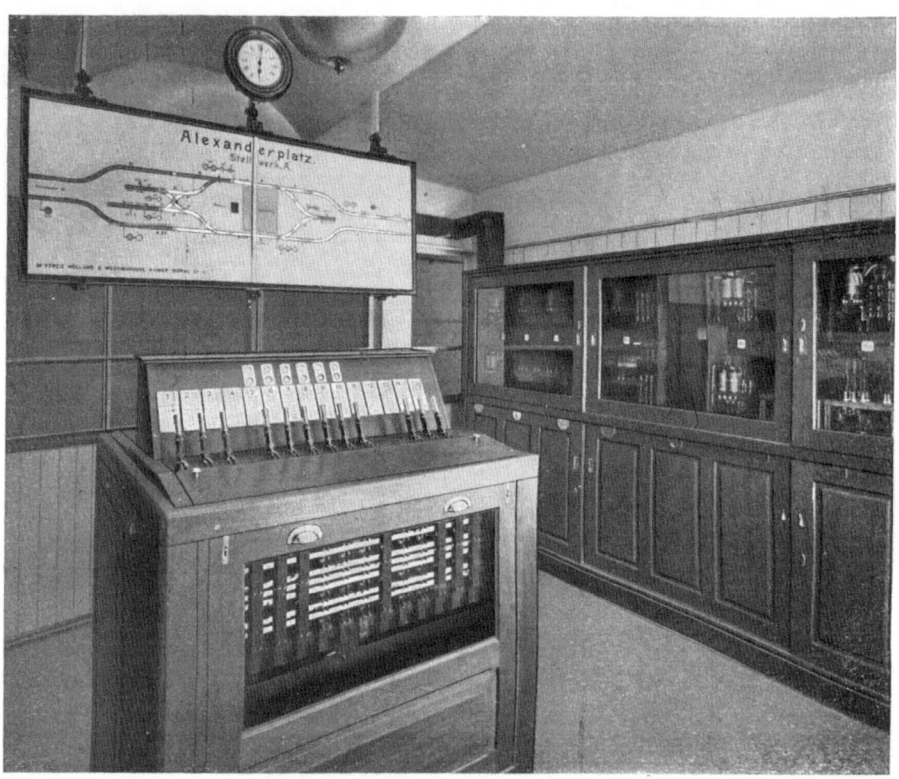

Abb. 160. Stellwerk im Bahnhof Alexanderplatz

Wiederholer die jeweilige Stellung der Signale — rot oder grün — und durch Abdunkelung der einzelnen Gleisabschnitte der Lauf oder Standort der Züge angezeigt wird. Der Stellwerkwärter ist bereits über die Besetzung und Sicherung seines Stellbezirks in jedem Zeitpunkte einzig durch die Tafelanzeige aufs genaueste unterrichtet. Die in Abb. 162 gezeigte Fahrschautafel des Stellwerks Alexanderplatz läßt ohne weiteres erkennen, daß sich in dem dargestellten Augenblick ein Zug vom Bahnhof Klosterstraße dem Einfahrsignal 15 nähert (Abdunkelung des Gleisabschnittes A 38 a auf der rechten Seite der Abbildung, oberes

nach Klosterstraße eingesetzt werden und ist während seiner Einfahrt in den Bahnhof und, solange er Gleis 1 besetzt hält, durch das in Haltstellung befindliche Einfahrsignal 1 (unten links) gedeckt. Aus Abb. 161 ist die Form der zum Stellwerk des Gleisdreieckbahnhofes gehörenden Fahrschautafel zu ersehen. Die Befestigungsweise der Tafeln wird mitbestimmt durch die Art der Leitungsführung für ihre Glühlampen. Im Bahnhof Gleisdreieck wird die Tafel von einem Ständer getragen, in dem sich die Zuleitungen befinden. Im Bahnhof Alexanderplatz ist sie an der Decke des Stellwerkraumes aufgehängt; die Zuleitungen, die von einem Schutzkasten — oben rechts in der Abbildung — umgeben sind, führen von der Rückseite in die Tafel ein.

### 5. Das Gleichstromrelais.

Das Gleichstromrelais besteht nach der Abbildung 163 im wesentlichen aus zwei hintereinander geschalteten, aber mit gleichnamigen Polen nebeneinander gestellten Elektromagneten e, e₁, die einen gemeinsamen Anker a betätigen. An dessen Unterseite sind drei Kontaktfedern, $f_1$, $f_2$, $f_3$ befestigt, welche, die Bewegung des Ankers mitmachend, zwischen Kontaktschrauben $k_1$, $k_2$, $k_3$ und $k_4$, $k_5$, $k_6$ pendeln (Ankerkontakte). Die Kontaktschrauben

Abb. 161. Stellwerk im Bahnhof Gleisdreieck.

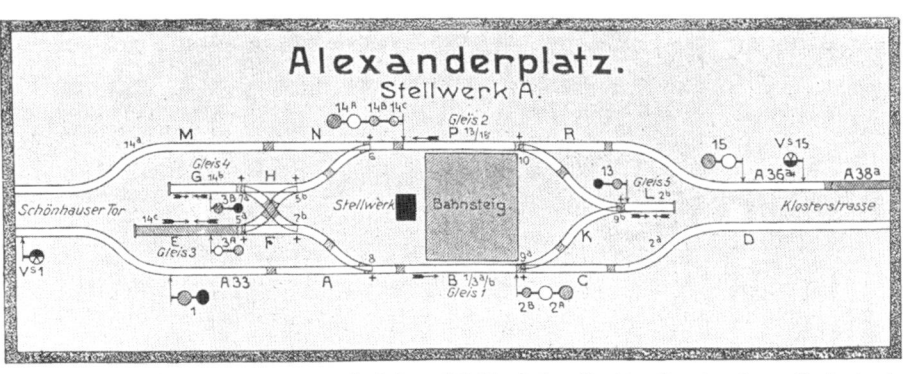

Abb. 162. Fahrschautafel des Stellwerks im Bahnhof Alexanderplatz.

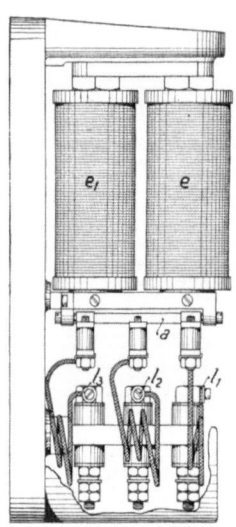

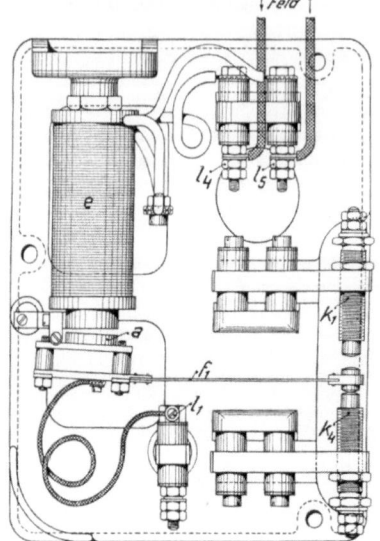

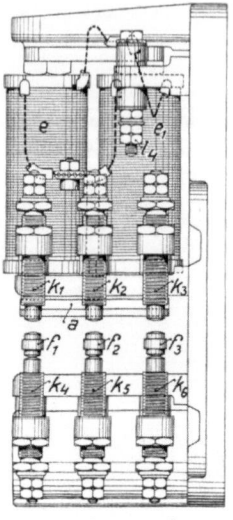

von links gesehen

Vorderansicht.

von rechts gesehen

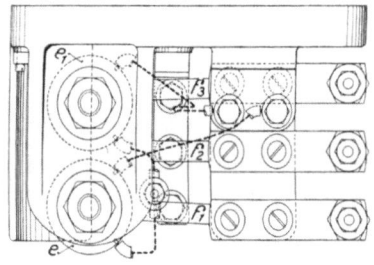

Abb. 163.
Gleichstromrelais
(in ⅓ nat. Gr.).

von oben gesehen

Das Relais ist zu verwenden:
a) für die Überwachung des Weichenlaufs und die Signalwahl;
b) als Sperrelais;
c)  „  Signalrelais.

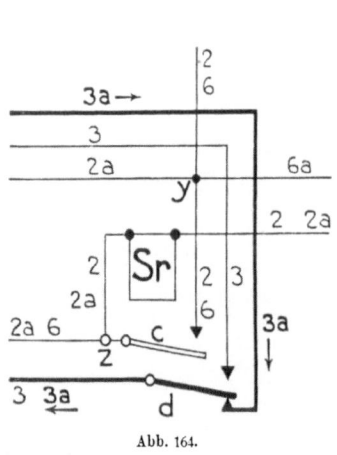

Abb. 164.

Abb. 164 und 165. Verwendung des Gleichstromrelais als Sperrelais.

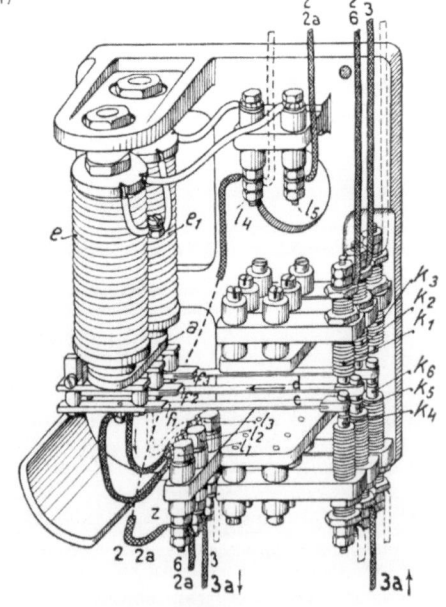

Abb. 165.

dienen gleichzeitig als Klemmen. Die Kontaktfedern sind außerdem durch Leitungen in den Klemmen $l_1$, $l_2$, $l_3$ verbunden.

Stromlosigkeit dargestellt. Die hiernach beim Sperrelais vorzunehmenden Anschlüsse sind in Abb. 165 durch ausge-

Abb. 166. Relaisschrank des Stellwerks im Bahnhof Alexanderplatz, geöffnet.

den. Die Elektromagnete erhalten den Batteriestrom über die beiden Klemmen $l_4$, $l_5$. Sind die Elektromagnete stromlos und somit der Anker a abgefallen, so stellen die Kontaktfedern den Schluß zwischen den unteren Kontaktschrauben $k_4$, $k_5$, $k_6$ und den Klemmen $l_1$, $l_2$, $l_3$ her; sind die Spulen erregt, ist der Anker also angezogen, so liegen die Federn in dem Stromkreis zwischen den oberen Kontaktschrauben $k_1$, $k_2$, $k_3$ und den Klemmen $l_1$, $l_2$, $l_3$.

In der beschriebenen dreipoligen Einrichtung eignet sich das Gleichstromrelais für die Anwendung in den auf den Tafeln VIII bis XII verzeichneten Formen, d. i. als Relais für die Überwachung des Weichenlaufs und die Signalwahl, als Sperrelais und als Signalrelais. Lediglich die Schaltung ist verschieden. Beispielshalber ist in Abb. 164 die Schaltung als S p e r r e l a i s in dem auf Tafel XII mehrfach angegebenen Zustande der

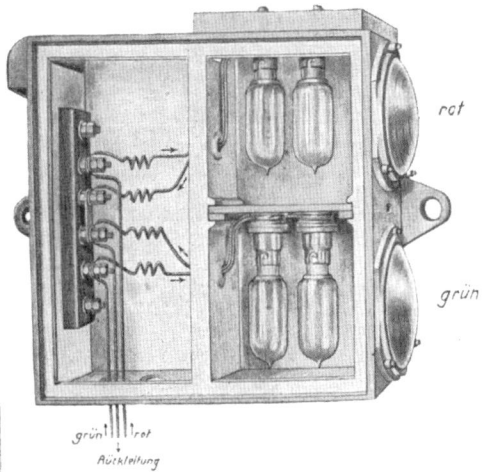

Abb. 167. Gleichstrom-Signallaterne.

zogene, die bei den anderen Relaisformen weiterhin noch in Betracht kommenden

Anschlüsse durch feingestrichelte Leitungen dargestellt. Die dem Schaltschema der Abb. 164 beigeschriebenen Leitungsbezeichnungen stimmen mit den auf den Tafeln XI und XII angegebenen überein. Im vorliegenden Falle führt nur die Verbindung 3 a–3 a Strom, die im Schaltschema durch starken Strich bezeichnet ist; die Stromrichtung ist durch Pfeile bezeichnet.

Die in den Stellbezirken verwendeten Gleichstromrelais sind zusammen mit den den Bezirken zugehörenden Wechselstromrelais in besonderen Schränken im Stellwerkraum untergebracht. Abb. 166 zeigt den Relaisschrank des Stellwerks im Bahnhof Alexanderplatz, der auch in Abb. 160 rechts sichtbar ist, etwas genauer.

des Tages von durchgehenden Zügen befahren, in den Stunden des stärksten Verkehrs jedoch für eine Anzahl Verstärkungszüge als Kehrstation benutzt. Das Kehrgleis ist zur Aufnahme von zwei Achtwagenzügen[1]) eingerichtet. Das Stellwerk ist entsprechend der vorstehend angegebenen Benutzungsweise so gebaut, daß die Sicherungsanlage sowohl für den reinen Durchgangsbetrieb vollständig selbsttätig als auch im Falle einzusetzender Kehrzüge, vom Stellwerk aus bedient, halbselbsttätig zu arbeiten vermag. Das Stellwerk besitzt einen besonderen Hebel — Umleithebel —, der in der gezogenen Stellung erstens die in den Hauptgleisen befindlichen Weichen in der Stel-

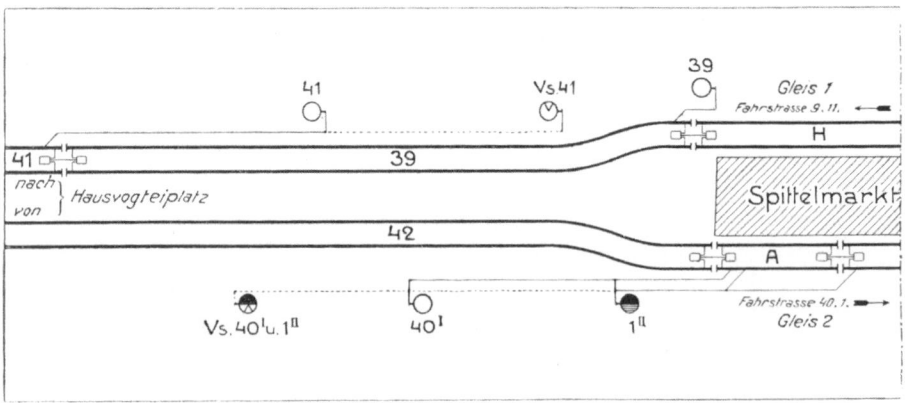

Abb. 168. Gleis- und Signalplan

## 6. Das Gleichstrom-Lichtsignal.

Die Bauart der in den Stellbezirken vom Batteriestrom gespeisten Signallaternen ist überaus einfach; in dem Laternengehäuse — Abb. 167 — befinden sich lediglich zwei Paar nebeneinander geschaltete Gleichstromlampen von gleicher Kerzenzahl (10 Kerzen); falls eine der Lampen durchbrennt, hält die andere die Beleuchtung aufrecht. Das Licht wird durch eine Linse von der auch bei den Wechselstromlaternen verwendeten Art verstärkt.

## Die Sicherungsanlagen des Bahnhofs Spittelmarkt.

Im folgenden ist die Sicherung einer mit einem einfachen Kehrgleis ausgestatteten Station am Beispiel des Spittelmarktbahnhofes der Hoch- und Untergrundbahn eingehender beschrieben. Der Bahnhof wird während des größten Teiles

lung auf durchgehende Fahrt und die Hebel der in das Stellwerk einbezogenen Signale der Hauptgleise mechanisch verschließt, und der zweitens eine elektrische Umschaltung herbeiführt, durch welche das selbsttätige Auffahrtgehen der Signale nach Freiwerden der Strecke ermöglicht wird, so daß die Signalanlage sofort selbsttätig arbeitet. Nach Zurücklegung des Umleithebels arbeitet die Anlage wieder halbselbsttätig. Diese Betriebsweise läßt eine Ersparnis an Bedienungspersonal zu, da der Stellwerkwärter nach Einstellung des Umleithebels auf den selbsttätigen Betrieb seinen Posten verlassen kann, den er erst bei Beginn des Kehrbetriebes wieder einzunehmen braucht.

### 1. Gleisplan.

Abbildung 168 zeigt in vereinfachter Form den Gleisplan des Spittelmarkt-

---

[1]) Gegenwärtig führen die längsten Züge 6 Wagen.

bahnhofes mit allen Weichen und Sig-nalen, die darin in der Grundstellung — die Weichen in der Pluslage, die vom Stellwerk bedienten Signale in der Halt-stellung, die der freien Strecke in der Fahrt frei-Stellung — anzunehmen sind. Für die Darstellung sind im wesentlichen die gleichen Zeichen — Buchstaben, Zahlen und Numerierungen — verwendet, die die Hochbahngesellschaft für die prak-tischen Zwecke eingeführt hat, die jedoch von den früher mitgeteilten Zeichengebungen der Londoner und Neu-yorker Untergrundbahnen zum Teil ab-weichen, wenn sie ihnen auch, wie die Vergleichung mit dem Früheren zeigt, im wesentlichen nachgebildet sind. Was die in Abb. 168 angewendeten Buchstaben-

die der Abbildung 168 beigefügten Steuer-linien bezogen sind, ist die Haltestelle für beide Einfahrten mit Haupt- und Nachrücksignalen ausgerüstet anzusehen. Die Einfahrt von Hausvogteiplatz wird gedeckt durch das Hauptsignal 40$^I$ und das Nachrücksignal 1$^{II}$, von Inselbrücke durch die als Haupt- und Nachrücksignale zu deutenden Signale 11$^I$ und 11$^{II}$. Den Sig-nalen 40$^I$ und 1$^{II}$ ist das Vorsignal Vs 40$^I$ und 1$^{II}$, den Signalen 11$^I$ und 11$^{II}$ das Vorsignal Vs 11$^I$ und 11$^{II}$ zugeordnet. Für die An-ordnung des Signals 11$^I$ ist der Weichen-abschnitt G bestimmend, der dazu nötigt, dieses Signal auf erhebliche Entfernung in die Anrückstrecke hinauszuschieben. Vom Standpunkte des halbselbst-tätigen Betriebes, in den auch die Signale

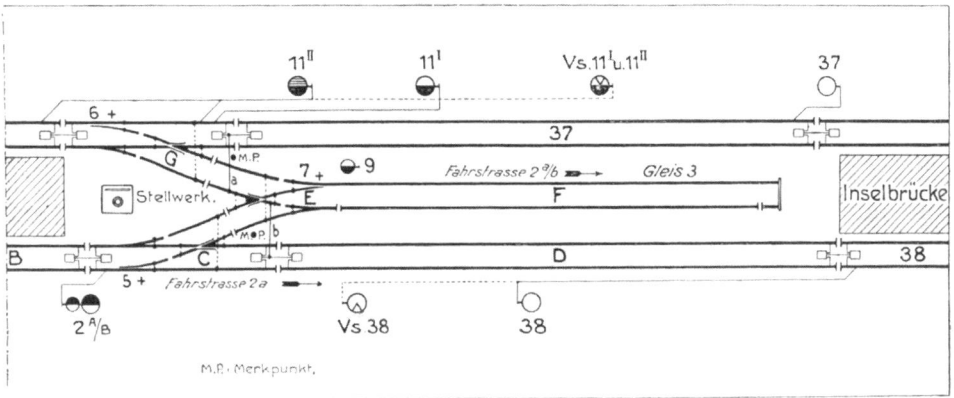

des Spittelmarktbahnhofes.

bezeichnungen und Numerierungen be-trifft, so ist an das auf S. 136 Angeführte zu erinnern, wonach die selbsttätigen Streckensignale über die gesamten Linien der Hochbahn fortlaufend mit arabischen Zahlen bezeichnet sind, die möglichst mit den Nummern der Gleisabschnitte überein-stimmen, denen die Signale zugeordnet sind. Für die zu den Stellbezirken gehören-den Signale, Weichen und Gleisabschnitte tritt jedesmal eine neu beginnende Zahlen- und Buchstabenbezeichnung ein. Die Wei-chen werden mit arabischen Zahlen bezeich-net; ihre Grundstellung wird durch ein Pluszeichen angedeutet, das sich an der Seite desjenigen Gleises befindet, auf dem die Fahrt bei Plusstellung der Weiche stattfinden kann. Über die Bedeutung und Bezeichnung der Signale ist das Fol-gende anzuführen.

Vom Standpunkte der selbst-tätigen Betriebsweise, auf welche

11$^I$ und 11$^{II}$ einbezogen sind, ist 11$^I$ als ein dem Haupteinfahrsignal 11$^{II}$ für die Fahrstraße 9—11 zugeordnetes Hilfs-einfahrsignal aufzufassen, das einen aus dem Kehrgleis 3 nach Gleis 1 vorzie-henden Zug zu sichern hat, für den das Signal 11$^{II}$ mangels ausreichender Schutzstrecke nicht genügende Deckung bieten würde. Die Notwendigkeit, in be-sonderen Fällen die Einfahrt eines von Hausvogteiplatz kommenden Zuges verhindern zu können, führt dazu, von den beiden Signalen 40$^I$ und 1$^{II}$ das Nachrück-signal 1$^{II}$ in das Stellwerk einzubeziehen. Ein solcher Fall könnte u. a. dann vor-liegen, wenn etwa ein Zug — mittels Hand-signale — aus dem Kehrgleis in das Gleis 2 eingeführt werden müßte; der Stell-werkwärter ist in der Lage, einen solchen Zug durch das Signal 1$^{II}$ gegen einen zur Fahrstraße 40—1 vorrückenden Zug zu decken. Von den weiterhin im

Lageplan angegebenen halbselbsttätigen Signalen ist 2 A/B Zweirichtungs-Ausfahrsignal, und zwar Signal 2 A für die Weiterfahrt im Hauptgleis — Fahrstraße 2 a —, Signal 2 A/B für die Einfahrt in das Kehrgleis — Fahrstraße 2 a/b. Das Signal 9 ist nur zum Vorziehen von Kehrzügen nach Gleis 1 eingerichtet, also Signal für e i n e Richtung. Die sonst noch in der Abbildung verzeichneten Signale, nämlich das Ausfahrsignal 39 für die Richtung nach Hausvogteiplatz, das Streckensignal 41 mit Vorsignal Vs 41, und die zur Station Inselbrücke gehörenden Signale 37 und 38, letzteres mit dem

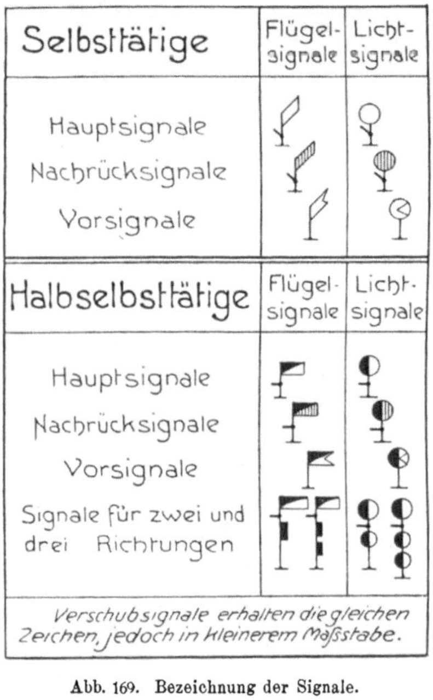

Abb. 169. Bezeichnung der Signale.

Vorsignal Vs 38 sind rein selbsttätige Signale, ebenso das bereits erwähnte Signal 40 I.

Aus der angegebenen Zweckbestimmung der Signale ergibt sich deren Bezeichnungsweise. Wie auch in Abbildung 168 zum Ausdruck gebracht, pflegen die Nachrücksignale, da sie nach ihrer Bedeutung den Hauptsignalen zuzuzählen sind, auch mit den g l e i c h e n — arabischen — Z a h l e n b e z e i c h n u n g e n versehen zu werden wie die Hauptsignale, zu denen sie gehören, es sei denn, daß das eine dieser Signale selbsttätig, das andere halbselbsttätig arbeitet, wie im Falle der Signale 40

und 1. Im übrigen pflegen die beiden Signale noch durch hochstehende römische Zahlen voneinander unterschieden zu werden.

Aus Abb. 168 ist weiter zu ersehen, daß die Gleisabschnitte, deren Gleisströme vermöge der Fahrstraßenrelais in die Stellwerkschaltung eingebunden sind, in dem Gleisplan mit den Buchstaben A bis H und der Zahl 37 bezeichnet sind. Zu ihnen gehören die Weichenabschnitte C, E, G, die Anrückabschnitte A und B für die Weiche 5 in der Richtung nach Inselbrücke und für die Weichen 5 und 7 in der Richtung zum Kehrgleis, ferner der Anrückabschnitt 37 für die Weiche 6 und der Abschnitt F als Anrückabschnitt für die aus dem Kehrgleis gegen die Weiche 7 vorrückenden Züge. In der später zu erläuternden Stellwerkschaltung finden sich die von den Gleisabschnitten betätigten Relais (Wechselstromrelais) mit den gleichen Buchstaben, die für die Gleisabschnitte verwendet sind, wieder.

Die den Weichen und halbselbsttätigen Signalen in Abb. 168 beigeschriebenen Nummern geben zugleich die der Stellwerkhebel an. Die Nummern 3, 4, 10 fehlen im Gleisplan. Im Stellwerk bezeichnen 3, 8 und 10 Leerplätze, 4 den zur Umstellung für den selbsttätigen Betrieb und umgekehrt dienenden Umleithebel.

Zur Vervollständigung sind in Abbildung 169 nochmals die für selbsttätige und halbselbsttätige zweistellige Signale in den G l e i s p l ä n e n der Hoch- und Untergrundbahn verwendeten Zeichen zusammengestellt, in denen auch die Fahrsperren angedeutet sind; zu bemerken ist lediglich, daß das Flügelhauptsignal für den selbsttätigen Betrieb in den früheren Darstellungen aus Gründen der Übersichtlichkeit mit schwarz ausgefülltem statt mit weißem Flügel dargestellt ist.

## 2. Streckenschaltung.

Wie Abb. 170 zeigt, bedürfen die Weichenabschnitte C, E und G zwischen den durch die Unterbrechungen —|— bezeichneten Haupttrennstößen noch der durch Trennungen —— dargestellten Unterteilung, die, wie aus früherem erinnerlich, die Aufgabe hat, die Schienenstränge, zwischen denen die Zugachsen Kurzschluß herbeizuführen haben, im Hauptgleis und in der Abzweigung derart voneinander elektrisch abzusondern, daß die durch das Herzstück bewirkte kurzschließende Verbindung aufgehoben wird. Durch die im Lageplan angegebenen gestrichelten Linien sind die Kupferseil-Verbindungen bezeichnet, die nach dem Früheren — zu vgl. Tafel VIII und X — für den ordnungsmäßigen Übergang der Gleisströme herzustellen sind, um den Kurzschluß zwischen den beiden Schienensträngen durch die Zugachsen unter allen Umständen zu gewährleisten, gleichviel, ob sich die Zugachsen im Hauptgleis oder in der Abzweigung befinden. Unter diesen Seilverbindungen dienen die kürzeren zur Ergänzung der Leitfähigkeit im Gebiet der Zungen und Herzstücke. Die mit durchlaufenden Strichen angegebenen Seilverbindungen (a und b in Abb. 168) leiten den Bahnrückstrom der Abschnitte E

Tafeln VIII und X dargestellten Streckenschaltungen einer Vereinigungs- und einer Verzweigungsweiche. In dem auf Tafel XV dargestellten farbigen Streckenschaltplan sind statt der der allgemeinen Betrachtungsweise angepaßten Bezeichnungen die auf der Berliner Hoch- und Untergrundbahn nach englischem Vorgang eingeführten einfacheren Zeichen angewendet. Die in kleinen Rechtecken angebrachten Buchstaben A und B bezeichnen demgemäß ein A- oder B-Relais (zu vgl. S. 67), die darunter stehenden Buchstaben oder Zahlen den Gleisabschnitt, zu dem die Relais gehören. Im übrigen sind die Relais auf Tafel XV nach ihrer Zweckbestimmung leicht voneinander zu unterscheiden; die Signalrelais befinden sich in der Zeichnung den Gleisen am nächsten,

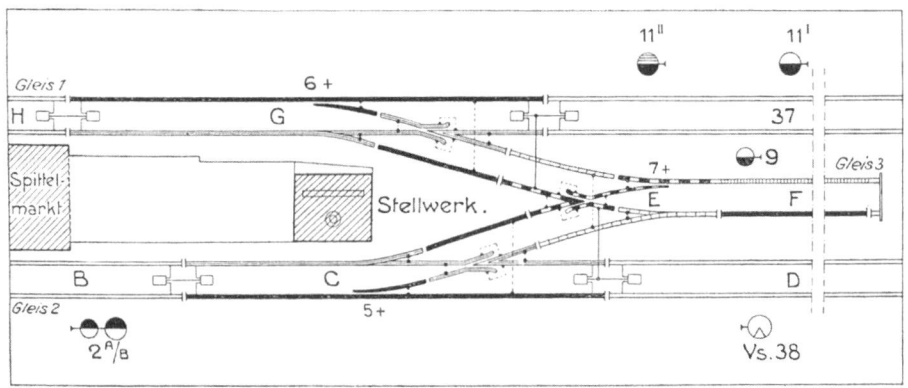

Abb. 170. Anordnung der Trennstöße und Verseilungen in den Weichen des Spittelmarktbahnhofes.

und F nach den Drosselstößen der Hauptgleise und von dort zum Kraftwerk zurück. Für den Gleisstrom fällt der Umstand, daß im Abschnitt F nur der eine Schienenstrang mit einer Trennstelle versehen ist, nicht ins Gewicht; er wird im übrigen in derselben Weise wie der Abschnitt E, jedoch von einem besonderen Transformator, gespeist. Die Aufteilung der Gleisabschnitte und die Zusammengehörigkeit der Schienenstränge in der Kehrgleisanlage ist in Abb. 170 durch besondere Kennzeichnung der Gleisstrecken noch etwas besser verdeutlicht; die bei Besprechung der Abb. 130 und 131 allgemein erläuterten Kupferseil-Verbindungen sind in der Abb. 170 in ihrer Vollständigkeit wiedergegeben.

Die Streckenschaltung für den Bahnhof Spittelmarkt ergibt sich im wesentlichen aus der Vereinigung der auf den

in weiter abstehenden Zeilen sind die Linienrelais (A- und B-Relais), noch weiter entfernt die Fahrstraßenrelais (A bis H) verzeichnet. Die Darstellung läßt erkennen, daß die Linienrelais wie auch die Fahrstraßenrelais (Anrückrelais, Weichenrelais, Abrückrelais) Wechselstromrelais sind, die von den Streckentransformatoren gespeist werden, während die Signalrelais des Stellbezirks von der Stellwerkbatterie mit Gleichstrom erregt werden.

Die auf Tafel XV dargestellte Streckenschaltung der halbselbsttätigen Signalanlage, in der die anschließenden Schaltungen der selbsttätigen Signalanlage nur andeutungsweise wiedergegeben sind, bedürfen bei Zuhilfenahme der Tafeln VIII und X keiner weiteren Erläuterung. Die Schaltungen für das Hauptgleis 1 (rot) und das Kehrgleis 3 (schwarz) sind oberhalb, für das Hauptgleis 2 (grün) unterhalb des Gleisplans gezeichnet.

Zu bemerken ist noch, daß für die Signale nicht nur im Schaltplan, sondern auch im Steuerplan statt der in Abb. 168 dargestellten vereinfachten Bezeichnungsweise die der früheren Tafeldarstellungen angewendet ist, bei der Grün- und Rotlicht besonders gekennzeichnet sind. Dasselbe gilt für die Fahrschautafel mit Ausnahme einiger darauf zur Orientierung des Stellwerkwärters noch mitvermerkter selbsttätiger Streckensignale, die an dem Farbenwechsel nicht teilnehmen. Für weniger einfache Gleispläne bedarf die Streckenschaltung im Interesse besserer Übersichtlichkeit einer Vereinfachung, über die bei späterer Gelegenheit zu berichten ist.

### 3. Stellwerkschaltung.

In ihrer Anwendung für die Zwecke der Praxis bedarf die Stellwerkschaltung gegenüber den Darstellungen auf den Tafeln IX, XI und XII aus Gründen der Übersichtlichkeit unter allen Umständen einer Vereinfachung. Dieser dient zunächst, daß alle Kontakte, Sperren, Relaisfelder und Relaisanker, die in den verschiedenen Stromkreisen liegen, Buchstaben- und Zahlenbezeichnungen erhalten, die mit denen im Lageplan (im vorliegenden Falle der Abb. 168) übereinstimmen. In der Leitungsführung ist, wie in den folgenden Abbildungen gezeigt, gegenüber den auf den Tafeln IX, XI und XII dargestellten Beispielen einer Linienvereinigung und Linienverzweigung insofern eine weitere Vereinfachung vorgenommen, als für die Sperren und Kontakte einfache schematische Zeichen verwendet sind. Für die Kontakte werden diejenigen Zeichen verwendet, die bereits auf Tafel XIV den Wellenquerschnitten in den Kontaktzusammenstellungen beigeschrieben sind. Die Bedeutung der angewendeten Zeichen ist in der auf Seite 173 stehenden Zusammenstellung nochmals im Zusammenhange erläutert.

Zu dieser Zusammenstellung ist noch zu bemerken, daß in den in der Praxis verwendeten Schaltplänen die Hebelsperren und -kontakte die nämlichen Zahlenbezeichnungen erhalten wie die Hebel, von deren Wellen sie betätigt werden; mit einer kleinen hochstehenden Zahl pflegt man noch die Stelle der Hebelwelle zu bezeichnen, an der der Kontakt angebracht wird.

Weitere Abkürzungen der Darstellung in den praktisch verwendeten Schaltplänen erstrecken sich auf die Relais. Bei den Fahrstraßenrelais und den Signalwählern gelangen nur die mit den Bezeichnungen der Gleisabschnitte und der Weichen versehenen Zeichen eines Kontaktes, bei den Sperrelais mit ihren Ankern auch ihre durch Rechtecke bezeichneten Elektromagnetfelder zur Darstellung, in welche die Bezeichnungen der auf sie angewiesenen Signale eingeschrieben werden. Bei den Signalrelais werden nur die Elektromagnetfelder durch Rechtecke bezeichnet, in denen mit dem Buchstaben S die Relaisart (Signalrelais) und mit untergesetzter Signalbezeichnung dasjenige Signal angedeutet wird, für das sie arbeiten.

Wie die schematischen Zeichen in vereinfachten Schaltdarstellungen zur Anwendung gelangen, soll zunächst an den früher behandelten Beispielen einer einfachen Gleisvereinigung und einer Gleisverzweigung gezeigt werden. In diesen sollen für alle Teile noch die gleichen Buchstaben und Zahlenbezeichnungen angewendet werden, wie auf den Tafeln IX, XI und XII, um die Klarstellung der Stromläufe in der vereinfachten Form zu erleichtern.

### a) Stellwerkschaltung für eine Linienvereinigung.

#### α) Weichenschaltung; Abb. 171 bis 175.

Eine zweckmäßige Form der vereinfachten Weichenschaltung ist in den Abbildungen 171 bis 175 dargestellt, in denen der vollständigen Bewegung des Weichenhebels aus der Pluslage bis zur Minuslage gefolgt ist. In Abbildung 175 ist die gleichartige Darstellung einer Schaltung für eine vom Zuge aufgeschnittene Weiche vorgeführt, zu deren Erläuterung auf Früheres zu verweisen ist (zu vgl. S. 135).

#### β) Signalschaltung; Abb. 176.

Die beiden Einflügelsignale, die eine Gleisvereinigung decken, werden mit einem einzigen Hebel gestellt; nach der Stellung der Weiche richtet es sich, welches von den beiden Signalen in die Fahrstellung gehen wird (Signalwahl). Ist nämlich die Fahrstraße für eine bestimmte Fahrt eingestellt, so muß der Signalstrom, ehe das Signal gezogen werden kann, die

| Art der Sperren und Kontakte | Bezeichnung der Sperren und Kontakte (zu vergl. Tafel XIV) | | Zweckbestimmung der Sperren und Kontakte | Schließlage der Kontakte |
|---|---|---|---|---|
| | Zeichen | Buchstabenbezeichnungen nach Tafel IX, XI u. XII und Abb. 158 | | |
| | stromlos / stromführend | | | |

**1. Sperren und Kontakte zu einem Weichenhebel.**

| Art der Sperren und Kontakte | Zeichen | Buchstabenbez. | Zweckbestimmung | Schließlage |
|---|---|---|---|---|
| Hebelsperren für den Weichenlauf | ⊞ | Ws + | Plussperre | |
| | ⊟ | Ws — | Minussperre | |
| Laufkontakte für den Weichenmotor | ⊘  ⊘ | w₂—w₄ | Kontakt für die Umstellung der Weiche von Plus nach Minus (Minuslauf) | In der Zwischenstellung des Hebels zur Minuslage geschlossen |
| | ⊗  ⊗ | w₂—w₅ | Kontakt für die Umstellung der Weiche von Minus nach Plus (Pluslauf) | In der Zwischenstellung des Hebels zur Pluslage geschlossen |
| Prüf- oder Überwachungskontakte für den Weichenmotor | ⊖  ⊝ | w₁—w₄ | Prüfkontakt für die Minuslage der Weiche | In der Minusstellung des Hebels geschlossen |
| | ⊕  ⊕ | w₃—w₅ | Prüfkontakt für die Pluslage der Weiche | In der Plusstellung des Hebels geschlossen |
| Erdungskontakte (stimmen mit den Prüfkontakten genau überein) | ⊖  ⊝ | E—w₅ | Erdungskontakt für die Minuslage der Weiche | In der Minusstellung des Hebels geschlossen |
| | ⊕  ⊕ | E—w₄ | Erdungskontakt für die Pluslage der Weiche | In der Plusstellung des Hebels geschlossen |
| Fahrstraßenkontakte | ⊖  ⊝ | h₁—{h₃ oder h₂} | Kontakte für die Festlegung und Überwachung der Fahrstraßen | In der Minusstellung des Hebels geschlossen |
| | ⊕  ⊕ | {h₁ oder h₂}—h₃ | | In der Plusstellung des Hebels geschlossen |

**2. Sperren und Kontakte zu einem Signalhebel.**

| Art der Sperren und Kontakte | Zeichen | Buchstabenbez. | Zweckbestimmung | Schließlage |
|---|---|---|---|---|
| Hebelsperren für Signale und Fahrstraßen | Ⓢ | Üs | Sperre für die Signalüberwachung | |
| | Ⓕ | Fs | Sperre für die Fahrstraßenfestlegung | |
| Mittelkontakte | ⏀  ⏀ | ü₁—ü₂ | Kontakt für die Signalüberwachung | In allen Mittelstellungen des Hebels geschlossen |
| | ⏀  ⏀ | f₁—f₂ | Kontakt für die Fahrstraßenfestlegung | |
| Pluskontakt | ⊕  ⊕ | s₁—s₃ | Kontakt für den Selbstschluß der Sperrelais | In der Haltstellung des Signalhebels geschlossen |
| Minuskontakt | ⊖  ⊝ | s₁—s₂ | Signalstellkontakt | In der Fahrstellung des Signalhebels geschlossen |

in dieser Fahrstraße liegenden Gleisabschnitte und auch die vorschriftsmäßige Stellung der Weiche selbst überwachen, d. h. er kann nur zustandekommen, wenn er die Relaiskontakte der in Frage kommenden Gleisabschnitte und Weichen in richtiger Stellung antrifft. Weichen- und Abrückabschnitt sind beiden Signalen gemeinsam; infolgedessen hat der Signalstromkreis für beide Signale die gleichen Kontakte w und β der Fahrstraßenrelais zu überprüfen. Da aber der Anrückabschnitt für beide Signale verschieden ist, muß der Weichenhebelkontakt durch seine Plusstellung (h₂—h₃) oder durch seine Minusstellung (h₁—h₃) entscheiden, welcher der beiden Anrückabschnitte mit seinem Relaiskontakt in den Stromlauf eingeschaltet wird.

Der Strom fließt von der Batterie über die läufig ausschließen. Ist der Anrückabschnitt Ga unbesetzt, so kann der Strom von der Batterie über den Kontakt a des Anrückabschnitts Ga, den Weichenhebelkontakt h₂—h₃ und über den Kontakt d des Sperrelais Sr zur Wicklung des Fahrstraßenmagneten Fs gelangen, dessen Sperre dadurch ausgerückt wird. Die Halt-

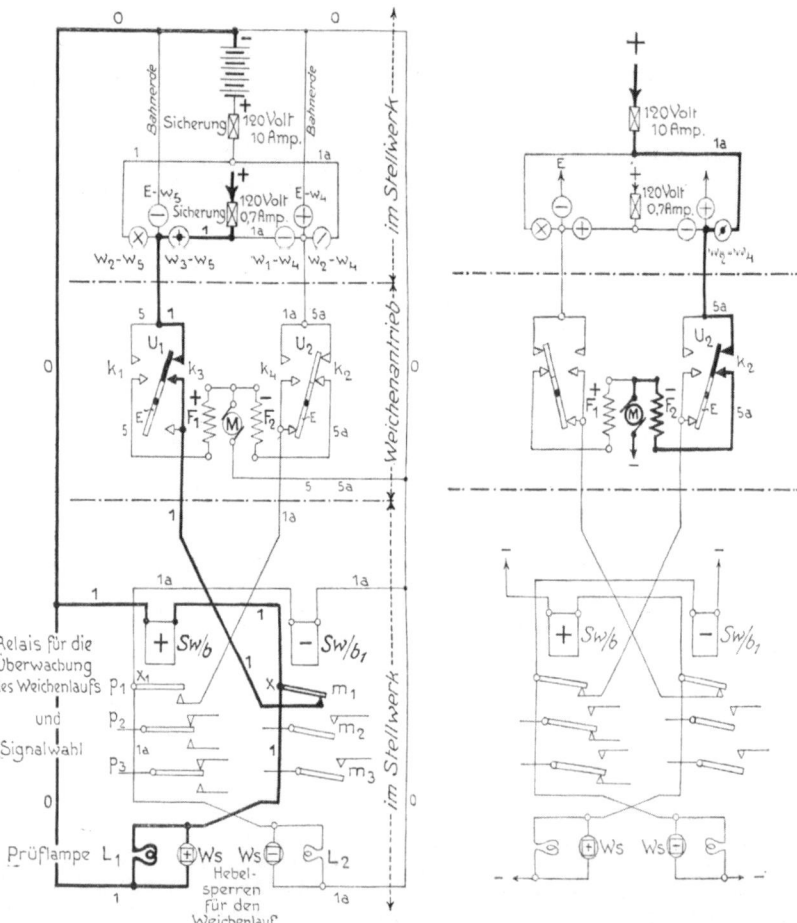

Abb. 171. Weichenhebel in der Grundstellung (I; Pluslage); Überwachungsstromkreis geschlossen.

Abb. 172. Weichenhebel bis zum Anschlag umgelegt (II; Zwischenstellung zur Minuslage); Weichenantrieb angeschaltet und im Anlauf.

Abb. 171 bis 175. Vereinfachte Darstellung des Stromverlaufs bei Umstellung des Weichenhebels aus der Pluslage Abbildungen 142 a, b und c

Relaiskontakte w und β der Gleisabschnitte Gw und Gβ und über den Signalhebelkontakt s₁—s₃ zur Wicklung des mit Selbstschluß versehenen Sperrelais Sr. Befindet sich der Weichenhebel in der Plusstellung, so ist der Weichenhebelkontakt ·h₂—h₃ geschlossen, h₁—h₃ dagegen geöffnet, da Plus- und Minuskontakte einander zwangs- lage des Signals wird ferner überprüft, indem Strom von der Batterie über die Signalflügelkontakte s und s₁, die nur in der Haltlage geschlossen sind, geführt wird, der dann den Signalüberwachungsverschluß Üs ausrückt. Dadurch wird erreicht, daß der Signalhebel nur dann in seine Grundstellung zurückgestellt werden kann, wenn das

Signal tatsächlich die Haltlage eingenommen hat.

b) **Stellwerkschaltung für eine Linienverzweigung**; Abb. 177.

Die **Weichenschaltung** bietet gegenüber der unter α aufgeführten keine neuen Gesichtspunkte.

chenhebels in der Plusstellung ($h_1$—$h_3$) oder Minusstellung ($h_1$—$h_2$) und endlich den durch die Plus- oder Minusstellung der Weiche bedingten Gleisabschnitt $G\beta$ oder $G\beta_1$ über Kontakt $\beta$ oder $\beta_1$. Im vorliegenden Falle befindet sich der Weichenhebel in der Plusstellung; der Strom fließt also über den in dieser Stel-

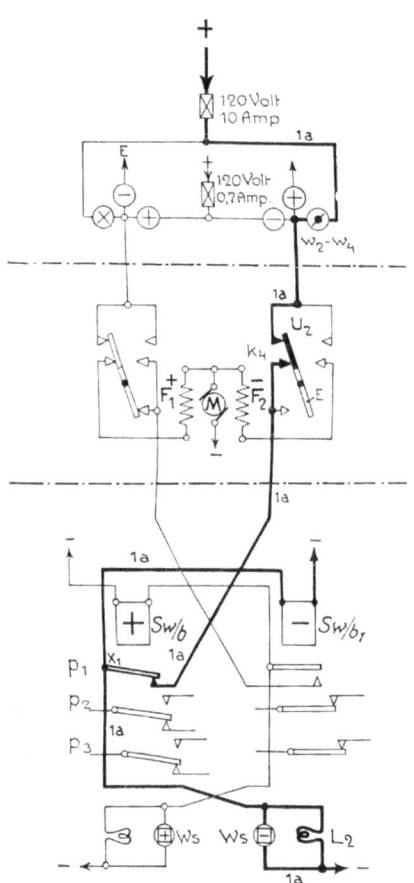

Abb. 173. Weichenhebel in der Lage der Abbildung 172 (II); Weichenantrieb ausgelaufen, die Weichenzunge in umgelegter Stellung geschlossen.

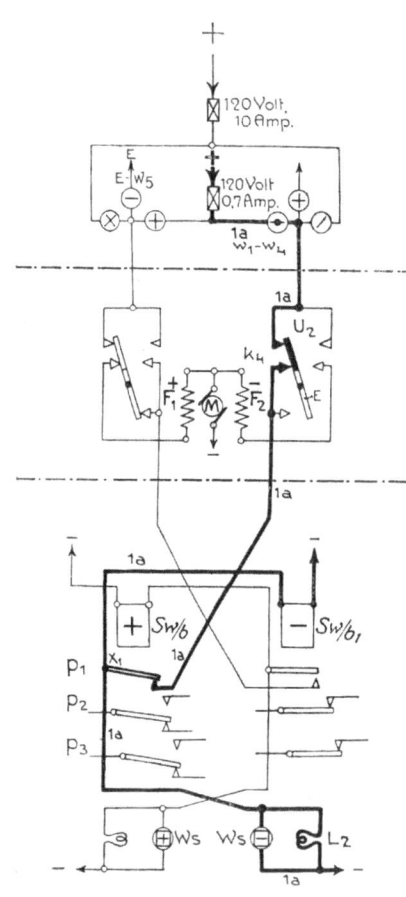

Abb. 174. Weichenhebel in die Endstellung (III; Minuslage) umgelegt; Überwachungsstromkreis geschlossen.

in die Minuslage. (Die Buchstabenbezeichnungen stimmen mit denen auf Tafel IX, XI und XII sowie in den überein.)

Die **Signalschaltung** ist in Abbild. 177 dargestellt. Die Wahl des Signals für die eine oder die andere Fahrt erfolgt auch hier durch die Stellung der Weiche. Bevor das Signal auf Fahrt gestellt werden kann, überprüft der Strom, von der Batterie kommend, den Weichenabschnitt Gw über den Kontakt w, dann den Kontakt des Wei-

lung geschlossenen Kontakt $h_1$—$h_3$ und den Kontakt $\beta$ des zum Abrückabschnitt $G\beta$ gehörenden Fahrstraßenrelais. Befindet sich der Signalhebel in der Grundstellung, so ist der Kontakt $s_1$—$s_3$ des Signalhebels geschlossen und der Strom gelangt über diesen zur Wicklung des Sperrelais Sr. Dieses schließt seine Kon-

takte c und d. Über c stellt es seinen
Selbstschluß her, der das Sperrelais auch
dann angezogen hält, wenn durch Umlegen
des Signalhebels aus seiner Grundstellung
der Kontakt $s_1$—$s_3$ geöffnet wird. Über
den geschlossenen Kontakt d des Sperrrelais gelangt der Strom von der Batterie
zur Wicklung des Fahrstraßenmagneten
Fs, wenn der Anrückabschnitt Ga unbesetzt und infolgedessen der Kontakt a geschlossen ist. Die Fahrstraßensperre wird
also ausgerückt. Die Überprüfung der
Haltlage der Signale über die Flügelkontakte erfolgt in gleicher Weise wie bei der
Linienvereinigung.

### c) Stellwerkschaltung für den Bahnhof Spittelmarkt.

Auch hier erübrigt sich eine weitere Besprechung der Weichenschaltung.

In der Signalschaltung des
Bahnhofs Spittelmarkt sind die Schaltungen einer Linienvereinigung und
-verzweigung zu einem Schaltbilde ver-

bunden, zu dem noch die des durch
das Kehrgleis gegebenen Fahrstraßen-
abschnitts F hinzutritt. Ein solches
Schaltbild ist in den beiden rechtsseitigen

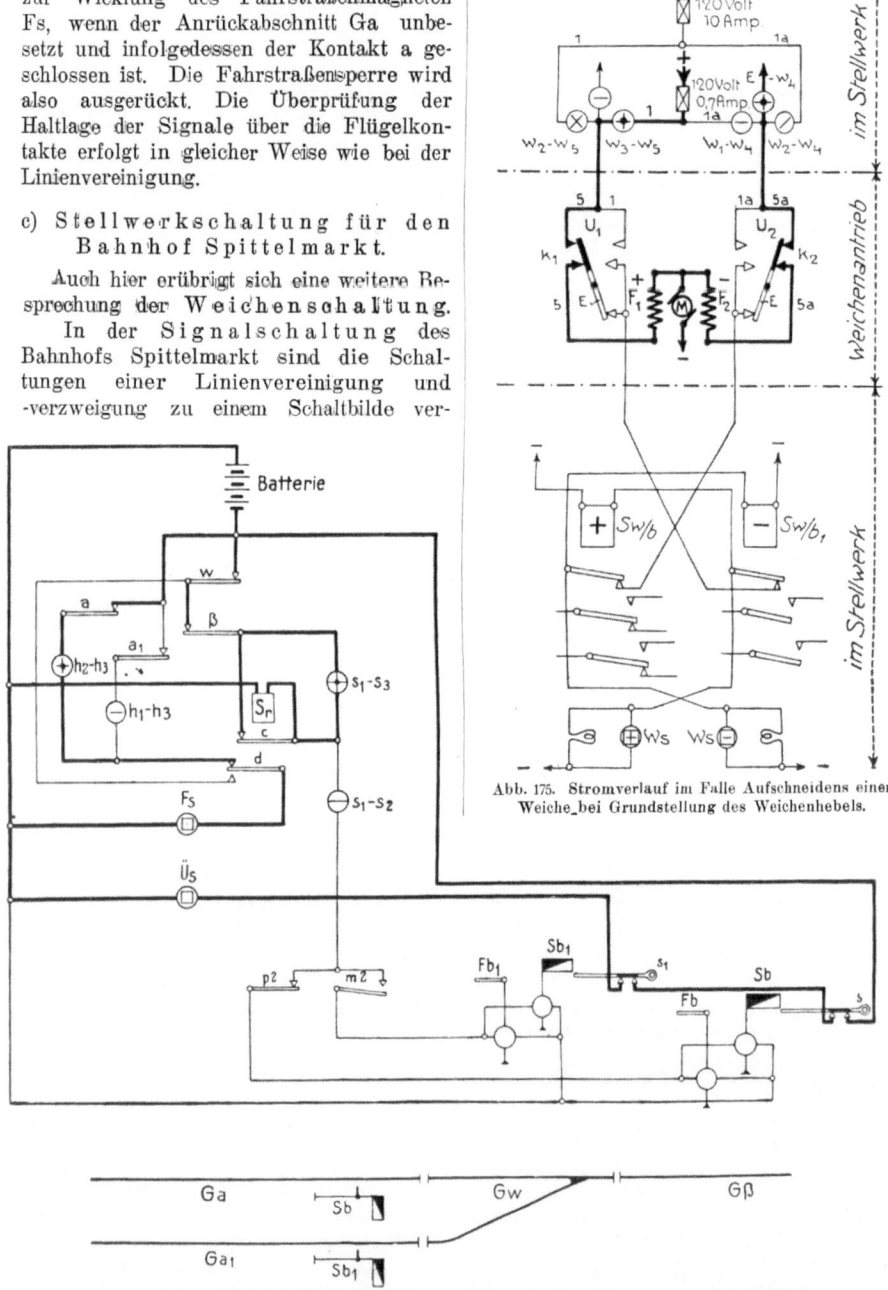

Abb. 175. Stromverlauf im Falle Aufschneidens einer
Weiche bei Grundstellung des Weichenhebels.

Abb. 176. Vereinfachte Darstellung der Signalschaltung für eine einfache Linienvereinigung.

Abbildungen der Tafel XV dargestellt, von denen die obere den Lauf der Signalströme bei der Grundstellung sowohl der Weichen als auch der Signale, die untere den Stromlauf bei der Minusstellung der Weichen 5 und 7 und der Stellung des Signals 2 A/B auf abzweigende Fahrt, der Weiche 6 in der Grundstellung und der Signale 11$^I$ und 11$^{II}$ in gezogener Stellung der Weichenabschnitte E, F, G und des Abschnittes H abhängig. Der Gleisabschnitt F ist in den Überwachungsstromkreis des Signals 2 A/B nicht einbezogen, da er andernfalls nur mit einem Zuge besetzt werden könnte. Denn es leuchtet ein, daß das Fahrstraßenrelais dieses Abschnittes nicht mehr anzieht, falls er bereits besetzt ist, so daß

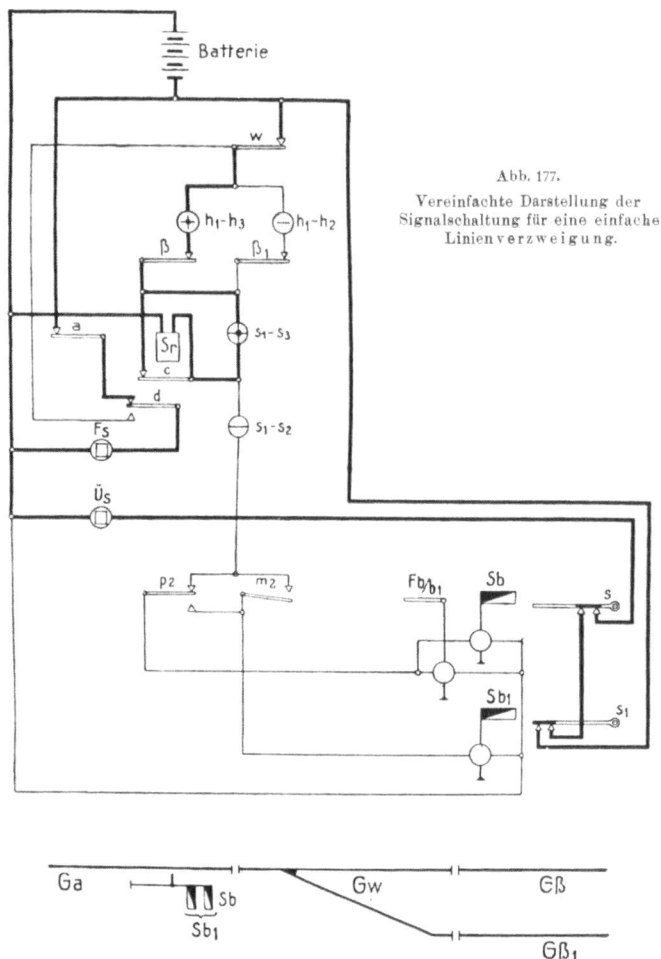

Abb. 177.

Vereinfachte Darstellung der
Signalschaltung für eine einfache
Linienverzweigung.

darstellt. Die Schaltung des Signals 2 A/B ist die der Gleisverzweigung, bei der seine Stellung abhängig ist von der Plus- oder Minusstellung der Weichen 5 und 7 und der Kontaktlage der Relais der Gleisabschnitte C, D oder C, E. Die Schaltung der Signale 9 und 11$^I$, 11$^{II}$ entspricht der einer Gleisvereinigung. Die Signalstellung ist hier von der Plus- oder Minusstellung der Weiche 6 und der Kontaktlage der Relais das Signal 2 A/B infolge dauernder Unterbrechung seines Signalstroms nicht ein zweites Mal in die Fahrstellung gebracht werden könnte. Da die beiden Gleisabschnitte A und B nur kurz sind, so leuchtet ferner die Notwendigkeit ein, die Relaiskontakte beider Abschnitte in den Stromkreis der Anrücksperre des Signals 2 A/B einzubeziehen. Die Hintereinanderschaltung der Kontakte A und B hat dann zur Folge, daß es nur der Besetzung eines der beiden Abschnitte A und B bedarf, um die Anrücksperre in Wirksamkeit treten zu lassen. Auf diese Weise ist dem Umstande Rechnung getragen, daß ein sehr kurzer Zug nicht notwendigerweise beide Abschnitte besetzen muß.

Bei der in diesem Beispiel zur Anwendung gelangenden Gleisvereinigung ergibt sich, abweichend von dem Falle der früher behandelten einfachen Vereinigung zweier Gleise, die Notwendigkeit, die Signale der sich vereinigenden Gleise nicht mit einem, sondern mit zwei Hebeln zu stellen. Da nämlich gefordert werden muß, daß sowohl die Einfahrt in das Kehrgleis vom Gleis 2 aus als auch die

der Gleisverzweigung, also vor der gegen die Spitze befahrene Weiche 5 stehende Signal 2 A/B betrifft, so hat beim Ziehen dieses Signals der Strom nicht nur die Stellung der Hebel und Kontakte, sondern auch das Weichenrelais zu überprüfen, das unabhängig von der Hebelbewegung die Stellung der Weiche selbständig überwacht und Bestimmung trifft, zu welchem Signal der Signalstromkreis ordnungsmäßig gelangen wird. In den Stromkreis des Signals 2 A/B ist der Minuskontakt der Weiche 7 einbezogen, um durch diesen die richtige Stellung dieser Weiche zu überwachen, die bei der Fahrt 2 A/B auf Minus steht. Für das Auffahrtstellen der Signale 11<sup>I</sup> und 11<sup>II</sup>

| Signale | Zugrichtungen (nach Gleisabschnitten bezeichnet) | Nummern der Hebel und Leerplätze | | | | | | | | | | | | Signal-überwachung durch | | | Fahrstrassenfestlegung durch | | | |
|---|---|---|---|---|---|---|---|---|---|---|---|---|---|---|---|---|---|---|---|---|
| | | 1 | 2 | 3 | 4 | 5 | 6 | 7 | 8 | 9 | 10 | 11 | | | | | | | | |
| | | Signale | | | Umleithebel | Weichen | | | Leerplatz | Signale | Leerplatz | | | Weichen-abschnitt | Abrück-abschnitt | Anrück-abschnitt | Weichen-abschnitt | | | |
| | | 1 | 2^A | 2^A/B | | 5 | 6 | 7 | | 9 | | 11^I 11^II | | | | | | | | | |
| 1 | Von 42 nach A und B | ⌐ | | | + | ± | | | | | | | | | | | A | B | | |
| 2^A | " Au.B über C nach D | ⌐ | ⌐ | | + | + | | | | | | | | C | | D | A | B | C | |
| 2^A/B | " Au.B über Cu.E nach F | ⌐ | ⌐ | | + | − | − | | ⌐ | | | | | C | E | | A | B | C | E |
| | Durchgehender Betrieb | ⌐ | ⌐ | ⌐ | − | + | + | | ⌐ | ⌐ | ⌐ | | | | | | | | | |
| 9 | Von F über E u. G nach H | | ⌐ | | + | + | − | + | ⌐ | | ⌐ ⌐ | | | E | G | H | F | | E | G |
| 11^I | " 37 auf G | | | | + | | + | | ⌐ | | ⌐ | | | G | | | 37 | | G | |
| 11^II | " 37 über G nach H | | | | + | | + | | ⌐ | | ⌐ ⌐ | | | G | | H | 37 | | G | |

Abb. 178. Verschlußtafel für den Bahnhof Spittelmarkt.

Durchfahrt im Gleis 1 zu gleicher Zeit erfolgen können, so ist dafür Sorge zu tragen, daß der Signalhebel 9 bei der Fahrt 2 A/B mechanisch verriegelt werden kann. Für das Signal 11<sup>I</sup> mit dem Nachrücksignal 11<sup>II</sup> bedarf es nur eines einzigen Hebels. Ob der Hebel des Signals 9 oder der Hebel der Signale 11<sup>I</sup> und 11<sup>II</sup> gezogen werden kann, hängt von der Stellung der Weiche 6 ab (Signalwahl). Durch die Stellung des Hebels dieser Weiche wird mit Hilfe des davon betätigten Kontaktes 6+ oder 6— bestimmt, ob der Abschnitt F oder der Abschnitt 37 für die Betätigung der Anrücksperre ordnungsmäßig in Wirkung treten wird.

Die untere der beiden rechtsseitigen Abbildungen auf Tafel XV zeigt die Signalschaltung bei Fahrstellung der Signale 2 A/B und 11<sup>I</sup>, 11<sup>II</sup>. Was das vor

ist es selbstverständlich nötig, daß der Gleisabschnitt G unbesetzt und die Weiche 6 auf Plus gestellt ist. Außerdem ist, um gleichzeitiges Ziehen des Signals 9 unmöglich zu machen, ein Pluskontakt des Signalhebels 9 in den Stromlauf für die Signale 11 eingeschaltet. Soll das Nachrücksignal 11<sup>II</sup> auf Fahrt gehen, so ist es notwendig, daß der Gleisabschnitt H frei, also der Kontakt H geschlossen ist.

In den Schaltbildern der Tafel XV tragen die Kontakte des Umleithebels die Zahl 4. Der Hebel ist so geschaltet, daß beim Umlegen desselben der Stromunterbrechung für den Selbstschluß des Sperrrelais am Signalhebelkontakt 2 und 11 unterbunden wird, so daß der Selbstschluß des Sperrelais unabhängig von dem Signalhebel wieder eingeleitet, die Unterbrechung des Selbstschlusses gewissermaßen beseitigt wird.

**4. Mechanische und elektrische Abhängigkeiten.**

### a) Verschlußtafel.

Die Verschlußtafel (Abb. 178) gibt in ihrem größeren, linksseitigen Abschnitte darüber Aufschluß, welche Signale die Haltlage einnehmen und wie die Weichen stehen müssen, ehe ein bestimmtes Signal auf Fahrt gestellt werden kann. Die beiden letzten Abschnitte sollen ersichtlich machen, welche Streckenabschnitte den Signalstrom zu überwachen oder die Fahrstraßensperre zu betätigen haben. Zu diesem Zwecke sind in diese Abschnitte die Buchstabenbezeichnungen der Relais in Übereinstimmung mit denen der Gleisabschnitte eingetragen, die in unterbrochenem Zustande verschließend wirken. Die Kontakte der in der Spalte „Signalüberwachung" aufgeführten Fahrstraßenrelais — Weichen- und Abrückrelais — verhindern die A b g a b e e i n e s S i g n a l s F a h r t f r e i, solange sich der Zug im Weichengebiet oder im Abrückabschnitt befindet. Die unter „Fahrstraßenfestlegung" aufgeführten Relais — Anrück- und Weichenrelais — verhindern die Ä n d e r u n g e i n e r F a h r s t r a ß e, die unter „Anrückabschnitt" angegebenen, während sich der Zug dem Weichengebiet nähert, die unter „Weichenabschnitt" verzeichneten, während sich der Zug im Weichengebiet selbst befindet. Soll z. B. das Signal 2 A/B für die Fahrt aus den Abschnitten A und B über die Abschnitte C und E nach F auf Fahrt gestellt werden — Zeile 3 der Verschlußtafel —, so müssen vorher die Weichen 5 und 7 auf Minus und das Signal 9 auf Halt gestellt sein; Signal 2 A, das natürlich nicht gleichzeitig mit 2 A/B erscheinen kann, ist in der Verschlußtafel mit dem Zeichen der Haltstellung angegeben. In der Spalte „Signalüberwachung" besagen ferner die Buchstaben C und E, daß die gleichnamigen Weichenabschnitte frei, die Anker der gleichnamigen Fahrstraßenrelais also angezogen sein müssen, ehe das Signal auf Fahrt gestellt werden kann, und unter der Überschrift „Anrückabschnitt" ist durch die Buchstaben A und B angedeutet, daß die Anrücksperre für das Signal 2 A/B in Tätigkeit tritt, sobald die Abschnitte A und B vom Zuge besetzt werden. Endlich bedeuten die Buchstaben C und E in der mit „Weichenabschnitt" überschriebenen Spalte, daß die Fahrstraßensperre auch noch in Wirksamkeit bleibt, solange sich ein Zug in den Weichenabschnitten C und E

befindet. Diese Andeutungen dürften zum Verständnis der Verschlußtafel zunächst ausreichen.

### b) Verschlußregister.

Die Art der Verschlußteile, die zur Herstellung der in der Verschlußtafel zusammengestellten mechanischen Abhängigkeiten dienen, ist auf Seite 137/138 und 158 und auf Tafel XIV im allgemeinen bereits angedeutet. Diese Verschlüsse werden bewirkt durch Knaggen, die durch die Hebelbewegung mit aufrechten Riegelstangen in Eingriff gebracht werden und auf diese Weise die Stellhebel mechanisch verriegeln. Knaggen, die die Hebel in der Grund- oder Plusstellung verschließen, heißen Plus-

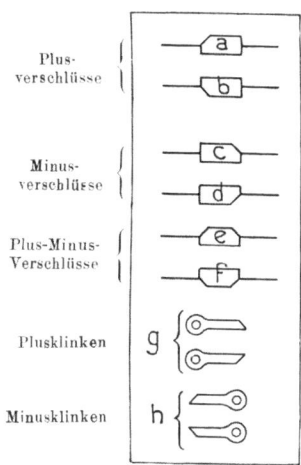

Abb. 179.
Formen der Verschlußstücke eines Verschlußregisters.

verschlüsse; sie werden in den beiden Stellungen a und b der Abb. 179 angewendet, in der Stellung a, wenn die Riegelstangen beim Verschließen herabgedrückt, in der Stellung b, wenn sie gehoben werden. Sollen Stellhebel in der Minusstellung verschlossen werden, so werden die Knaggen umgekehrt angebracht — c und d in Abb. 179 — und dann als Minusverschlüsse bezeichnet. Knaggen, die Weichenhebel in b e i d e n Endstellungen verriegeln, heißen Plus-Minus-Verschlüsse — e und f in Abb. 179. Riegelstangen können auch ein- oder mehrfach unterteilt und so eingerichtet sein, daß sie nur in bestimmten Fällen durch Kupplungsklinken verbunden werden. Eine Klinke, die die Teile der Riegelstange bei der Plusstellung des Hebels verbindet, wird Plusklinke genannt — g in Abb. 179 —, wenn sie bei der Minusstellung des Hebels die Kupplung bewirkt, als Minusklinke — h in Abb. 179 — bezeichnet.

Im Verschlußregister sind Abhängigkeiten eingerichtet zwischen je zwei,

lung verriegelt (gegenseitiger Ausschluß der Hebel);

2. die beiden Hebel in entgegengesetzten Stellungen — der eine in der Grundstellung, der zweite in gezogener Stellung — frei sind, jeder Hebel aber beim Umlegen

Abb. 180. Abhängigkeit zwischen zwei mit Plusverschlußstücken versehenen Stellhebeln (Gegenseitiger Ausschluß zweier Hebel).

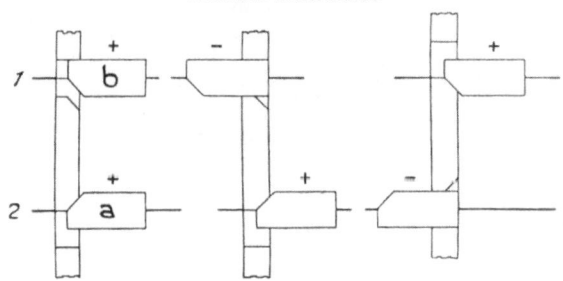

Beide Hebel in der Grund-(Plus-)stellung. Beide Hebel frei.

Hebel 2 in der Grundstellung durch Hebel 1 in der Minusstellung verschlossen.

Hebel 1 in der Grundstellung durch Hebel 2 in der Minusstellung verschlossen.

Abb. 181. Abhängigkeiten zwischen einem mit Plus-Verschlußstück und einem mit Minus-Verschlußstück versehenen Stellhebel (Wechselseitiger Ausschluß zweier Hebel).

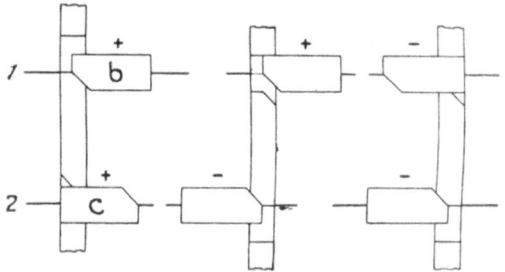

Beide Hebel in der Grund-(Plus-)stellung; Hebel 1 durch Hebel 2 verschlossen.

Hebel 1 in der Grundstellung, Hebel 2 in der Minusstellung. Beide Hebel frei.

Hebel 2 in der Minusstellung durch Hebel 1 in der Minusstellung verschlossen.

Abb. 180 bis 183. Abhängigkeiten
Bem.: Die +- und — Zeichen bedeuten die mit der Lage der Ver-

unter Umständen auch zwischen drei und mehr Stellhebeln, und zwar in der Weise,

A. daß bei z w e i Hebeln

1. die beiden Hebel in der G r u n d - s t e l l u n g (Plusstellung) frei sind, jeder Hebel aber den anderen beim Umlegen in die Minusstel-

den anderen verriegelt (wechselseitiger Ausschluß der Hebel);

3. der eine der beiden Hebel bei Grundstellung des zweiten in seinem ganzen Gange frei hin und her bewegt werden kann, daß er aber beim Umlegen des letzteren in der Endstellung verriegelt wird,

in der er sich gerade befindet (einseitiger Ausschluß in der Plus- oder Minusstellung eines Hebels);

B. daß bei **d r e i** Hebeln

4. die beiden ersten Hebel bei **G r u n d s t e l l u n g** des dritten die unter A 1 angegebene Abhän-

183 erläutert. Abb. 184 zeigt an einem der Wirklichkeit entnommenen Ausschnitt eines umfangreicheren Verschlußregisters, wie mannigfaltig die Abhängigkeiten sein können.

Die für den Bahnhof Spittelmarkt erforderlichen mechanischen Abhängigkeiten sind in dem Verschlußregister der

**Abb. 182.** Abhängigkeiten zwischen einem mit Plus-Verschlußstück und einem mit Plusminus-Verschlußstück versehenen Stellhebel. (Einseitiger Ausschluß in der Plus- oder Minusstellung des Hebels.)

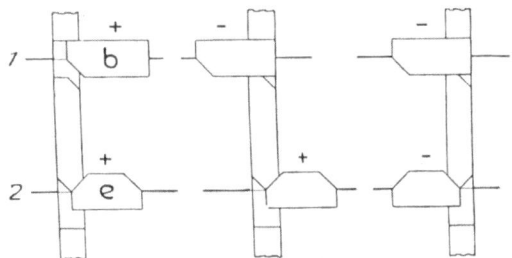

Beide Hebel in der Grundstellung. Beide Hebel frei.

Hebel 2 in der Plusstellung durch Hebel 1 in der Minusstellung verschlossen.

Hebel 2 in der Minusstellung durch Hebel 1 in der Minusstellung verschlossen.

**Abb. 183.** Abhängigkeiten zwischen zwei mit Plus-Verschlußstücken und einem dritten mit Plus-Verschlußklinke versehenen Hebel (Mittelbare gegenseitige Ausschlüsse).

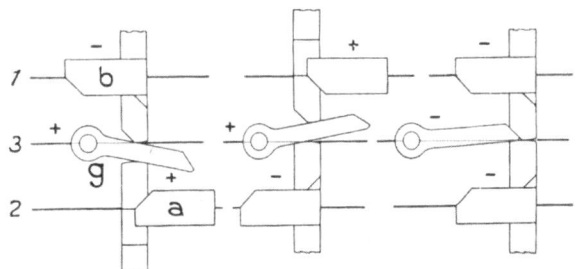

Hebel 2 in der Plusstellung durch Hebel 1 in der Minusstellung verschlossen, wenn sich Hebel 3 in der Grundstellung befindet.

Hebel 1 in der Plusstellung durch Hebel 2 in der Minusstellung verschlossen, wenn sich Hebel 3 in der Grundstellung befindet.

Hebel 3 in der Minusstellung verschlossen a): bei Minusstellung des Hebels 1 durch die Minusstellung des Hebels 2 oder b): bei Minusstellung des Hebels 2 durch die Minusstellung des Hebels 1.

zwischen zwei und drei Stellhebeln.
schlußstücke im Einklang befindlichen Stellungen der Hebel 1 und 2.

gigkeit aufweisen, der dritte Hebel aber in **g e z o g e n e r** Stellung durch Ziehen **b e i d e r a n d e r e n** Hebel verriegelt wird (unmittelbare gegenseitige Ausschlüsse).

Die vorstehend angegebenen vier Fälle sind durch die Abbildungen 180 bis

Abb. 185 in Skelettform dargestellt, wie dies bei Entwurfsaufstellungen allgemein üblich ist. Die aufrechten Linien mit schräg liegenden arabischen Zahlen bezeichnen die Hebelübertragung auf die wagerechten Schieber; letztere tragen die Verschlußknaggen und sind am linken Ende gleichfalls mit schräg liegenden arabischen Zahlen versehen; die gestrichelten Senkrechten bedeuten — zu vgl. Abb. 178 — Leerplätze, die Senkrechte 4 den Umleithebel. Die Angriffspunkte der Hebel sind umringelt und mit den gleichen Zahlen versehen wie die Hebel. Bereits auf Tafel XIV ist dargestellt, daß die Schieberstangen zu Paaren so angeordnet sind, daß sie sich gegenseitig als Führung dienen. Die Riegelstangen in Abb. 185 sind körperlich dargestellt und am unteren Rande der Abbildung mit stehenden arabischen Zahlen numeriert; in die Numerierungen sind auch hier die Leerstellen mit einbezogen, von denen einige durch Beischrift als solche

*F a h r t 1: Von Gleisabschnitt 42 nach A und B (zu vgl. Abb. 168).*

Da die Weiche 5 unmittelbar an der Station liegt, muß sie durch Ziehen des Signalhebels 1 $^{II}$ festgelegt werden, damit für den Fall, daß der Zug beim Einfahren in die Station das Ausfahrsignal überfahren und in die Weiche gelangen sollte, diese nicht mehr bewegt werden kann. Ob sich die Weiche dabei in der Plus- oder Minusstellung befindet, ist für die Zugeinfahrt ohne Belang. Im Verschlußregister ist diese Festlegung der Weiche dadurch erfüllt, daß beim Ziehen des Hebels 1 der Verschlußknaggen a die

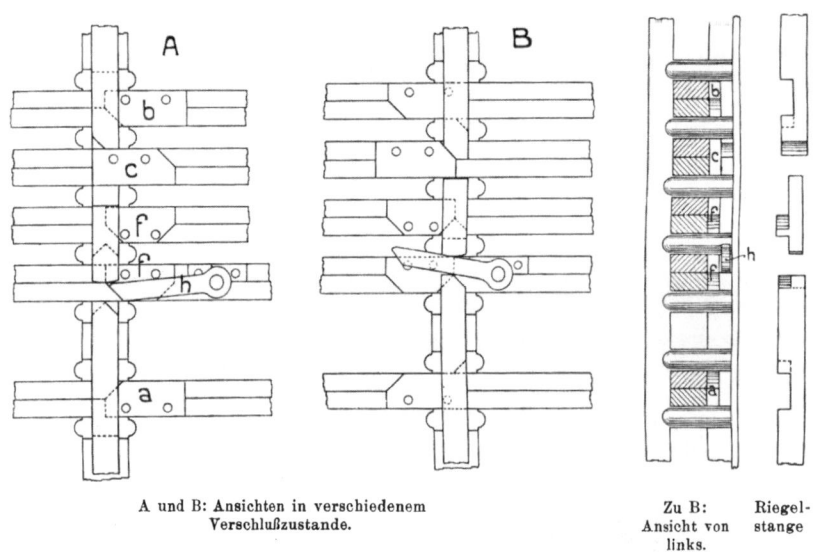

A und B: Ansichten in verschiedenem Verschlußzustande.

Zu B: Ansicht von links.

Riegelstange

Abb. 184. Teil des Verschlußregisters des Bahnhofs Leipziger Platz

bezeichnet sind. Die in der Abbildung dargestellte Lage der Schieber entspricht der Plusstellung (Grundstellung) der Hebel; beim Umlegen eines Hebels von Plus nach Minus bewegt sich die zugehörige Schieberstange von rechts nach links, beim Zurücklegen des Hebels von links nach rechts; die Riegelstangen werden entsprechend auf- oder abbewegt. In der in Abb. 185 angegebenen Zusammenstellung erfüllen die Verschlüsse, ohne sich gegenseitig zu stören, die durch die Verschlußtafel vorgeschriebenen Bedingungen, wie sich aus der folgenden Fahrtendarstellung ergibt.

Riegelstange 4 abwärts bewegt und festlegt und daß sie dadurch den Knaggen g in der Plus- oder Minusstellung und damit auch den Hebel 5 verschließt.

*F a h r t 2 a: Von A und B über C nach D (zu vgl. Abb. 168).*

Die Signale 2 A und 2 A/B werden mit demselben Hebel 2 gezogen. Ist die Weiche 5 für die Fahrstraße 2 a auf Plus eingestellt, so erscheint beim Ziehen des Hebels 2 das Signal 2 A; ist sie für die Fahrstraße 2 a/b auf Minus eingestellt, so zeigt sich das Signal 2 A/B (Signalwahl). Die Fahrt 2 a setzt voraus, daß sich die

Weiche in der Pluslage befindet; beim Ziehen des Signals wird die Weiche darin verriegelt. Diese Bedingung ist im Verschlußregister dadurch erfüllt, daß der Hebel 2 beim Ziehen die Riegelstange 4 vermöge des Knaggens c abwärts bewegt und verschließt, dadurch den Knaggen g

Weichen 5 und 7 auf Minus eingestellt sind. Beim Ziehen des Hebels 2 erscheint unter diesen Umständen das Signal 2 A/B (Signalwahl). Hebel 2 muß beim Ziehen die beiden Weichen 5 und 7 verriegeln. Das Signal 9 muß, um eine Gegenfahrt zum Signal 2 A/B unmöglich zu

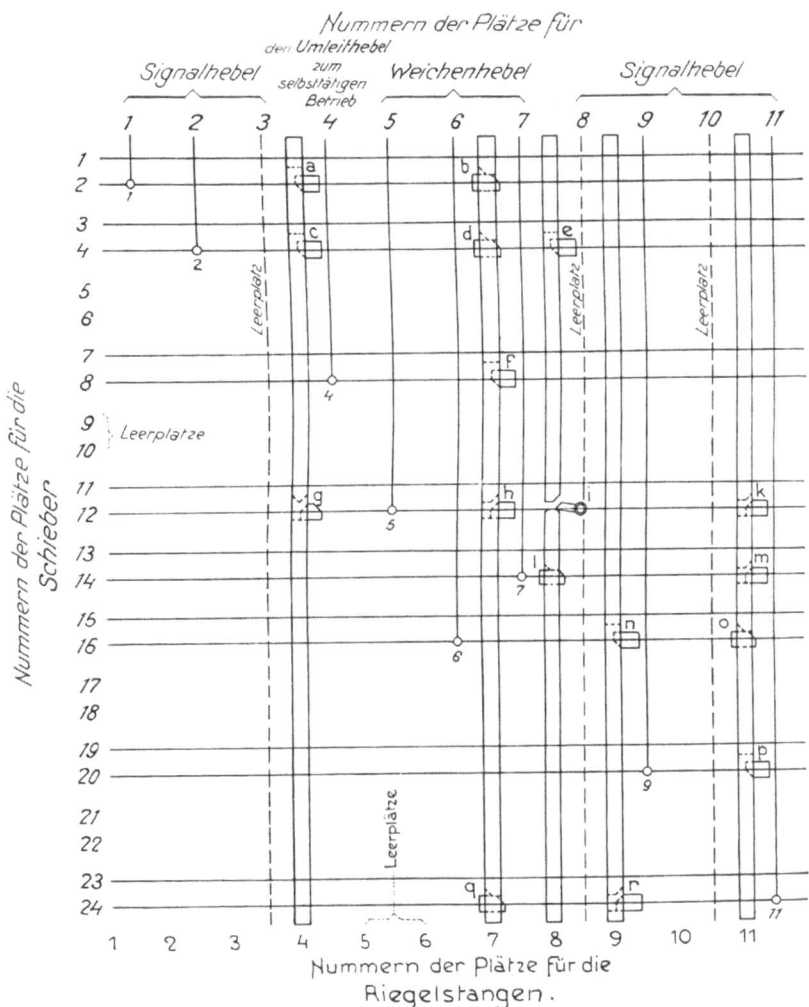

Abb. 185. Verschlußregister des Bahnhofs Spittelmarkt.

(in der Pluslage) festlegt und damit auch den Hebel 5 unbeweglich macht.

*Fahrt 2 a/b, Fahrt 9 ausschließend. Von A und B über C und E nach F (zu vgl. Abb. 168.*

Vorbedingung der Fahrt ist nach Maßgabe der Verschlußtafel, daß die

machen, mechanisch ausgeschlossen werden, d. h. Signal und Hebel 9 müssen sich in der Grundstellung (Halt) befinden. Der Ausschluß erfolgt beim Verschlußregister in der folgenden Weise:

Den Vorbedingungen (Hebel 5 und 7 in der Minusstellung, Hebel 9 in der Grundstellung [Halt]) entspricht die

Minuslage der Knaggen g und l. Knagge l hat den unteren Teil der Riegelstange 8 entriegelt. Durch die Minusstellung der Hebel 5 und 7 sind ferner die Knaggen k und m in die Riegelstange 11 eingeschoben worden, haben diese und damit auch die Knagge p und somit auch den Hebel 9 festgelegt. Da sich Hebel 5 und 7 in Minusstellung befinden, ist auch die Klinke i in die Trennstelle der Riegelstange 8 eingedrungen.

Beim Ziehen des Hebels 2 werden durch die Knaggen c und e die Riegelstange 4 und der Oberteil der Riegelstange 8 abwärts bewegt und dann verschlossen. Dadurch wird die Knagge g (Hebel 5 in der Minuslage) festgelegt. Klinke i legt mit dem Unterteil des Schiebers 8 die Knagge l (Hebel 7 in der Minuslage) fest und da infolgedessen auch die Knaggen k und m nicht mehr bewegt werden können, ist auch Knagge p und damit Hebel 9 festgelegt.

*Fahrt 9: Von F über E und G nach H (zu vgl. Abb. 168).*

Voraussetzung für die Fahrstellung des Signals 9 ist nach der Verschlußtafel, daß sich die Weichen 5 und 7 in der Plusstellung, 6 in der Minusstellung befinden, die Signale 11 I und 11 II auf Halt stehen.

Die sämtlichen Weichenhebel und der Signalhebel 11 müssen beim Ziehen des Signalhebels 9 verschlossen werden. Dies geschieht wie folgt:

Bei Plusstellung des Hebels 5 sind die Knaggen h und k außer Eingriff mit den Riegelstangen 7 und 11. Beim Umlegen des Hebels 6 wird die Riegelstange 9 durch die Knagge n nach unten bewegt; dadurch wird das Verschlußstück r des Hebels 11 und damit dieser selbst festgelegt, so daß die Signale 11 I und 11 II nicht gezogen werden können. Das Verschlußstück o dagegen wird beim Umlegen des Hebels 6 aus der Riegelstange 11 herausbewegt und gibt diese für eine Abwärtsbewegung frei. Wird jetzt der Hebel 9 auf Fahrt gestellt, so dringt die Knagge p in die Riegelstange 11 ein, bewegt diese nach unten und verhindert damit das Zurücklegen des Hebels 6, da dadurch das Verschlußstück o festgelegt ist.

*Fahrt 11: Von Abschnitt 37 über G nach H (zu vgl. Abb. 168).*

Um die Signale 11 I und 11 II (letzteres als Nachrücksignal) auf Fahrt zu stellen, ist erforderlich, daß sich die

Weiche 6 in der Plusstellung befindet und das Signal 9 ausgeschlossen wird. Dies wird nach dem Verschlußregister, wie folgt, erreicht.

Hebel 6 gibt in der Plusstellung die Riegelstange 9 frei, verschließt dagegen mit der Knagge o die Riegelstange 11 und verhindert mit Hilfe des Knaggens p das Auffahrtstellen des Signals 9. Hebel 11 wird umgelegt und verschließt mit der Knagge r die Riegelstange 9. Dadurch wird eine Abwärtsbewegung der Riegelstange ausgeschlossen und damit auch durch die Knagge n das Umlegen des Weichenhebels 6 verhindert.

Unabhängig hiervon können gleichzeitig die Fahrten 2 a oder 2 a/b ausgeführt werden; die Freigabe der Verschlüsse ergibt sich aus dem Register nach dem Vorhergehenden.

---

Die Umstellung der halbselbsttätigen Sicherungsanlage auf den rein selbsttätigen Betrieb mittels des Umleithebels 4 erfolgt in der nachstehenden Weise.

Beim Ziehen des Umleithebels werden erstens die Weichen 5 und 6 in ihrer Plusstellung und die Hebel 1, 2 und 11 in ihrer umgelegten Stellung, 9 in der Grundstellung mechanisch verschlossen. Der Umleithebel führt zweitens die schon früher erwähnte elektrische Umschaltung herbei, durch die das selbsttätige Auffahrtgehen der Signale nach Freiwerden der Strecke ermöglicht wird. Die erwähnten mechanischen Verschlüsse werden im Verschlußregister, wie folgt, bewirkt:

Hebel 1 ist umgelegt, das Verschlußstück a in die Riegelstange 4 eingedrungen, und das Verschlußstück b hat die Riegelstange 7 freigemacht. Hebel 2 ist umgelegt. Das Verschlußstück c ist in die Riegelstange 4 eingetreten, und das Verschlußstück d hat die Riegelstange 7 freigemacht. Hebel 5 befindet sich in der Grundstellung, das Verschlußstück h hat die Riegelstange 7 freigegeben. Hebel 6 befindet sich in der Grundstellung. Demzufolge gibt das Verschlußstück n die Riegelstange 9 frei, während das Verschlußstück o die Riegelstange 11 verschließt. Hebel 9 ist durch das Verschlußstück p verschlossen, da die Riegelstange 11 an ihrer Bewegung durch das Verschlußstück o verhindert wird. Hebel 11 ist umgelegt und hat durch das Verschlußstück r die Riegelstange 9 verschlossen, durch das Verschlußstück q die Riegelstange 7 freigegeben. Nunmehr wird der Umleithebel 4 für den selbsttätigen Betrieb umgelegt und damit das Verschlußstück f in die Riegelstange 7 eingeführt. Dadurch wird diese nach unten gedrückt und in dieser Lage festgelegt; der Umleithebel 4 verschließt dadurch den Hebel 1 beim Verschlußstück b, Hebel 2 beim Verschlußstück d, Hebel 5 beim Verschlußstück h und Hebel 11 beim Verschlußstück q. Hebel 6 wird durch das Verschlußstück n verschlossen, da sich das Verschlußstück r bei umgelegtem Hebel 11 in der Riegelstange 9 befindet.

c) Stromlauftafel;
Abb. 186.

Während in den Schaltbildern den Zeichen für die Sperren, Hebel- und Relaiskontakte die Nummern der Hebel,

mer mit umgelegtem Ringe, für in der Mittelstellung geschlossene Kontakte die Hebelnummer mit einem übergelegten Halbbogen (Beispiele: 5 und ⑤, ⌒2 .; vgl. hierzu Fußnote [1]));

2. für die Kontakte der Fahrstraßenrelais die Bezeichnungen der Gleisabschnitte, zu denen die Relais gehören (Beispiele: A, E, 37);

3. für die Kontakte der Signalwähler wieder die Nummern der Hebel, denen sie zugeordnet sind, aber nicht, wie im Schaltbilde, mit einem dahinterstehenden Plus- oder Minuszeichen, sondern mit einem darüber oder darunter gelegten Striche, der ansagt, ob die Anker sich in angezogenem Zustande (oben) befinden, oder abgefallen sind (unten). (Beispiele: $\bar{5}$, $\underline{5}$, ⑤̄, ⑤̲));

| Signal | Lauf des Signalstroms | Auflösungsstrom für die Fahrstrassensperre | |
|---|---|---|---|
| | | als Anrücksperre | als Weichensperre |
| 1ᴵᴵ | A. B. ①. → Sig. 1ᴵᴵ | | |
| 2ᴬ | C. 5. D. $\bar{2}$. ②. 5. → Sig. 2ᴬ | C. 5. A. B. $\bar{2}$. ②̄. → ⬚ | C. 5. ②. ②̄. → ⬚ |
| 2ᴬ/ᴮ | C. ⑤. E. $\bar{2}$. ②. ⑦. ⑤̄. { $\frac{5}{2}$ → Sig. 2ᴬ / 2ᴮ } | C. ⑤. E. ⑤. A. B. $\bar{2}$. ②̄. → ⬚ | C. ⑤. E. ⑤. ②. ②̄. → ⬚ |
| 9 | G. ⑥. E. 9/11. H. 11. ⑨. 7 → Sig. 9 | G. ⑥. E. ⑥. F. 9/11. ⑨̄. → ⬚ | G. ⑥. E. 9/11. ⑨̄. → ⬚ |
| 11ᴵ | 6. 6. 9/11. 9. ⑪. → Sig. 11ᴵ | 6. 6. 6. 37. 9/11. ⑪̄. → ⬚ | 6. 6. 9/11. ⑪̄. → ⬚ |
| 11ᴵᴵ | 6. 6. 9/11. 9. ⑪. H. → Sig. 11ᴵᴵ | 6. 6. 6. 37. 9/11. ⑪̄. → ⬚ | 6. 6. 9/11. ⑪̄. → ⬚ |

Abb. 186. Stromlauftafel für den Bahnhof Spittelmarkt.

den Kontakten der Signalwähler-Relais die Hebelnummern mit einem Plus- oder Minuszeichen, den Kontakten der Fahrstraßenrelais die Buchstaben- oder Zahlenbezeichnungen der Gleisabschnitte beigeschrieben, den Rechteckzeichen der Sperren- und Signalrelaisfelder die Signalbezeichnungen eingeschrieben sind, sind in den Stromlaufverzeichnissen für die Sperren zwar die gleichen Zeichen ⬚ verwendet wie in den Schaltbildern, indessen sind als Abkürzungszeichen benutzt

1. für die Hebelkontakte lediglich die Hebelnummern, und zwar für den in der Grundstellung des Hebels geschlossenen Kontakt die reine Hebelnummer, für den in der umgelegten Stellung geschlossenen Kontakt die Hebelnum-

4. für die Kontakte der Sperrelais die Nummern der ihnen zugeordneten Signalhebel, mit einem darüber oder darunter liegenden Strich zur Angabe, ob die Anker angezogen (oben) oder abgefallen (unten) sind. (Beispiele: $\bar{2}$, $\underline{2}$);

5. für die Feldwicklungen der Signalrelais die Bezeichnungen der Signale, zu denen sie gehören (Beispiele: Sig 2 B, Sig 9). Die im Stromlaufverzeichnis angegebenen Pfeile sind Zeichen der Stromrichtung zu einem Signal oder einer

[1]) Diese umringelten Zahlzeichen sind nicht zu verwechseln mit den auf Tafel XIV in schattierter Kreisfläche stehenden, durch die lediglich die Weichenhebelkontakte von den Signalhebelkontakten unterschieden sind.

Sperre als Ziel. Eine Schleife vor zwei Pfeilen zeigt an, daß der Strom zwei Ziele hat.

Hiernach sind beispielsweise die Zeichen in Zeile 1 des Stromlaufverzeichnisses in Abb. 186, wie folgt, zu lesen:

Der Signalstrom fließt von der Batterie über die Kontakte der in das Stell-

den Hebelkontakt 5 in der Plusstellung des Hebels, dann über den Relaiskontakt D, von dort über den angezogenen Kontakt des Sperrelais 2, (2̄), über den Kontakt des Hebels 2 in gezogener Stellung (②), von dort weiter über den Kontakt des Relais 5 in der Plusstellung (5̄) zur (—→) Relaiswicklung des Signals 2 A

Abb. 187. Ausgebautes früheres Stellwerk des Bahnhofs Spittelmarkt.

werk eingebundenen Wechselstromrelais A′, B, den Kontakt des Signalhebels 1 in der umgelegten Stellung zur (—→) Wicklung des Signalrelais S 1^II mit parallel geschalteter Fahrsperre. Anrück- und Fahrstraßensperren sind für diesen Fall nicht vorgesehen, weil sie, außerhalb des eigentlichen Stellbezirkes befindlich, lediglich zum Abschluß des Bahnhofes dienen.

Zeile 2 ist in folgender Weise zu deuten: Die Spalte „Lauf des Signalstroms" besagt, daß der Signalstrom von der Batterie über das Relais C den gleichnamigen Gleisabschnitt überwacht, über

(Sig 2 A) und damit parallel zur Fahrsperre weiterfließt.

In der Spalte „Anrücksperre" ist Zeile 2 wie folgt zu lesen: Es werden überwacht Gleisabschnitt C, der Kontakt des Weichenhebels 5 in der Plusstellung (5), weiter der Kontakt des Relais A (nicht D), sodann der Kontakt des Relais B, der zweite Kontakt des Sperrelais 2 in der angezogenen Stellung (2̄), der Mittelkontakt 2(②) zum Fahrstraßen-Verschlußmagneten (—→□).

Der Auflösungsstrom der Fahrstraßensperre als Weichensperre — letzte Spalte der Zeile 2 — nimmt folgenden Weg: Kontakt des Gleisrelais C, Kontakt des Hebels 5 in Grundstellung, weiter (der mit einem Sternchen bezeichneten Leitung in den rechtsseitigen Abbildungen der Tafel XV folgend) über den unteren Kontakt des Sperrelais in abgefallenem Zustande (2), den Mittelkontakt

### d) Kontaktregister.

Auf die Einzelheiten des Sperr- und Kontaktregisters einzugehen, dürfte sich unter Hinweis auf die Darstellungen der Tafel XIV erübrigen, die dafür die nötigen Hinweise an die Hand geben.

Abb. 188. Neues Stellwerk des Bahnhofs Spittelmarkt (Bauart Westinghouse).

(2), zum Verschlußmagneten (— >□). Hebel 5 kann hiernach erst nach Freiwerden des Gleisabschnittes C bewegt werden.

Wenn der Zug aus dem Weichenabschnitt C heraus ist, verhindert er dennoch ein Auffahrtgehen des Signals 2 A gemäß Abb. 168 und 178 so lange, wie er sich noch im Abrückabschnitt D befindet (Blockung).

Die Besprechung des Bahnhofs Spittelmarkt wird mit den beiden Abbildungen 187 und 188 abgeschlossen, in denen das mit der Einführung des selbsttätigen Signalsystems errichtete neue Stellwerk mit dem im früheren Betrieb verwendeten in Vergleich gestellt ist.

Additional information of this book

*(Die Selbsttätige Signalanlage der Berliner Hoch- und Untergrundbahn; 978-3-662-23968-1)* is provided:

http://Extras.Springer.com

Printed in Poland
by Amazon Fulfillment
Poland Sp. z o.o., Wrocław

85389729R00119